D1095187

АЛЕКСАНДРА
МАРИНИНА
КОРОЛЕВА ДЕТЕКТИВА

Адрес официального сайта Александры Марининой в Интернете
http://www.marinina.ru

АЛЕКСАНДРА МАРИНИНА

СМЕРТЬ КАК ИСКУССТВО

ПРАВОСУДИЕ

ЭКСМО

МОСКВА

2011

УДК 82-3
ББК 84(2Рос-Рус)6-4
М 26

Разработка серии Geliografic

Художник *И. Хивренко*

Маринина А.

М 26   Смерть как искусство. Кн. вторая : Правосудие : роман / Александра Маринина. — М. : Эксмо, 2011. — 352 с. — (А. Маринина — королева детектива. Новое оформление).

ISBN 978-5-699-51620-9

«Жизнь — театр, а люди в нем — актеры». Известное шекспировское изречение как нельзя лучше подходит к новому роману королевы современного детектива Александры Марининой. Ведь Театр — не только высокое искусство, он как живой организм, не терпящий лжи, предательства и порой мстящий очень жестоко.

В театре «Новая Москва» совершается загадочное и непонятное для окружающих преступление — покушение на режиссера и художественного руководителя Л. А. Богомолова. Теперь уже частный детектив Анастасия Каменская и молодой оперативник с Петровки Антон Сташис приступают к расследованию, которое приводит их к удивительным и неожиданным результатам. Подозреваемых много, все они лгут, и у каждого для этой лжи есть свои причины: и родительская любовь, и слепая страсть, и гнусный шантаж, и жажда успеха, достающегося слишком дорогой ценой, и страх разоблачения. Казалось бы, все вращается вокруг Театра, но одно маленькое, вроде бы незначительное событие, уходящее корнями в прошлое и ставшее в результате роковым, порождает новое зло. И сегодня пришло время восстановить справедливость...

УДК 82-3
ББК 84(2Рос-Рус)6-4

ISBN 978-5-699-51620-9

— Пап, я мультики посмотрю, ладно?

Антон положил вилку и взглянул на часы.

— А спать тебе не пора, Василиса Прекрасная?

— Не пора, не пора! — Девочка запрыгала вокруг отца, исполняя замысловатый танец. — Ты у Эли спроси, она всегда в это время разрешает мне мультики смотреть.

Антон бросил взгляд на Эльвиру, стоящую у плиты к нему спиной. Да, няня любит его детей, но не слишком ли она их балует, не слишком ли много свободы дает?

— Васька, уже десятый час, «Спокойной ночи, малыши» закончились, какие тебе еще мультики нужны? — недовольно произнес он.

— На диске. Ну пап! Мы когда сегодня с Элей гуляли, она купила два новых диска с мультиками, но сказала, что, пока я все уроки не сделаю, мне смотреть нельзя. Вот я все сделала.

«Эля сказала». Ну что ж, подрывать авторитет няни негоже, все-таки она с детьми проводит больше времени, чем он, родной отец.

5

— Хорошо, — согласился Антон, — смотри. Но только до десяти часов. В десять — спать, и без разговоров.

— А Степке можно со мной?

Эльвира повернулась и строго посмотрела на девочку.

— Васенька, мы же с тобой договаривались: Степа должен ложиться в девять, он еще маленький. И, между прочим, ровно в девять ты должна была сама его уложить и почитать на ночь сказку.

Василиса понурилась.

— Я хотела, но... Он спать совсем не хочет еще. И я пообещала, что спрошу про мультики, вдруг вы разрешите...

— Мы с папой не разрешаем, — твердо проговорила Эльвира. — Ты идешь укладывать Степана, читаешь ему, пока он не заснет, а потом смотришь мультики ровно до десяти. Договорились?

— Тогда совсем мало времени останется, — расстроенно пробормотала Василиса.

— Вася, — вмешался Антон, — это не обсуждается. Есть режим, есть график, все расписано по минутам. Если ты не укладываешься в график, значит, надо что-то поменять, но не в графике, а в твоих поступках. Вот почему ты так поздно закончила уроки? Ты должна была их сделать уже давным-давно. Чем ты занималась?

Девочка помолчала, потом нехотя двинулась к двери.

— Ладно, пойду Степку укладывать.

Антон с улыбкой смотрел ей вслед. Потом взял вилку и доел свой ужин. Эльвира по-прежнему что-то готовила, стоя к нему спиной.

— Эля, вы сами-то поели? — спросил он.

— Не беспокойтесь, я ужинала вместе с детьми.

— Так это когда было! Сядьте, хотя бы чайку выпейте, что вы там все возитесь?

— Хочу вам на завтрак пшенную кашу с тыквой оставить, а тыква очень долго варится, я с утра не успею приготовить. Антон, вы не сердитесь на Васю, она вам подарок готовит, поэтому и с уроками задержалась.

— Подарок? — удивился Сташис. — Какой? По какому случаю?

— К Новому году.

— Так ведь еще не скоро...

— Ну, у нее сложный замысел. — Эльвира засмеялась и присела за стол напротив Антона. — Мы сегодня специально ходили в магазин, покупали расходные материалы, потом сидели и вместе придумывали эскизы. Только вы не спрашивайте, что это, а то сюрприза не получится. Это я посоветовала Васе начать готовить подарок заранее, потому что задумка у нее действительно непростая, и не исключено, что с первого раза ничего не получится, и придется переделывать. Если хотите ругать, то ругайте меня, девочка не виновата, это я не уследила за временем.

— Ну что вы, Эля, — мягко улыбнулся Антон, — разве я могу вас ругать? Без вас я бы совсем пропал. Но основного графика ваши затеи не отменяют, договорились?

— Конечно, — кивнула няня.

Она снова встала к плите, а Антон допил чай и подошел к двери детской. Оттуда доносился приглушенный голос Василисы, читавшей четырехлетнему Степану «Храброго портняжку». Вообще-то, Степка уже умел читать сам, Эльвира очень серьезно относилась к своей работе и выполняла функции одновременно няни, домработницы и гувернантки, но Антон считал, что у Василисы должны быть определенные обязанности по воспитанию брата, и если у детей нет матери, то «сказку на ночь» должна обеспечивать сестра. Уже без двадцати десять, Степка еще не спит, это безобразие, и даже если он уснет немедленно, у Васьки останется только минут пятнадцать на просмотр мультфильмов. Может, напрасно он устроил такую казарму? Может, надо быть помягче с детьми, больше им позволять, больше баловать? Ответа Антон Сташис не знал, но одно знал точно: заранее составленное расписание, графики, режим, распорядок — это спасительная соломинка, ухватившись за которую можно выплыть из любой беды.

Он устроился в гостиной на диване и взял в руки книгу, но что-то не читалось... Снова вспомнилась пустота, которая не просто окружила — задушила его в тесных объятиях после похорон матери. Всего за четыре года он потерял все, что составляло его семью и его жизнь, и он остался один в большой трехкомнатной квартире, которая еще совсем недавно всегда была полна голосов, смеха и любви. А теперь в ней никого и ничего не было, кроме него самого, казавшегося себе в тот момент одиноким, маленьким и никчемным, и тишины.

Антон пытался разомкнуть тиски пустоты и одиночества, стал постоянно приглашать к себе сокурсников и сокурсниц, собирал шумные многолюдные компании, в которых было много спиртного, много пьяного секса, тупого веселья и бессмысленных разговоров. Он боялся оставаться один в квартире, засыпал, оглушенный алкоголем, утром, не глядя по сторонам, умывался, одевался и убегал на учебу в Университет МВД, после занятий оставался в читальном зале и готовился к семинарам и практическим занятиям, а домой возвращался уже с друзьями и девушками. В таком угаре прошло около четырех месяцев, потом Антон опомнился. Сделал генеральную уборку, выбросил пустые бутылки, которые обнаруживал в самых неожиданных местах квартиры, отнес в химчистку то, что не мог постирать своими руками, и больше никого к себе не приглашал. Компаниями он пытался заполнить образовавшуюся пустоту, но внезапно понял, что это не та заполненность, которую он потерял и к которой стремился. Ему нужен теплый душевный контакт, ему нужна семья, ощущение сообщества, собратства, а не пьянки-гулянки.

Но оказалось, что без алкоголя он совсем не мог спать. В ночной тишине его стали преследовать звуки, которых он в реальной жизни не слышал: стон умирающего отца, жуткий крик падающей с высоты одиннадцатого этажа сестры, предсмертный хрип матери. Отец на самом деле не стонал, он просто упал, и Антон слышал только шум упавшего на пол тела. Отец был без сознания и больше не издал ни звука. А когда случились несчастья с сестрой и матерью, Антона даже дома не было. Но звуки преследовали его, они рождались где-то под потолком и настойчиво лезли в уши, в голову, пронзали все его тело.

Пришла бессонница. То есть это была не совсем бессонница, потому что спать он вроде бы и хотел, но уснуть не мог. И начались книги. Сначала те, что были дома, но домашняя библиотека, не такая уж обширная, давно была изучена Антоном вдоль и поперек, а на покупки в книжных магазинах слушательской стипендии, торжественно именовавшейся «окладом содержания», не хватало. На помощь пришли соседи, которые относились к юноше с сочувствием и добротой и не вмешивались, пока в его квартире шли беспрестанные гулянки, но, как только наступила тишина, сразу же протянули Антону руку. Соседи были семьей, близкой к искусству: он — театральный критик, она — журналист из отдела культуры в многотиражной газете. И библиотека у них была огромная. Антон брал сразу по нескольку книг и глотал их залпом, без разбору, все подряд, лишь бы чем-то себя занять по ночам и не слышать страшных звуков. Со временем он стал приходить в соседскую квартиру не только за книгами, но и просто так, заходил после занятий, садился в уголке, доставал учебники и конспекты и занимался: пребывание в пустых комнатах собственного дома все еще угнетало. Однажды ему в руки попала книга Михаила Чехова «Путь актера», которую Антон прочел с неожиданным любопытством. Особенно его привлекло учение об атмосфере, которая сама по себе порождает определенные поступки людей, и рассуждения Чехова о Куприне, которого молодой тогда еще актер случайно увидел в разнузданной пьяной компании. «Вся компания производила жуткое и тяжелое впечатление. В центральной фигуре я узнал А.И. Куприна. Но какая разница между ним и окружающей его компанией! Я не знаю, что переживал Куприн, что заставляло лицо его искажаться болью и злобой, но я знал, что это было что-то для него серьезное, глубокое и настоящее». Антона тогда поразила готовность молодого человека понять и разобраться, а не смешивать огульно всех присутствующих в одну безликую массу.

После этого Антон долго обдумывал мысль о том, что нельзя относиться к людям как к маскам, потому что живые, реальные люди многограннее и интереснее, чем плоская одноплановая маска. «Я не верил прямым и простым психологиям, — писал М. Чехов. — ...Быть человечным — это значит уметь примирять противоположности... Раздражение против людей, ненависть к ним и непримиримая с ними борьба являются, по большей части, результатом неверного представления о неизменности человеческого характера».

Он начал присматриваться к тем, с кем общался, все время помня то, о чем написал Михаил Чехов, в частности, обращая особое внимание не столько на произносимые людьми слова, сколько на выражение их лиц, интонации и жестикуляцию, чтобы, как советовал актер, постараться понять, что именно человек чувствует и что он хочет сказать, какую мысль донести. Ведь Чехов советовал: «Я... вычитаю мыслительное содержание говорящего человека и слушаю не то, ЧТО он говорит, но исключительно — КАК он говорит. Тут сразу выступает искренность или неискренность его речи. Больше того, становится ясным, для чего он говорит те или иные слова, какова цель его речи, истинная цель, которая зачастую не совпадает с содержанием высказываемых слов». Сначала получалось не очень хорошо, но в Антоне проснулся исследовательский интерес, и он не оставлял своих упражнений, пока наконец не почувствовал, что научился быстро и довольно точно улавливать внутреннюю мысль собеседника. Ему говорили: «Да он нормальный парень, с ним, в принципе, можно иметь дело», а он слышал: «С этим парнем что-то не так, и, если есть возможность, лучше дела с ним не иметь». Ему говорили: «Со мной все в порядке, не обращай внимания», а он знал, что ему хотят сказать: «У меня беда, мне нужна помощь, мне нужно внимание». Первой мыслью было недоумение: зачем же говорить одно, когда в голове совсем другое? Наверное, Чехов прав, и люди действительно сложны и многогранны.

В нем проснулся интерес к людям. К конкретному человеку. К его внутреннему миру, его судьбе, его переживаниям. Антон Сташис умел хорошо слушать, он был терпеливым и благодарным собеседником, и в этом своем даре нашел наконец лекарство от одиночества и ощущения, что ты никому не нужен. Свой страх одиночества и невостребованности он так и не преодолел и считал слабостью, которую и компенсировал общительностью, иногда неоправданной, иногда немного навязчивой, но зато оказавшейся отличным подспорьем в работе сыщика. Если позволяло время, Антон так разговаривал с людьми, что они в конце концов готовы были выложить ему свои самые сокровенные тайны, ибо чувствовали с его стороны не наигранный, не искусственный, а искренний и глубокий интерес. Но это пришло уже потом, после учебы...

И еще одну важную вещь объяснили ему соседи: нормально устроенный мозг не умеет работать над двумя мыслями одновременно, и если занять его одной мыслью, то никакая другая уже не прорвется.

— Ты оказался в полной пустоте, — говорила соседка-журналистка, — и тебе нужно чем-то ее заполнять, на что-то отвлекаться. Составь список дел, вплоть до самых мелких и незначительных, таких, как заварить чай или вымыть чашку, расставь все дела по времени в течение суток, прямо по минутам расставь, только ни в коем случае ничего не записывай, держи весь график в голове и постоянно повторяй про себя, чтобы ничего не забыть. Попробуй, это очень хорошее упражнение, мне в свое время оно здорово помогло.

Антон попробовал. И довольно быстро втянулся, потому что постоянное поглядывание на часы и мысленное повторение дел и отведенных на них часов и минут не давало возможности вспоминать и тосковать. И не давало пугающим непрошеным звукам ни малейшей возможности прорваться в голову. Он наконец начал спать по ночам.

Женился Антон Сташис рано и практически второпях. Вообще-то, им очень интересовались сокурсницы, потому что, кроме высокого роста, привлекательной внешности и неплохих мозгов, у него была большая хорошая квартира, но он каким-то чутьем угадывал, что того душевного тепла и чувства семьи, которое ему нужно, эти девушки не дадут. Совершенно случайно, в автобусе, он познакомился с Ритой, крошечной и худенькой, выглядящей лет на шестнадцать. Потом оказалось, что она старше Антона на два года, выросла в детдоме и тоже очень хочет иметь семью и много детей. Уже через два месяца они подали заявление в ЗАГС, а через четыре Антон Сташис женился, но не по страсти, а, скорее, по чувству того самого душевного уюта, которого ему так не хватало. Он был хорошим верным мужем, потом стал хорошим заботливым отцом и был уверен, что это и есть любовь. Во всяком случае, в том, что у него хорошая, счастливая семья, Антон ни минуты не сомневался.

После похорон Риты он снова остался один, но на сей раз на руках у него были двое детишек, двухлетний Степка и шестилетняя Вася. Никакой родни, к которой можно было бы обратиться за помощью, у Антона не оказалось, а о детдомовской Рите и говорить нечего. Первую неделю он пребывал в полной растерянности и совершенно не понимал, как ему жить дальше, а потом пришла Эля, Эльвира, жена того, кто по пьяной удали застрелил Риту. Антон даже не колебался, предложение Эльвиры оказать ему любую посильную помощь было для него поистине спасительным. Денег у того, кто убил Риту, оказалось немерено, и все они остались его жене, которая отныне имела полную возможность работать у Сташиса без зарплаты и даже тратить на его детей собственные средства. Поначалу Антона это коробило, он пытался вернуть Эльвире все, что она тратила на Степана и Василису, а также на продукты для самого Антона, но каждый раз сталкивался с решительным отказом.

— Я не для вас стараюсь, — твердо говорила Эльвира. — Я это делаю для себя. Это нужно мне, понимаете? Я пытаюсь хоть как-то искупить то, что натворил этот подонок.

Антон понимал. И очень скоро перестал обсуждать с няней финансовые вопросы. А с «этим подонком» Эльвира почти сразу же развелась, разделив общее имущество ровно пополам.

— Теперь вы можете быть уверены, что я трачу на вас не его деньги, а свои. Я же понимаю, вас коробит при мысли о том, что я что-то купила для ваших детей на деньги убийцы их матери. С сегодняшнего дня этого больше не будет, — объявила Эльвира, кладя перед Антоном на стол копию судебного решения о расторжении брака и разделе имущества.

Он не стал бороться с любопытством и бумагу из суда прочел, просто чтобы представлять себе степень обеспеченности его няни, а то вдруг окажется, что денег-то у нее кот наплакал! Выяснилось, что если кот и наплакал, то это был очень крупный кот, просто-таки гигантский, даже не кот, а динозавр какой-то. И плакал он, по-видимому, очень долго и горько. Одним словом, разведенная красавица Эльвира, тридцати трех лет от роду, была обладательницей приличного состояния, включающего, помимо банковских счетов, дом в трех километрах от МКАД и два автомобиля — джип и седан, то есть являлась в качестве потенциальной невесты весьма и весьма выгодной партией. «У нее появятся поклонники, — с грустью подумал тогда Антон, — она захочет выйти замуж и родить, пока не стало поздно, собственных детей, Эля от нас уйдет, и что мы с ребятами будем делать? Оставлять их одних я не могу, и платить другой няне я не смогу тоже, моей зарплаты на это не хватит. Катастрофа!»

Он попытался поговорить об этом с Эльвирой, но в ответ получил только укоризненный взгляд и короткую фразу:

— Есть грехи, на искупление которых уходит вся жизнь, да и ее порой оказывается недостаточно.

Больше они к этой теме не возвращались. А один из двух автомобилей Эльвиры — седан — вскоре оказался у Антона, который пользовался им по доверенности...

На экране телевизора мультяшный персонаж с остервенением пилил толстое дерево, на котором висели яркие соблазнительные плоды. Василиса сидела рядом с Антоном, привалившись к отцу плечом, и легонько ерзала, будто помогая немыслимому существу с витыми рожками справиться со стволом. Антон в очередной раз посмотрел на часы: без двух минут десять. Еще две минуты — и Ваську придется гнать спать. Он прикрыл глаза и откинул голову на спинку дивана. Как хорошо вот так сидеть, ощущая рядышком теплое, такое родное тельце дочки и зная, что она довольна и весела, и Степка здоров и уже видит второй сон в своей постельке, и все у них в порядке, и завтра тоже все будет в порядке, они проснутся, выйдут на кухню, а там будет сидеть красивая и добрая фея Эля, которая приезжает каждый день к семи утра, чтобы накормить всех завтраком и отвести Степку в садик, а Ваську в школу. Как хорошо... Если бы еще...

Нет, не думать, не вспоминать, не сожалеть. Составлять расписание. Следить за временем. Заниматься работой. Двигаться дальше. Жить.

Настя Каменская с остервенением передвигала рычажок будильника, не понимая, почему он не перестает звенеть. Пришлось открыть глаза и с удивлением обнаружить, что до звонка еще целых десять минут. Что же это так назойливо мешает спать?

Оказалось, что спать мешает телефон. Из ванной доносился шум воды, и она поняла, что Алексей принимает душ и поэтому не снимает трубку. Пришлось откидывать одеяло и тянуться к лежащей на столе телефонной трубке.

— Пална, дрыхнешь? — послышался голос Сережи Зарубина.

— А ты как думаешь! — сердито отозвалась она. — Что еще я должна делать, по-твоему, без десяти семь утра?

— Ждать меня, — уверенно ответил Сергей. — Нет, Пална, я серьезно, можно у тебя помыться и позавтракать?

Настя села в постели и потрясла головой.

— Я что-то не совсем...

— Да у меня скандал продолжается. — Голос Сергея вдруг стал жалобным и унылым. — Вчера вроде начали мириться, а потом снова-здорово, слово за слово — и пришлось хлопнуть дверью. А куда деваться-то? Время полвторого ночи. Вот и спал в машине. Весь помятый, несвежий и голодный. Спасешь несчастного?

Сон наконец отступил окончательно, мысли прояснились.

— Конечно, Сержик, конечно, — торопливо произнесла Настя. — Ты далеко?

— Рядом. Я же знал, что ты не отвергнешь бездомного и не оставишь его без куска хлеба. Буду через пять минут.

Она накинула халат и постучала в дверь ванной.

— Леш, у нас гости. Что на завтрак приготовить?

Из ванной выглянул муж, половина лица уже выбрита, другая половина в белоснежной пене, в руках бритва.

— А кто это нас осчастливит в такую рань?

— Зарубин. У него дома столетняя война, он в машине спал.

— Сейчас я добреюсь и что-нибудь соображу, пока ты будешь мыться.

Сергей явился не через пять минут, как обещал, а через целых пятнадцать, за это время Настя успела принять душ и умыться, а Алексей приготовил вполне приличный завтрак на троих.

— Сперва поешь, — скомандовал Чистяков, —

а то все остынет. Потом помоешься. Я там в ванной тебе новую бритву оставил, в упаковке.

За завтраком Сергей рассказал, что внука Малащенко накануне вечером удалось найти.

— Ты представляешь, — говорил он с набитым ртом, — этот идиот испугался, что на него могут повесить покушение на Богомолова, и спрятался в Ярославской области у какой-то дальней родни. Ну это же надо такие мозги иметь! В первую очередь именно родню и будут проверять, это же каждому дураку понятно.

— А почему он решил, что его подозревают? Рыльце в пуху, что ли? — спросила Настя.

— Да дед его нашарохал! Пришел к внучку и давай его терзать, дескать, не ты ли Богомолова убить собрался, и все в таком духе. Нет, парень действительно ни при чем, алиби мы проверили, он в ту ночь в районе дома Богомолова и близко не был, но напугался он сильно. Сначала деду, конечно, говорил, что ни сном ни духом, а потом поразмыслил и решил от греха подальше спрятаться. Короче, Пална, здесь у нас с тобой пусто. И с богомоловской дочкой мы обломались. Там тоже ничего.

— Совсем-совсем ничего?

— Абсолютно. То есть парень, Боб этот, действительно наркоша и действительно тянет деньги из девчонки, тут ты все правильно просчитала. Но он к покушению не причастен. На сто процентов.

— Ладно, — вздохнула Настя, — двумя версиями меньше — больному легче. Но твой крендель Вавилов тоже тот еще фрукт. Никогда не поверю, что он не знал про дочку Богомолова и ее дружка. А ведь он, насколько я понимаю, тебе ни слова не сказал. Ведь не сказал?

— Сказал, — признался Зарубин. — Вчера, когда я его к стенке припер. И заодно рассказал о том, как Богомолов этого Боба с лестницы спустил, они там чуть не подрались. Я уже было стойку сделал, ну, все на Горохове сходится, копеечка в копеечку, а ребята как раз закончили проверку и твердо сказали: не он. Даже жалко было.

— Жалко ему было, — проворчала Настя. — А Вавилову своему ты морду не начистил за то, что он утаивал информацию? Я вообще не понимаю, чем человек думает: платит такие бабки за результат и при этом скрывает информацию, которая может быть важна. Или бизнесмены — это такой специальный ум?

— Да брось ты, — махнул рукой Сергей, — не трать нервные клетки. Идиотов всюду хватает.

— Кто там у нас остался? Костюмерша Гункина?

— Она, родимая, — кивнул Зарубин. — А что, гренки кончились? Больше нету, что ли?

Блюдо, на котором еще несколько минут назад лежали горячие бутерброды с сыром, колбасой и помидорами, почему-то стояло посреди стола совершенно пустое.

— Сделать еще? — предложил Чистяков. —

Только придется подождать, пока они испекутся, надо, чтобы сыр расплавился.

— Ничего, — великодушно кивнул оперативник, — я подожду. Ты делай.

Алексей принялся нарезать белый хлеб, колбасу, сыр и помидоры, а Настя принесла из прихожей сумку, достала блокнот и вычеркнула из списка два имени. Кроме Гункиной, в этом списке оставался еще Артем Лесогоров.

— А насчет Лесогорова? — спросила она. — Ты не забыл?

Зарубин посмотрел на дольки помидоров и сглотнул.

— Руки не доходят, Пална, вот ей-крест, не доходят. Вчера два огнестрела на нас повесили, вот как ты от меня ушла — так потом целый день на выездах был. И ребята заняты под завязку. Да не парься ты, просветим мы твоего журналиста, не сегодня — так через неделю, никуда он не денется. Эй, профессор, скоро там у тебя?

— Скоро, — отозвался Алексей, — потерпи. Ладно, дети мои, вы тут следите за духовкой, а я пошел одеваться, мне на работу пора.

Через двадцать минут Чистяков уехал, горячие бутерброды к этому времени не только испеклись, но и оказались уничтожены проголодавшимся сыщиком, и Настя налила по второй чашке кофе.

— Знаешь, Пална, а вовремя ты ушла от нас, — неожиданно заявил Сергей. — Все равно скоро работать будет невозможно.

— Почему? — не поняла Настя. — Руководство мешает?

— Да руководство-то всегда мешает, — вздохнул он, — а тут еще реформа эта, будь она неладна.

— А, вот ты о чем...

— Ну да. Нет, я саму реформу с тобой обсуждать не собираюсь, хотя она и бредовая, по-моему, но не моего ума это дело. Я о другом: кто и как будет раскрывать преступления после реформирования? Ведь опять все поменяют, новые структуры придумают, им новые полномочия дадут, а полномочия — это...

— Информация, — подхватила Настя. — Ты прав, Сержик, вы замучаетесь выяснять, у кого какая информация и как ее получать.

— Вот и я о том же. Ведь последние десять лет только и делают, что нас реформируют, и информационные потоки уже разрушились окончательно. Нас ведь как учили? У каждого типа преступления есть свой алгоритм раскрытия, то есть по существу — определенный алгоритм сбора информации, мы, как «Отче наш», знали, куда бежать и у кого чего спросить. А теперь что будет? Информационные потоки другие, стало быть, алгоритмы надо разрабатывать новые и заново всех учить. Кто этим будет заниматься?

— Никто, — грустно констатировала Настя. — Зато, в соответствии с реформой, с вас не будут требовать показатели раскрываемости.

— Ага, щас! Что-нибудь другое придумают, чтобы с нас головы снимать.

Зарубин был настроен пессимистически, и даже третья чашка кофе не улучшила его настроения.

— В общем, Пална, грядет время, когда мы все прочувствуем толщину гвоздя, — уныло сказал он. — На работу, что ли, ехать?

Она посмотрела на часы и кивнула:

— Наверное, пора. И мне тоже пора собираться.

— Ну, конечно, — снова заныл Сергей, — кому-то на работу, а кому-то в театр. Умеют же некоторые устраиваться.

— Хочешь поменяться? — предложила Настя. — Поезжай вместо меня в театр, а я дома останусь. Это же твоя, между прочим, работа, которую ты очень ловко спихнул на меня.

— В театр? — не на шутку перепугался Зарубин. — Ну уж нет, уволь, подруга. Я их боюсь.

— Ясен пень, — засмеялась Настя. — Если мужчина кого-то боится, то туда лучше послать женщину. Ладно, пей кофе, я пошла одеваться.

Они вместе вышли из дома, сели каждый в свою машину и разъехались.

И снова была череда встреч и бесед. У Насти и Антона лежал список всех сотрудников театра «Новая Москва», из которого постепенно вычеркивались фамилии тех, с кем удалось встретиться и поговорить. Чем дальше, тем больше Настю охватывало ощущение бессмысленности и безнадежности работы, которую пытались проделать они с Антоном. Сплетни, рассказы о каких-то мелких конфликтах и обидах или уверения в том, что на Льва Алексеевича ни у кого рука не поднялась бы, — вот и весь результат их монотонной и однообразной деятельности.

Настя поймала себя на том, что после вчерашнего разговора с Сережей Зарубиным совсем перестала реагировать на телефон в руках Сташиса. Если он так много близких потерял, то совершенно объяснимы его страх за детей и желание постоянно быть в курсе того, где они и что с ними происходит. Ей в какой-то момент даже стало неловко оттого, что она вынуждает Антона торчать в театре до позднего вечера. Конечно, оперативная работа в розыске не предполагает нормированного рабочего дня, и если бы он занимался другими преступлениями, то вряд ли уходил бы домой в шесть вечера, такого не бывает. Но одно дело, когда причина где-то там, на стороне, и совсем другое — когда ты сам задерживаешь человека. Настя попыталась исправиться и в половине седьмого предложила Антону завершить работу.

— Вы поезжайте, — сказала она, — у вас ведь дети дома. А я тут сама поковыряюсь, мне спешить некуда.

Антон внимательно посмотрел на нее, и Насте показалось, что он собрался было улыбнуться, но в последний момент передумал.

— Вы вчера встречались с Сергеем Кузьмичем, — не то спросил, не то сделал вывод Сташис.

— И сегодня с утра тоже, — кивнула Настя. — Из этого что-то следует?

— Из этого следует, что вы, по-видимому, получили информацию о моей ситуации. Я прав?

— С чего вы взяли?

— Мне показалось, что вы начали меня жалеть. Разве нет?

Настя пожала плечами и отвернулась, но потом взяла себя в руки и посмотрела ему прямо в глаза.

— Да, Зарубин рассказал мне о вас. И что плохого в том, что вы пойдете домой и проведете время с детьми? У меня сложилось впечатление, что вы меня в чем-то упрекаете, Антон. Да, я спросила Сергея Кузьмича о вас, но это совершенно естественно, любой человек стремится побольше узнать о тех, с кем ему приходится ежедневно контактировать. Разве вы поступили бы иначе?

— Точно так же, — улыбнулся наконец Антон. — И хочу вам сказать, Анастасия Павловна, что я всегда с благодарностью отношусь к сочувствию и желанию мне помочь. Но жалеть и щадить меня не надо.

— Почему?

— Потому что так сложились обстоятельства моей жизни. И эту жизнь, вместе со всеми ее обстоятельствами, я должен прожить. У каждого человека свои обстоятельства, и невозможно жалеть и щадить всех. Обращайтесь со мной так же, как прежде, пожалуйста. И не беспокойтесь за моих детей. С ними няня. Кстати, про няню вам Сергей Кузьмич тоже рассказывал?

Настя молча кивнула.

— Тогда у вас наверняка появились вопросы, они неизменно появляются у всех, кто слышит об Эльвире. Вы не стесняйтесь, спрашивайте, мне скрывать нечего.

Ну, что ж, раз он сам предлагает... В любом случае лучше спросить, чем строить беспочвенные догадки, которые к тому же могут оказаться неверными.

Они сидели в кабинете Богомолова, освещаемом только настольной лампой, и Настя не очень хорошо видела выражение лица Антона Сташиса. Что было на этом лице? Готовность к откровенности? Или напряженная собранность перед тем, как солгать? А может быть, не спрашивать? В самом деле, какая ей разница, почему Антон принимает услуги жены того, кто отнял у него мать его детей? Может, он беспринципный. А может, просто в отчаянном положении и уже не выбирает средств решения проблемы. Может быть, она ему очень нравится, и он готовится заменить ею погибшую жену. Зачем задавать вопросы? «Нет, — ответила Настя сама себе, — я хочу его понять. Не для того, чтобы осуждать или оправдывать, а просто для того, чтобы понимать его характер, иначе мне будет трудно с ним работать».

— Я понимаю, что вам этот вопрос, наверное, задавали тысячу раз, — начала она издалека.

— Вы хотите спросить, почему я принял помощь Эльвиры и не коробит ли меня такая ситуация?

— Да, именно об этом я и хотела вас спросить.

— Не коробит. — Антон встал с кресла и прошелся по кабинету. — И тут есть два обстоятельства. Первое: у меня не было другого выхода. Не сочтите это напоминанием вам о возрасте, но в вашем поколении, наверное, было много людей, которые любят свою работу и ничем другим заниматься не хотят. Сегодня таких намного меньше, во всяком случае, у нас в розыске. Считайте, что я — ископаемое, музейный экспонат. Но я не хотел менять работу, а сочетать службу в розыске с воспитанием маленьких детей без посторонней помощи невозможно. Я честно пытался, вы не думайте, что я сразу опустил руки. Я пытался. И не смог. Не получилось у меня. Эля в этом смысле оказалась моим спасением. И второе: это было нужно и продолжает быть нужным самой Эльвире. Она чувствует себя виноватой за то, что сделал ее муж. У нее душа болит за моих детей, она страдает, она переживает. И помощь свою предложила от чистого сердца. Так почему бы мне эту помощь не принять? Она помогает мне растить детей, я помогаю ей обрести душевный покой.

— А вы не думали о том, что будет, если она

соберется замуж? — осторожно спросила Настя. — Вы показывали мне ее фотографию, ваша Эльвира — очень красивая женщина, и брачных предложений у нее наверняка будет много, тем более что она, как я понимаю, человек далеко не бедный. Что вы тогда будете делать?

— Понятия не имею, — тяжело вздохнув, развел руками Антон. — Я каждый день жду, что что-нибудь подобное начнет происходить. У меня нет денег на платную няню.

— Сколько лет вашей Эльвире?

— Тридцать пять. Я понимаю, о чем вы: ей пора заводить собственных детей, возраст уже критический. Ну, что ж, если она решит оставить работу у нас, я приму это как очередное обстоятельство моей неуклюжей жизни. Но прожить-то свою жизнь я все равно должен, я же не могу бросить ее на полпути и сказать: она мне не нравится, она мне надоела, заверните мне какую-нибудь другую, посимпатичнее, повеселее, полегче. Если случится — значит, случится, тогда и буду думать, что делать. Я ведь человек здравый, Анастасия Павловна, я понимаю, что мне нужно протянуть еще как минимум десять лет, пока Степке не исполнится четырнадцать, хотя четырнадцать — это очень плохой возраст, за парнем нужен глаз да глаз, так что лучше бы Эля проработала у меня лет пятнадцать. Но я отчетливо понимаю, что это невозможно. Человек не может испытывать чувство вины на протяжении пятнадцати лет. Даже если она не соберется замуж, ей просто надоест бесплатно работать ради чужих детей и совершенно постороннего мужика. Правда, она очень любит моих детей, очень к ним привязана, но как надолго хватит этой любви и привязанности?

— А вы не думали... — Настя запнулась, подыскивая слова. То, что она хотела спросить, было совершенно бестактным. Но спросить очень хотелось. — Вы и Эльвира...

— А, — засмеялся Антон, — я понял. Вы хотите узнать, не было ли у меня мысли жениться на ней? Отвечаю: нет. Не было. Эльвира очень красивая и очень добрая, она любит моих детей, но я для нее не мужчина, точно так же, как она для меня — не женщина. Во всяком случае, за те два года, что мы знакомы, я ни разу не посмотрел на нее с мужским интересом.

— А почему? — с любопытством спросила Настя. — Вы же сами сказали, что она красивая и добрая. Так почему бы нет?

— Просто потому, что Эля — не моя женщина. Да, она чудесная, она достойная во всех отношениях, и, между прочим, прекрасная хозяйка. Но — не моя. Мне нужна другая. Если бы я женился на Эле, для ребят это было бы наилучшим выходом. Но не для меня. И, разумеется, не для нее. Зачем я ей? Нищий сыскарь с двумя детьми, к тому же моложе ее на семь лет. Есть женихи и получше. Я ответил на ваш вопрос?

— Спасибо, Антон.

— За что?

— За искренность. И простите меня, я полезла не в свое дело, но мне правда очень хотелось понять вас. Так вы категорически отказываетесь уходить сейчас домой?

— Категорически. Дома Эля, мне не о чем беспокоиться. Что у нас на сегодняшний вечер по плану?

— У нас, — Настя полистала блокнот, — сегодня звуковики и осветители, которых не было в понедельник и которые ведут сегодняшний спектакль. Кстати, спектакль вот-вот начнется, так что минут через пятнадцать можно начинать их отлавливать. Знаете, Антон, я все никак не могу привыкнуть к тому, что технический прогресс добрался до театра. Я хорошо помню театр своего детства и своей юности, тогда была осветительская ложа, в ней сидели специальные люди и вручную наводили прожекторы на разные части сцены. А теперь все заведено в компьютер и управляется автоматически. Вам моего удивления не понять, вы — дитя прогресса.

— Может, и так, — согласился Антон, — но для меня тоже было шоком, когда мы с вами пришли в будку Аллы Михайловны, осветителя, а она сидела и кроссворды там разгадывала, а прожектора двигались сами по себе. Я, честно говоря, обалдел от изумления. И в тот момент я понял вас.

— В каком смысле?

— Ну, вы с самого начала все время сомневались, что сможете разобраться в театре, а я не понимал, чего вы боитесь и что тут такого сложного. А в тот момент понял. Меня прямо как по башке шарахнуло. И еще меня их сленг убивает; когда театральные деятели между собой разговаривают, я вообще ни слова не понимаю.

Да, насчет сленга Антон прав, Настю тоже это смущает. И кстати, сам Антон, насколько она успела заметить, профессиональным сленгом разыскников тоже отчего-то не пользуется. Ни разу за все дни, что они проработали вместе, Настя не слышала от него ни одного слова о «терпилах», «износах», «парашютистах», «подснежниках» и «недоносках». И Сережка Зарубин тоже отмечал эту его особенность. А что, если спросить?

— Я — приверженец марксистско-ленинской философии, — со смехом пояснил оперативник. — Помните: бытие определяет сознание? Нет, я, конечно же, пользуюсь выражениями, принятыми в нашей профессиональной среде, но только если они не касаются человека. И я, точно так же, как все, называю пистолет «волыной» и бегаю «получать корки», но никогда не скажу «обезьянник», потому что там находятся люди, живые люди, и к ним нужно относиться как к людям, а не как к обезьянам. Не зря же говорят: как корабль назовешь, так он и поплывет. Если называть людей, тем более погибших, пренебрежительными выражениями, очень скоро и относиться к ним начинаешь пренебрежительно, а это для меня неприемлемо. Каждый человек — это целый мир, неповторимый и уникальный, даже если этот человек совершил преступление. Я не говорю, что преступников надо жалеть, ни в коем случае, но, если начать относиться к ним как к быдлу, очень скоро такое же отношение сформируется и к потерпевшим, и ты перестанешь им сочувствовать, а потом начнешь точно так же думать и о коллегах, и о соседях, и о членах собственной семьи. Тут только начни — и остановиться уже невозможно. Знаете, что случилось с моей сестрой?

— Знаю, — кивнула Настя.

— Мне нестерпима мысль о том, что кто-то мог назвать ее «парашютисткой». А ведь называли, я сам слышал. Мне было очень больно. А про мою маму оперативники сказали «висельница». — Антон повернулся к Насте лицом, и ей показалось, что он сильно побледнел. Хотя в комнате царил полумрак, и она не была уверена. — Знаете, я в тот момент их чуть не убил. Я уже был слушателем и знал, что буду работать в розыске. Вот тогда я твердо решил, что ни при каких условиях не только не скажу вслух, даже мысленно не назову человека каким-нибудь гадким, пренебрежительным словом. Вот такое я ископаемое. Ну что, Анастасия Павловна, вам теперь будет труднее со мной работать?

Настя задумалась. Что ему ответить? Конечно, ей будет труднее, ведь всегда трудно находиться бок о бок с человеком, у которого ТАК сложились обстоятельства жизни. Но одновременно и легче, потому что она хотя бы будет понимать эти обстоятельства.

— Пойдемте, Антон, — негромко сказала Настя, так и не ответив на вопрос. — Если вы не едете домой, нам пора приниматься за работу. Дорогу к осветителям найдете?

— Постараюсь.

Спектакль начался, все опоздавшие были рассажены по местам, и главный администратор Валерий Андреевич Семаков решил зайти к директору Бережному. Бережной сидел у себя в кабинете, листал какие-то бумаги и посматривал на экран монитора, разделенный на четыре части: на этот монитор были выведены камеры, обозревающие сцену, зрительный зал, главный и служебный входы.

— Что, Владимир Игоревич, спектакль смотрите? — поинтересовался Семаков.

— Да нет, жду гостей, из мэрии должны приехать, — пояснил Бережной, снимая очки для чтения.

— На спектакль? — переполошился администратор. — Почему мне не сказали? У меня в ложе дирекции...

— Нет, им спектакль не нужен, они хотели проверить мою заявку на ремонтные работы. Да ладно, уже восьмой час, наверное, не приедут. Кофе хотите?

— Спасибо, не откажусь. Владимир Игоревич, я вот хотел спросить насчет новой пьесы: что-нибудь проясняется? Дату премьеры хотя бы приблизительно определили? А то ведь мне нужно анонсы и программки готовить и заказывать, буклеты, аннотацию писать для «Театральной афиши».

— Какое там! — Бережной горестно махнул рукой, встал и пошел готовить кофе. — Ничего не двигается. Сеня бьется изо всех сил, старается сдвинуть работу с мертвой точки, но пьеса такая сырая... Просто не представляю, как они будут выкручиваться. Хотя Сеня, конечно, очень старается, и с тех пор, как он сам начал вести репетиции, какое-то движение наметилось. Но если Лев Алексеевич вернется к работе в ближайшее время и снова возьмется за «Правосудие», то я даже не представляю, когда мы увидим конец этой эпопеи. — Ему пришлось слегка повысить голос, чтобы перекрыть шум перемалывающей зерна кофемашины. — И еще автор этот, Лесогоров, — продолжал директор. — Написал дерьмо, быстро и качественно исправить не может, хочет всем угодить, кто какие поправки ни предложит — он тут же кидается что-то менять, на следующий день приносит новый текст, и все роли приходится учить заново. Ну, не все, конечно, только то, что он поправил, но это же тормозит работу. В общем, неразбериха полная.

— А нельзя его как-нибудь... — Семаков сделал выразительный жест, будто выпихивал кого-то из кабинета. — Пусть бы ушел совсем, не болтался тут под ногами. Семен Борисович сам бы пьесу переписал, он это сделает быстро и хорошо. Поставили бы две фамилии на афише — и все довольны.

— Ох, Валерий Андреевич, — Бережной поставил перед администратором изящную чашечку с горячим ароматным напитком, — вашими бы устами да мед пить. Сеня спит и видит, как бы избавиться от автора. И я, честно вам признаюсь, тоже. Он тут всем нам мешает, и творческой части, и дирекции, ходит, высматривает, вынюхивает, выспрашивает. Не люблю я журналистов, от них одни неприятности. Но как его выпрешь? Уйдет — и денег не будет. У нас ведь в договоре записано, что первый транш театр получает на финансирование именно постановки «Правосудия», а второй — после премьеры — на развитие. И второй транш в три раза больше первого. Представляете, какие спектакли можно будет на эти деньги поставить? И какие ремонтные работы провести? Речь ведь не о копейках — о миллионах! Если Лесогоров уйдет, то уйдет вместе с деньгами, а я как директор на это пойти не могу. Вот если бы форс-мажор какой-нибудь случился — тогда другое дело, а так...

Семаков задумчиво пил кофе, покачивая ногой, обутой в модный ботинок с узким носом.

— А если сделать так, чтобы автор ушел, а деньги остались? — вдруг спросил он.

Бережной осторожно поднял глаза и искоса взглянул на администратора.

— Вы что имеете в виду? Знаете, как это можно сделать?

Семаков тонко улыбнулся и поставил чашку на блюдце.

— В любом случае нужно принять меры, чтобы пресечь это его болтание по театру, — ответил он. — Он же отсюда не вылезает, со всеми общается, сплетни собирает. Напишет еще гадости про наш театр. А он обязательно напишет, я эту породу знаю. Нам с вами это надо?

Владимир Игоревич Бережной точно знал, что «этого» ему не надо. И театру «Новая Москва» тоже не надо. Но как же все устроить?

После встречи с осветителями Антон и Настя разделились — Антон отправился искать рабочих сцены на верхнюю галерею, где чувствовал себя вполне уверенно, а Настя, боявшаяся высоты и хорошо помнившая свои далеко не самые приятные ощущения от пребывания на галерее, стала спускаться вниз по служебной лестнице с намерением найти кого-то из артистов, с кем не удалось побеседовать в предыдущие дни. Она медленно, глядя под ноги и делая осторожные шаги, спускалась по плохо освещенной лестнице, боясь оступиться на выщербленных ступеньках, когда снизу, с той площадки, где располагалась курилка, послышался мужской голос:

— У нас появились проблемы... Тебе надо проявлять осторожность... Да, помощь будет нужна, и срочно... Я еще позвоню. Пока.

Она постаралась ускорить шаг, не производя при этом шума, но, когда добралась до курилки, там уже никого не было. Настя рванула на себя дверь, ведущую в служебный коридор, и быстро огляделась. Вдоль коридора располагались кабинеты, некоторые с надписями, некоторые — без, она уже знала, что это помещения бухгалтерии, юриста, отдела кадров, завтруппой, пожарной охраны, служебные туалеты... По коридору ходили люди, некоторые — с документами в руках, некоторые — в сценических костюмах. Кто из них только что разговаривал по телефону? Или этого неизвестного мужчины среди них вообще нет? Может быть, он зашел в один из кабинетов? Или скрылся за дверью, ведущей на сцену? Или ушел из этого коридора в сторону другой лестницы? А может быть, это был кто-то из зрителей, кто хорошо знает расположение помещений театра и осведомлен про никогда не запирающуюся и не охраняемую билетерами дверь между фойе и служебной частью здания? Просто кто-то из зрителей, кто во время антракта вышел покурить и позвонил по своему делу, не имеющему никакого отношения к покушению на худрука Богомолова. Почему он не пошел в помещение для курения, предназначенное для зрителей? Потому что сюда ближе. Или потому, что он пришел в театр не «с улицы», а был приглашен кем-то из сотрудников, разделся у него в кабинете и про эту служебную курилку знает, а про зрительскую — нет. Причин может быть множество.

Но с таким же успехом этот звонивший мог оказаться человеком, причастным к преступлению. Голос Настя не узнала, но это и немудрено при таком-то количестве людей, с которыми ей пришлось поговорить за минувшие дни. Кроме того, совершенно непонятно, с кем этот неизвестный разговаривал, с мужчиной или с женщиной.

«Я стала старой и нерасторопной, — корила себя Настя, вернувшись в курилку и доставая сигареты, — не успела его увидеть. Пора меня на свалку. Если бы со мной был Антон, все было бы иначе, он бы пулей слетел вниз».

Настроение у нее испортилось, даже работать расхотелось.

Артем Лесогоров любил бывать в клубе «Киномания», здесь постоянно тусовались известные артисты и режиссеры, и Артем чувствовал себя причастным к этому волшебному миру узнаваемых людей. Поэтому, когда Никита Колодный в очередной раз пригласил его посидеть за бокалом пива в «Киномании», Лесогоров немедленно и с удовольствием согласился.

— Старик, — говорил Никита, обнимая Лесогорова за плечи, — ты написал совершенно гениальную пьесу, но в ней есть шероховатости, которые надо исправить. Да, я не скрываю, мне хочется, чтобы меня заметили, но именно поэтому твою пьесу надо слегка подправить и улучшить, чтобы в конце концов она стала хитом сезона. О ней будет говорить вся Москва, да что Москва — вся Россия будет о ней говорить, со всей страны будут ехать люди, чтобы посмотреть наш спектакль. Но для этого надо сделать пьесу чуть-чуть лучше. Ты согласен?

— Само собой, — кивал Лесогоров, который абсолютно ничего не имел против того, чтобы его пьеса стала хитом сезона и предметом множества публикаций в прессе и Интернете.

— Ты пойми, — продолжал Колодный, — пьеса только выиграет, если изменить мотивировку действий Зиновьева. Ну, смотри сам, что получается: жена Зиновьева просто не может так болезненно отреагировать на смерть свекрови, потому что свекрови этой девяносто четыре года, а жене Зиновьева — всего тридцать. Она молодая баба, практически девчонка, что для нее девяносто четыре года? Этой свекрови уже прогулы на кладбище ставят. Согласен?

— Ну, — снова кивнул Лесогоров, — допустим.

— Да не «допустим», а так оно и есть, — горячился актер. — Свекровь давно и тяжело больна, ее состояние требует постоянного внимания, участия и присутствия рядом с ней Зиновьева и его молодой жены, и молодой жене это просто по определению нравиться не может. Артем, в любой мотивации должна быть своя логика, иначе не получается драматургии образа, и актер просто не знает, что и как ему играть. Логика должна быть понятной, доступной любому зрителю, только тогда он начинает сопереживать и сочувствовать персонажу. Если зритель не понимает мотивацию персонажа, эмоционального отклика не будет, а нет отклика — нет успеха. Это я тебе как человек театра говорю. А у тебя в пьесе получается, что из-за смерти свекрови молодая жена настроила против Зиновьева все их окружение. Ну, бред же, Артем! Не бывает так! Вся эта история неправильна и совершенно оторвана от жизни. И сама ситуация с клиникой, счетами, деньгами и перевозкой в другую больницу тоже надуманная, так не бывает.

— Почему же, — возразил Лесогоров, — бывает. И вообще, Никита, в жизни все бывает, даже такое, что ты себе и представить-то не можешь.

Он слушал Колодного вполуха, потому что, во-первых, все эти слова и резоны Никита уже неоднократно излагал и на репетициях, и в частных беседах, а во-вторых, потому, что ему куда интереснее было наблюдать за окружающими. Кто с кем пришел, кто с кем общается, кто, что и сколько пьет. Колоссальный материал для статей! Вот промелькнула актриса, о которой в последнее время много говорили в связи с тем, что она якобы выходит замуж за своего партнера по съемкам в последнем фильме, однако кинодива появилась в обществе своего официального бойфренда, известного спортсмена. Артем пожалел, что у него нет с собой фотоаппарата. А вот телеведущий популярнейшей программы, бродит между столиками совершенно пьяный в обнимку с известным дизайнером, не скрывающим своих гомосексуальных пристрастий. Интересно, это просто так или что-то означает? Господи, как же ему надоел этот Колодный со своими попытками сделать собственную роль более удобной и выпуклой! Но приходится терпеть ради удовольствия бывать здесь, клуб-то закрытый, просто так с улицы не придешь, нужно иметь карту члена «Киномании» или прийти вместе со счастливым обладателем такой карты. У Никиты Колодного карта была.

— Я не могу отыгрывать надуманные страдания, — продолжал зудеть ему в ухо актер, — я не понимаю, как на них реагировать. Слушай, Темка, ну пусть у Зиновьева будет другой повод для депрессии: банкротство, рейдеры, измены жены, неизлечимая болезнь — все, что угодно, но только правдоподобное и реальное, иначе и зритель не поймет, и актерам играть трудно. Да и поведение жены Зиновьева, и подозрения в ее адрес станут более оправданными, если, например, речь пойдет о том, что у нее есть другой мужчина. Подумай, Тема!

Артем хмыкнул. Станет он переделывать самое зерно пьесы, как же! Лев Алексеевич Богомолов как раз и уцепился за идею виновности Зиновьева в смерти престарелой матери, потому что вся ситуация с матерью превратилась в обстоятельство жизни Зиновьева, в такое обстоятельство, с которым он не смог справиться. И эта идея оказалась близка и интересна Богомолову, он строил на ней весь спектакль. Но Лев Алексеевич бывал не на каждой репетиции, иногда репетиции вместо него проводил Сеня Дудник, которому идеи Колодного нравились и который поддерживал все предложения актера по внесению изменений в текст пьесы. Потом приходил Богомолов и эти изменения запрещал. Конечно, Дудник сам достаточно молод, поэтому страдания шестидесятилетнего Зиновьева ему непонятны, и он вставал на сторону Никиты, но теперь все иначе. Теперь спектакль доводит до конца Семен Борисович Дудник, на нем вся ответственность, и режиссер отыграл назад. Конечно, куда он теперь денется! Артем-то не дурак, они со спонсором такой договор придумали, при котором автор может в любой момент сорваться и забрать пьесу из театра. А театр и пикнуть не посмеет, денежки-то не театральные, а спонсорские, так что автору при расторжении договора даже неустойку платить не придется. И отныне Семен Борисович будет автору пьесы в задницу дуть, а о том, что раньше он соглашался с Колодным, и думать забудет. И зря Никитка старается, не выйдет у него ничего.

К их столику то и дело подходили мужчины и женщины, многих из них Артем узнавал и был бы совсем не против, если бы они присели к ним, ему хотелось знакомств, связей, разговоров о кино и шоу-бизнесе, ему отчаянно хотелось быть в центре, в гуще этого манкого и притягательного мира, но Никита только пожимал им руки, целовался, перебрасывался парой слов и снова возвращался к пьесе «Правосудие». Лесогоров скосил глаза на соседний столик, за который в этот момент усаживалась мрачная и явно только что поссорившаяся пара: режиссер, недавно прогремевший фильмом в жанре фэнтези, и его, как говорят, гражданская жена, победительница какого-то конкурса, не то красоты, не то вокалистов. Вот бы послушать, чего они не поделили...

А Колодный между тем все говорил и говорил:

— Сегодня в драматургии сплошь дурацкие надуманные ситуации, это якобы новизна и продвинутость. Твоя пьеса будет выгодно отличаться, потому что она про нашу повседневную жизнь, и ее будут смотреть с удовольствием. Ты совершенно гениально ущучил, Артем, что спрос на абстракцию и условность, на эдакий псевдомодерн уже проходит, люди хотят читать и смотреть про самих себя, а все почему? Потому что жизнь стала нравственно тяжелой, сложной, и люди ищут моральные ориентиры, маяки в непростых житейских ситуациях. Так что твою замечательную пьесу надо избавить от всего, что нетипично, и тогда она заиграет и станет хитом. Ты же помнишь из русской литературы: типический человек в типических обстоятельствах. А твоя история про мать Зиновьева и реанимацию — нетипическая, она все портит. Ты пойми, мне неудобно в этом тексте, мне твоего Зиновьева совсем не жалко, и зрителю его жалко не будет. А я же утверждаю в первом акте, что мне его стало жалко! Я просто не смогу быть достоверным, я не понимаю, как это играть.

Лесогоров снова отвлекся, на сей раз он узрел не вылезающего из теледебатов политика в обществе ярко накрашенной и подозрительно молоденькой девицы в вызывающем наряде. Ничего, еще три-четыре визита в «Киноманию» — и его блог в Интернете станет одним из самых посещаемых. Про знаменитостей всем интересно. Особенно если про них пишут гадости, уж это-то журналист Лесогоров знал точно.

На сцене «Новой Москвы» шла сложная трагическая пьеса, все главные роли в ней были построены на тяжелых переживаниях, и Театр сперва не различил в мешанине эмоций это чужое напряжение, идущее не со сцены и не из зрительного зала, а откуда-то со стороны. Театр в первый момент даже подумал, что ему показалось. Потом он понял, что не показалось и что напряжение исходит со стороны служебной лестницы. Наверное, кто-то из актеров только что ушел со сцены и направился к себе в гримуборную, унося с собой ужас и отчаяние, положенные ему по роли.

Но что-то было не так, что-то не вписывалось в придуманную схему. Театр насторожился, прислушался повнимательнее и понял, что комок напряжения находится не на той лестнице, по которой поднимаются в гримерки, а на другой, параллельной. Комок поднимался все выше и выше, он двигался медленно и осторожно и направлялся в сторону служебной квартиры. Опять к Артему Лесогорову гости идут... И чего они так боятся? Он что, страшный такой? Глупости! Театр неоднократно видел автора пьесы, когда тот появлялся в зрительном зале, или бродил по сцене, или торчал в кулисах, обычный молодой человек, симпатичный, светловолосый, ясноглазый, с хорошей улыбкой, такие женщинам нравятся. А кстати...

Театр отключился от происходящего на подмостках и весь сосредоточился на чужом напряжении. Ну конечно, это женщина! Так вот в чем дело! Женщина идет на свидание к Лесогорову, потому и нервничает, наверное, это ее первый визит в служебную квартиру. Интересно, как там у них все происходит?

Вот пульсирующий комок напряжения добрался до квартиры Артема и приутих, видно, Лесогоров встретил ее радостно, и женщина перестала волноваться. Надо же, а самого Артема Театр совсем не чувствует. Почему это? Может, его просто нет в квартире? Да нет, этого не может быть, ведь кто-то же открыл гостье дверь. Неужели молодой журналист настолько равнодушен к ней, что не испытывает никаких эмоций? Такое бывает, Театр знает, он уж столько любовных свиданий на своем веку наблюдал, а век-то не короткий, целых девяносто пять лет, из которых восемьдесят пять он именуется театром «Новая Москва».

А напряжение снова заиграло, но теперь уже какой-то другой краской, если на лестнице оно было тревожным, то теперь стало сосредоточенным, как будто женщина в квартире Лесогорова занялась важной ответственной работой и боится допустить ошибку. Вот оно что! Театр обрадовался, что сумел догадаться: это же дамочка облегченного поведения, которая пришла делать свое дело за деньги, отсюда и ее сосредоточенность, и отсутствие эмоций у самого хозяина квартиры. Как все просто оказалось! Никаких сомнений, это именно проститутка, потому что никаких других объяснений подобному эмоциональному раскладу Театр придумать в тот момент не сумел.

Когда через некоторое время Театр почувствовал, как сосредоточенность сменилась разочарованием, он не смог сдержать ухмылки. Правда, он не очень разобрал, чье это было разочарование, Артема Лесогорова или его гостьи, но саму суть эмоции уловил совершенно безошибочно. А вы как думали, дорогие мои? Пообщался с женщиной за деньги — и полные карманы счастья? Наверняка или сам Артем оказался не на высоте, или удовольствие получилось ниже среднего.

Театру стало неинтересно, он отключился от служебной квартиры и вернул все внимание на сцену, однако спустя довольно короткое время недовольно поежился: опять тревожное напряжение на служебной лестнице мешало ему наслаждаться спектаклем. Ну, что она так трясется, эта жрица любви? Съедят ее, что ли, на этой лестнице? А может, там опять лампочка перегорела и ей просто страшно, потому что она боится упасть? В любом случае — ну ее, эту дурочку, пусть уже скорее уходит и не мешает своими тревогами и опасениями. И почему Артем ее не проводит? Взял бы за руку и довел бы до служебного входа, она бы и не боялась. Тоже мне, джентльмен, использовал дамочку и выставил за дверь. О, времена, о, нравы...

Теперь Театр сердито следил за сгустком напряжения, ожидая, когда тот покинет территорию здания, но сгусток и не думал выходить на улицу, он остановился на первом этаже, помедлил немного и решительно направился к двери, через которую можно было выйти в фойе, пересек фойе и окончательно остановился в туалете. Ну что ты будешь делать! Эта профурсетка, оказывается, собирается дождаться антракта и вместе со всеми зрителями потом пойти в зал и посмотреть второй акт. Ну, хитрюга! Неужели нынешние проститутки не чужды высокому искусству?

А волны напряжения и тревоги между тем становились все слабее и слабее, и к тому моменту, когда закончился первый акт и зрители растеклись по фойе, Театр окончательно позабыл о женщине, приходившей к Артему Лесогорову.

В «Киномании» они просидели до часу ночи, потом разъехались, Никита Колодный отправился на чей-то день рождения, а Артем вернулся в театр. Вахтерша недовольно смотрела на него, отпирая дверь: по телевизору, стоявшему на ее столике, в это время показывали какое-то американское кино про любовь и, насколько Лесогоров успел заметить, про секс. Охранник тоже смотрел этот фильм и просто махнул Артему рукой, не отрывая глаз от экрана.

Первого же взгляда на комнату оказалось достаточно, чтобы понять: в его квартире были посторонние. Кресло возле стола сдвинуто, бумаги лежат не так, не в том порядке, в каком Артем их оставил. Артем придвинул кресло, уселся, включил компьютер и быстро его проверил. Так и есть, в компе кто-то основательно порылся и даже скопировал несколько файлов. И произошло это между семью и восемью вечера. Ну-ну. Лесогоров удовлетворенно улыбнулся и вышел в Интернет. Все идет по плану, все происходит именно так, как он и задумывал. Сейчас он сварит себе кофе (а как же без этого?) и начнет излагать в своем блоге все сегодняшние наблюдения за знаменитостями.

Это уже второй случай, когда кто-то проникает к нему в квартиру и интересуется его записями. Первый был несколько дней назад, но тогда компьютер не тронули, только бумаги перерыли. Чудаки! Неужели они думают, что Лесогоров будет все самое важное хранить здесь, под рукой?

Наивные и смешные люди! А милиционерам Артем про это ничего не скажет, незачем им знать. Это его дело, и он доведет его до конца. Сам.

Антон Сташис надел куртку и заглянул в комнату, где в постели лежала Галина.

— Я пошел? — не то спросил, не то проинформировал он.

— И опять, и снова, — недовольно вздохнула Галина, его бывшая одноклассница. — Ты же сказал, что эта твоя Эля сегодня ночует у вас. Остался бы до утра. Ну почему ты всегда уходишь?

— Дети утром должны меня увидеть, — твердо ответил Антон. — Мы с тобой это тысячу раз обсуждали. Зачем опять-то?

Галина приподнялась в постели, подоткнула под спину подушку, включила бра над головой. Длинные тонкие волосы рассыпались по плечам, лицо без косметики выглядело блеклым и невыразительным. Но Антон этого словно не замечал, ему было все равно, красива или нет женщина, с которой он спал примерно раз в неделю. Он знал ее много лет, они учились в одном классе, Галина не стремилась выйти замуж, была вполне самостоятельной в обычной жизни и состоявшейся в профессии, она делала карьеру и Антона Сташиса рассматривала точно так же, как и он сам рассматривал ее: как способ организовать собственную личную жизнь без ущерба для работы и психического здоровья. Кто-то есть, значит, ты не одинок, и значит, ты кому-то нужен.

— Конечно, тебе приятнее встречать утро в обществе своей красотки, а не в моем, — равнодушно проговорила она. — Ладно уж, иди. У меня глаза есть, я понимаю, что мне с ней не тягаться. Слушай, Сташис, а что ты будешь делать, когда твоя Эля замуж соберется? Не все ведь такие, как я, нормальная баба должна хотеть семью и детей.

— Повешусь, — улыбнулся Антон. — Ложись спать, Галчонок, тебе вставать рано. Я позвоню.

Он осторожно, стараясь как можно тише щелкнуть замком, закрыл за собой дверь и спустился к машине. Хорошо, что Эля — свободный человек и спокойно остается ночевать с его детьми, когда Антон дежурит сутки, работает допоздна или просто задерживается, как сегодня. Улицы были свободны, и до дома он доехал быстро. Спать совсем не хотелось, и Антон, паркуясь возле подъезда, прикидывал, чем бы заняться, чтобы время, оторванное от сна, прошло с пользой.

В квартире царила тишина, Эля спала в одной комнате с детьми, и Антон устроился в гостиной с диктофоном в руках. Звук он сделал минимально громким, чтобы никого не разбудить, сел на диван и поднес маленькое прямоугольное устройство прямо к уху. Надо заново переслушать записи бесед в театре. А вдруг придет какая-нибудь мысль?

Но ничего нового в голову не приходило, все то, что Антон слышал в словах собеседников, уже многократно обсуждалось им с Анастасией Павловной и Сергеем Кузьмичом. Вот режиссер Дудник Семен Борисович, скоро сорок, а карьера с места не сдвигается, так и застыла на одном уровне. Ставит мало, в другие театры его почти не приглашают, только от случая к случаю зовут куда-то в провинцию, и Богомолов ставить не дает, держит Дудника на ставке и зарплату платит. Если Богомолов сам ставить не хочет, то приглашает режиссеров по договору со стороны, а про Дудника словно забывает, вспоминая о нем только тогда, когда нужно провести репетицию вместо самого Льва Алексеевича. Другие режиссеры в таких случаях назначают ассистента из числа опытных и авторитетных артистов, а Богомолов почему-то такую практику не жалует, предпочитает Дудника лишний раз носом ткнуть, мол, знай свое место, ни на что другое ты все равно не годишься. Ну, и восстановительные репетиции, когда нужно вспомнить и освежить давно не игравшийся спектакль, тоже поручают Семену Борисовичу. Никто режиссера Дудника не знает, никому он не нужен... А вот труппа его любит, с артистами у него сложились хорошие отношения и творческое взаимопонимание. Если бы дать ему возможность ставить спектакли именно с этими артистами! Он бы себя показал. У него ведь и идеи есть, и кураж, и энергия, и — что самое главное — артисты его хорошо понимают, потому что он умеет с ними правильно обращаться. Вот только Лев Алексеевич Богомолов как кость в горле стоит...

Главный администратор Семаков при прежнем художественном руководителе был особой, приближенной к трону, с ним считались, его ценили, с ним советовались, его любили актеры, которых он возил на творческие встречи, в том числе и в другие города, обеспечивал их пребывание там, опекал, был отцом родным. А теперь он как мальчик на побегушках, занимается изготовлением репертуарных книжек и поздравительных открыток, да еще организовывает билетеров, которые должны в день спектакля проставить галочки напротив фамилий артистов в 900 программках. Скучно ему! Муторно! И еще второй главный администратор, Красавина, постоянно на глазах, та самая Красавина, которая заняла теперь место Семакова в сонме приближенных и к Богомолову в кабинет входит без стука. А ему, Семакову, приходится при необходимости часами ждать в приемной. Да, Богомолова он ненавидит всей душой и даже скрыть этого не может.

А вот директор-распорядитель Бережной... Тут совсем иная картина, идентичная по своему началу и прямо противоположная по результату. Когда-то он был директором с единоличным правом подписи под финансовыми документами, владел всей ситуацией, управлял огромным сложным хозяйством, обеспечивал бесперебойное функционирование непостижимого механизма, состоящего из трех слитых воедино единиц: «театр как здание», «театр как производство» и «театр как учреждение культуры». Он был хозяином, который принимал решения и следил за их выполнением. И вот пришел Богомолов, объявивший себя генеральным директором с правом первой подписи под финансовыми документами... И Владимир Игоревич Бережной оказался связанным по рукам и ногам непредсказуемым, капризным и, самое главное, некомпетентным худруком, узурпировавшим кресло директора. Бережного понизили, львиную часть полномочий у него отняли, а всю ответственность оставили. И он готов это терпеть ради любви к актрисе Людмиле Наймушиной. Неужели рыцари еще не перевелись? Есть в нем ненависть к Богомолову? Должна быть, должна, по всей логике мужского характера — должна она быть. А ее нет. Не слышит ее Антон Сташис ни в интонациях, ни в выбираемых Бережным словах. А ведь кто-то говорил, что Бережной — человек с актерским образованием. Может ли в этом случае Антон доверять тому, что слышит? Не игра ли это? Не актерство ли? Анастасия Павловна предупреждала его, что хороший актер кого угодно обманет. А кто сказал, что Бережной — плохой актер? Никто этого не говорил.

Актриса Людмила Наймушина питалась в ресторане с большим аппетитом и довольно ловко сама вывела разговор на Ивана Звягина и его конфликт с Богомоловым. Ни Антон, ни Каменская в момент встречи с Наймушиной этого не заметили, им обоим казалось, что они задают вопросы, а Наймушина на них добросовестно отвечает, и только теперь, слушая запись в третий или четвертый раз, Антону стало совершенно очевидно, что Людмила, Люсенька, изо всех сил искала повод, чтобы поскорее рассказать про Звягина. Очень уж ей хотелось поведать страшную быль об изгнанной из гримерки поклоннице и разорванном контракте, повлекшем за собой выплату огромной неустойки. Информацию, разумеется, немедленно проверили, и что оказалось? Да, девица в гримерке была, и суровый разговор Богомолова с Иваном тоже был, но все дальнейшее оказалось сильно преувеличенным. Контракт на съемки не разрывали, и хотя Богомолов дал команду составлять текущий репертуар без учета заявок Звягина, все обошлось малой кровью. Деньги, конечно, кое-какие Ивану заплатить пришлось, но вовсе не такие огромные, как уверяла Наймушина. Зачем она это сделала? А ларчик открывался совсем просто: из бесед с другими актерами выяснилось, что у Звягина был роман с актрисой, с которой дружила Наймушина. Роман закончился абортом и разрывом, и Люсеньке просто захотелось мелко отомстить за подружку. Детский сад, ей-богу!

Антон выключил диктофон и убрал его в сумку. Надо ложиться и попытаться уснуть, завтра рабочий день. Эля встанет в шесть, значит, до шести тридцати ему подниматься нет никакого смысла, ванная все равно будет занята. В шесть тридцать подъем, в шесть пятьдесят пять он выйдет из ванной, три минуты уйдут на то, чтобы поздороваться с Элей и обсудить меню на завтрак, еще две минуты — на поедание яблока, которое Антон привык съедать натощак, и ровно в семь он пойдет будить детей. Степка вскочит сразу и побежит умываться, он «жаворонок» и радостно встречает каждое наступающее утро, а вот Васька — соня, с ней придется повозиться, прежде чем удастся ее поднять и дотащить до ванной, из которой как раз уже и Степка выйдет...

Он на цыпочках пересек коридор и нос к носу столкнулся с Эльвирой, выходящей из детской.

— Что-то случилось? — испуганным шепотом спросил Антон. — Дети не спят?

— Все в порядке, — голос Эльвиры шелестел едва слышно, — все здоровы и все спят. Просто я слышала, как вы вернулись, и все ждала, когда вы пройдете к себе в спальню, а вы все не идете и не идете. И я подумала, что вас, может быть, надо покормить, раз уж вы все равно не ложитесь.

— Я не голоден. Идите спать, Эля. Спасибо вам за заботу.

Она стояла совсем близко, почти вплотную, и точно так же, как недавно у Галины, волосы были распущены, только падали они на плечи красивыми локонами, а не лежали безжизненной паклей, и лицо без косметики было красивым и ярким, а не блеклым, и от тела, прикрытого чем-то тонким, шелковистым, исходило тепло и еле уловимый аромат ванили. «Она очень красивая женщина, — подумал Антон. — Но меня почему-то ни разу не посетила мысль о том, что ее можно уложить в постель. Вот с Галкой я могу спать, а с Элей не смог бы. Интересно, почему?»

Эльвира скрылась за дверью детской, а Антон принял душ, почистил зубы и улегся в кровать. Кровать была широкой, супружеской, они покупали ее вместе с Ритой, и у Антона рука не поднималась выбросить ее и заменить новой, более узкой. И место в комнате освободилось бы, и не так больно становилось бы ему каждый раз, когда он ложился на эту кровать. Специалисты утверждают, что стресс от потери близкого человека длится десять лет. В этом году исполнилось десять лет с того дня, как не стало мамы. А стресс от потери Риты будет длиться еще восемь лет. Еще целых восемь лет! Господи, как их прожить?

Анна Викторовна Богомолова свою вторую невестку не любила, и Елена Богомолова об этом знала. К первой жене Левушки Анна Викторовна благоволила и развод сына не одобряла, особенно когда узнала, что первым мужем Елены был актер Михаил Львович Арцеулов. Против самого Арцеулова Анна Викторовна ничего не имела, она с ним даже знакома не была, но вот линия жизни Елены в глазах семидесятилетней женщины вырисовывалась в определенную, как ей казалось, тенденцию: первый муж почти на двадцать лет старше, второй — тоже, то есть молоденькая хорошенькая девица с юных лет привыкла прилепляться к состоявшимся мужчинам, разлучать их с женами и присасываться к их благосостоянию и репутации. Ведь Арцеулов-то тоже в свое время разводился, чтобы жениться на Елене... Одним словом, тенденция вырисовывалась вполне, можно сказать, определенная и не так чтоб уж очень красивая. И Анна Викторовна, женщина прямая, резкая и не утруждавшая себя деликатностью, свои соображения открыто высказывала не только сыну, но и его второй жене.

— Ты никогда не любила Леву, — сурово выговаривала она невестке, сидя рядом с ней в больничном коридоре. — Ты думала только о его деньгах и его славе, примазаться хотела. Вот теперь твоя сущность и вылезла наружу. Теперь все стало совершенно очевидным.

Елена пыталась сопротивляться, но нужных слов не находила.

— Зачем вы так? — только спрашивала она. — Что я сделала? Чем провинилась?

— У тебя без конца звонит телефон, — упрекала ее свекровь, — ты без конца отвлекаешься на какие-то разговоры про деньги, неустойки, афиши, контракты, билеты. Это что такое? Что это такое, я тебя спрашиваю?

— Это звонят с работы, — послушно объясняла Елена. — Что плохого в том, что я разговариваю?

— Да как это — что плохого?! — взрывалась Анна Викторовна. — У тебя муж при смерти! Ты хотя бы осознаешь, что Левушка умирает? Ты должна думать только об этом, а не о каких-то там... У меня просто нет слов!

— Анна Викторовна, я все время думаю о Леве, честное слово, но мне же звонят, я не могу запретить людям звонить...

Но мать Льва Алексеевича была непреклонна.

— А ты должна! Ты должна всем сказать, что у тебя горе, умирает муж, и пусть никто не смеет беспокоить тебя по пустякам.

— Но людям же надо ехать на гастроли, надо как-то это организовывать, в конце концов, им надо понимать, поеду я с ними или нет, и, если нет, кому поручить мою работу...

— Подумаешь, гастроли! — фыркала Анна Викторовна. — Что такое гастроли по сравнению с Левочкиной смертью, перед которой все меркнет? Перебьются твои актеришки без гастролей, ничего с ними не случится, если они никуда не поедут. Пусть дома посидят, им полезно.

Елену последняя реплика свекрови чем-то противно царапнула, какой-то искусственностью, что ли... Нет, не искусственностью, а вторичностью. Где-то она уже слышала эту фразу насчет чьей-то смерти, перед которой все меркнет. Где же? Сознание, не желающее мириться с мыслью о возможной смерти Льва Алексеевича, тут же с готовностью переключилось на поиски, и Елена вспомнила: знаменитый фильм «Место встречи изменить нельзя», реплика некоей Соболевской по поводу «Ларочкиной смерти, перед которой все меркнет». Ей стало тошно. Мало того, что продюсерская компания, в которой она работает, не может получить от нее внятного ответа на множество вопросов, потому что Елена не знает, что будет завтра, так еще и Анна Викторовна душу вынимает. Наверное, это правильно, и Елена действительно должна думать только о муже, и горевать о нем, и страдать, и мучиться, не спать ночами и плакать, биться в рыданиях, а она разговаривает по телефону и даже пытается что-то сообразить, что-то вспомнить, что-то посоветовать. Так не годится, так нельзя, это не по-человечески — думать о работе, когда у тебя умирает муж. Да и о работе думать как следует тоже не получается, мысли все время возвращаются к Леве, которому становится то чуть лучше, то значительно хуже, и прогноз, по утверждению врачей, остается неблагоприятным. Как ему помочь? Что ей делать? Как теперь жить?

— Тебе, разумеется, все равно, — продолжала свекровь, не обращая ни малейшего внимания на то, что у Елены по лицу текут слезы, — ты Левочку похоронишь и снова к своему артисту вернешься, он, говорят, так и не женился с тех пор, как ты его бросила. Ты своего не упустишь, найдешь, к кому прицепиться. Ты, Лена, всегда была корыстной, и я с самого начала это знала, жаль только, что Левочка меня не слушал, а ведь я его предупреждала, предупреждала! Говорила ему, что ты его не любишь и толку из вашего брака никакого не выйдет! И была права! Вот, пожалуйста: он в реанимации в коме, а ты уже хвостом крутишь и думаешь о том, куда бы тебе съездить развлечься со своими идиотскими спектаклями. У тебя, небось, там и дружок сердечный имеется, из артистов-то, ты их любишь, уж я-то знаю. И будешь на своих этих гастролях развлекаться с любовником, пока твой муж будет здесь умирать.

— Анна Викторовна...

У Елены не было сил сопротивляться напору, она впала в такое отчаяние от несправедливости сказанного свекровью, что не находила слов для ответа. Да и что ответить? Что все это неправда, что она любит мужа и никакого любовника у нее нет? Анна Викторовна все равно не поверит, она верит только самой себе, верит всему, что придумывает и говорит. Но какая-то правда в ее словах есть. Правда о том, что рядом со смертью близкого человека все остальное должно стать мелким, ничтожным и не стоящим внимания. Наверное, нужно отключить телефон и больше ни на какие разговоры о работе не отвлекаться, полностью погрузившись в горе и боль.

Свекровь наконец напилась крови и уехала домой, а Елена достала из кармана телефон с намерением отключить его и... не смогла. Она с ненавистью смотрела на аппарат, зажатый в руке, и на саму руку, не желающую подчиняться приказу и нажимать на кнопку, и думала о том, какая она неправильная, слабовольная, корыстная, ведь она должна думать только о муже, а она... Нет, ну нет у нее сил полностью отдаться горю, в разговорах о работе она находит хоть какое-то отвлечение, хотя бы какой-то просвет, когда пусть всего на несколько минут, но жизнь начинает казаться все той же, мирной, благополучной, спокойной, наполненной повседневными делами. Без этих маленьких просветов она бы уже сошла с ума.

Нет, не имеет она права отвлекаться, не имеет права облегчать себе существование. У нее умирает муж, и все должно быть подчинено только одному этому. Елена глубоко вздохнула и нажала кнопку, отключая телефон. Всё. Связь с внешним миром оборвана. Теперь у нее осталось только горе, только одно огромное всепоглощающее горе, в котором она просто не сможет дышать и очень скоро задохнется и умрет.

Наконец-то Коту Гамлету стало лучше, у него появился аппетит, но тут вопрос с питанием обернулся неожиданными сложностями.

— Мы попросим Хорька или Лисичку, они сбегают в деревню и принесут тебе свежей курятины, — обрадованно предложил Камень, услышав, что Кот хочет есть.

— Да вы что? — возмутился Гамлет. — Мне сырого мяса нельзя, я кастрированный.

— А вареного? Можно же развести костер и сварить или пожарить, — не растерялся находчивый Ворон.

— Никакого нельзя, — отрезал Кот. — И молока нельзя, у меня нет ферментов на лактозу. На помойке я, конечно, ел что придется, но мне все время было плохо, пучило и крутило живот. И в желудке были рези и тяжесть какая-то, меня тошнило и, простите за подробности, поносило.

— Экий ты нежный, — неодобрительно заметил Ворон. — Чем же тебя хозяин твой кормил, что ты такой балованный? Устрицами, что ли, или, может, черной икрой?

— Тоже выдумали, уважаемый Ворон, — презрительно мяукнул Кот. — Какие устрицы? Какая икра? Это же сплошной аллерген, мне ничего такого нельзя. Папенька кормил меня исключительно сухим кормом. Ну, раз в две недели позволял паштетик из баночки, но потом всегда сильно ругался, потому что от баночек у меня делался слишком мягкий стул.

— И что? — не понял Камень. — Разве это плохо, когда мягкий стул?

— Для папеньки было плохо, потому что лоток трудно отмывать. Он любил, чтобы стул был сухой и твердый, — объяснил Кот. — Высыпал в унитаз, сполоснул лоток — и готово.

— Чем же вас кормить, уважаемый Гамлет? — озадаченно произнес Камень.

Змей подполз поближе и закинул голову на спину Камню.

— Я могу ловить мышей-полевок, — предложил он.

— Ты что, глухой?! — немедленно взвился Ворон. — Тебе ясно сказали: мяса нельзя. Если ты плохо слышишь или туго соображаешь, так иди лечись, нечего тебе тут рядом с приличными существами ошиваться.

Змей приподнял голову над спиной Камня, немного подумал, потом встал на хвост, вытянувшись во весь рост, и приблизил глаза к самому клюву сидящего на ветке Ворона.

— Я, мил-друг, слышу пока еще неплохо и на голову не жалуюсь. Мяса Коту нельзя, но бульон пить необходимо, в нем масса полезных веществ, нужных выздоравливающему организму. Я могу ловить мышей, а Белочка будет варить из них супчик. Теперь что касается сухого корма: если ты, крылатый детектив-любитель, возьмешь на себя труд регулярно ловить насекомых, то мы этот вопрос решим.

Ворон явно растерялся, уже много десятилетий не видел он головы Змея так близко и успел забыть, какие холодные и немигающие у него глаза и какое страшное длинное жало. Он невольно дернулся назад, чуть не свалился с ветки и на всякий случай перелетел повыше, туда, куда Змей не достанет.

— У насекомых хитиновый покров, который очень полезен для кошек, — продолжал неторопливо объяснять свой замысел Змей. — Одновременно мы попросим Белочку насобирать орехов, измельчим их и накрутим шариков из орехово-насекомовой смеси, вот и получится сухой корм.

Он медленно опустился вниз и обвил Камня несколькими плотными кольцами, уместив голову точно под глазами старого верного друга.

— А мне еще углеводы нужны, — вякнул набравшийся сил Кот. — В моем сухом корме всегда углеводы были, мне папенька обязательно читал вслух состав, его на пакетах с кормом печатали. Без углеводов никак нельзя.

— Мы попросим Зайца сбегать на поле и принести овощей, морковки там, капустки, картошечки. Овощи можно потушить и сделать рагу.

— Я не буду рагу, я его не люблю, мне папенька делал несколько раз, а я не ел, — тут же ответил Кот.

Ворон собрался было выступить на тему о том, что папеньки тут нет, и нечего выпендриваться, пусть жрет, что дают, и спасибо скажет, но Змей, казалось, не обратил никакого внимания на проявление неблагодарности со стороны Гамлета и спокойно продолжал:

— Овощи можно также посушить и добавить в шарики. Одним словом, уважаемый Гамлет, вы не переживайте, вопрос с вашим питанием мы решим, а ваше дело — поправляться, набираться здоровья. И кстати, очень неплохо было бы делать ваш корм с сушеной крапивой, в ней масса витаминов. Это мы тоже организуем, тут совсем рядом есть роскошные заросли дикой малины, а где дикая малина — там крапива самая сочная и полезная.

Разговор Ворону не понравился. Ну как же так? Он только что долго и подробно рассказывал про расследование, и вместо того чтобы восхищаться его наблюдательностью и талантом рассказчика, задавать вопросы и просить разъяснений, они какую-то ерунду обсуждают. Чем этого приблудного уродца кормить, видите ли! Других интересов, что ли, нету? И для чего тогда он старался? Нет, это дело надо поломать, решил Ворон и начал вслух вспоминать подробности увиденного «в другой жизни». Ему удалось снова приковать внимание к себе, и гордая птица торжествовала победу.

— Так кто же был у Лесогорова в квартире, пока он сидел в ресторане с Никиткой? — поинтересовался Кот.

— Не знаю, — равнодушно бросил Ворон. — Не видел.

— Как это — не видел? — оторопел Гамлет. — А что же вы там делали, уважаемый Ворон? Вас туда для чего посылали?

Тон, которым Кот озвучил свой вопрос, Ворону не понравился еще больше, чем то обстоятельство, что его рассказ был прерван обсуждением кошачьего рациона. Да что он себе позволяет, этот оборвыш в колтунах? Как он смеет так с ним разговаривать? Кто дал ему право задавать такие чудовищные вопросы и сомневаться в его, Ворона, способностях и умениях смотреть истории?

Он набрал в грудь побольше воздуха, чтобы голос звучал с достоинством.

— У нас, видишь ли, существуют определенные правила смотреть детективы, и не тебе, безродному приживале, в них вмешиваться. Я в тот момент за Театром наблюдал, что Театр думал и чувствовал — про то я вам и рассказал.

Но Кот не понял всей неуместности своих претензий и настырно продолжал:

— Да ну вас, уважаемый Ворон, не умеете вы детективы смотреть, — заявил он. — Вам надо было сразу полететь и глянуть, кто в квартиру к Лесогорову забрался, и мы бы уже сейчас все знали. А теперь будем мучиться неизвестностью. Неужели вы сами не могли додуматься? Это же элементарно!

Такой наглости Ворон стерпеть уже не мог и буквально задохнулся от негодования, но на помощь неожиданно пришел его заклятый враг Змей.

— Видите ли, уважаемый Гамлет, — негромко начал он, — если бы наш общий друг Ворон сделал так, как вы советуете, нам было бы неинтересно слушать историю.

— Почему? — удивился Кот.

Тут Ворон наконец пришел в себя.

— Потому что ты — смертный, у тебя психология другая! — хрипло выкрикнул он. — Ты нас никогда не поймешь, даже и не пытайся.

— Почему? — снова спросил Кот, на этот раз растерянно.

— Вы должны понимать, — продолжал Змей, — что смертные — конечны, и все, что они делают, ориентировано на конечный результат. Вам, смертным, гораздо интереснее узнать, чем дело кончится, а нам, вечным, намного важнее следить за процессом. Такое понятие, как «конец», для нас эфемерно, у вечных нет кончины и не будет, мы будем существовать всегда, поэтому нам торопиться некуда, мы сначала все подробно узнаем, во всем разберемся, вдумчиво да серьезно, не спеша, а там и до логического конца доберемся. Ну вы сами, уважаемый Гамлет, подумайте, что будет хорошего, если мы тут с вами сейчас узнаем, кто лазил к драматургу в жилище? Сыщики-то этого не знают, и Лесогоров им об этом ничего рассказывать не собирается. Значит, мы с вами побежим впереди расследования и всякий интерес к нему потеряем. Вот и выйдет, что время, которое уже потрачено на эту историю, мы потратили впустую, никакого удовольствия не получили.

При всей нелюбви, даже, можно сказать, ненависти к Змею Ворон не мог не испытать глубокого удовлетворения от той отповеди, которая ясно показала Коту, что он глупец и ничего не понимает в жизни Вечных. Кот даже не нашел что ответить и какое-то время молчал, переваривая явно слишком сложную для него мысль.

— Все равно я не понимаю, — проворчал он наконец, — как-то неправильно у вас тут все устроено. Вот если бы я был вашим директором...

— Ага, — встрял Ворон, — ты еще скажи: художественным руководителем. У тебя мания величия.

— И скажу! Я бы тут у вас такие просмотры закатывал — весь лес собирался бы слушать и смотреть, можно было бы билеты продавать и деньги зарабатывать. Жалко только, тратить их тут негде и не на что. Уж я бы развернулся! Зря, что ли, я столько лет при театре околачивался, да я в деле «хлеба и зрелищ» собаку съел. Я бы такие спектакли у вас поставил — «Золотая маска» отдыхает.

Ворон насупился. Нет, это никуда не годится! Опять Гамлет в центре внимания, опять он вещает, а все слушают. Надо срочно принимать меры.

— Да, совсем запамятовал, — проговорил он громко, — подполковник Зарубин сказал нашим героям, что получил сведения о костюмерше Гункиной и ее брате. Брат Гункиной, оказывается, уже опять в тюрьме сидит, он вместе с подельниками магазин обокрал.

— А сама костюмерша? — поинтересовался Камень. — Может, это она собиралась Богомолова убить? Или дочка ее, которая ребенка потеряла?

— Это вряд ли, — авторитетно заявил Ворон, радуясь, что сейчас огорошит присутствующих новой информацией. — Гункина вместе с дочерью в монастырь подалась. Там и живут они, молятся, с Богом общаются.

— В монастырь? — ахнул Гамлет. — Зачем? Чего им дома-то не жилось?

— Пытаются совладать с гневом и унынием, — с удовольствием объяснил Ворон. — Тебе, кошачья твоя душа, этого не понять. И вот еще что: я получил колоссальное удовольствие, слушая разговор Каменской с Зарубиным. Дословно я вам не перескажу, но смысл в том, что Каменская опять спрашивала, когда ей соберут сведения про Артема Лесогорова, а Зарубин объяснял, что у него руки не доходят и времени нет. Ой, как они ругались! Это надо было слышать. Я так хохотал — чуть не надорвался.

— И что, неужели поссорились? — с ужасом спросил миролюбивый Камень, совершенно не выносящий конфликтов ни в собственной жизни, ни в историях, которые они смотрели.

— Ну прямо-таки! Они же друзья, столько лет вместе работали! Друзьями и расстались. Зарубин пообещал дать сведения о Лесогорове максимум через сутки, но Каменская ему, кажется, не поверила. Ну вроде бы ничего существенного я не упустил. Каменская и Сташис продолжают ходить по театру и разговаривать со всеми подряд, потом собираются то и дело в кабинете Богомолова и обмениваются впечатлениями. В общем, рутина. Я порой даже удивляюсь, до чего ж муторное это дело — раскрывать преступления.

Скукотища! Не зря я не люблю детективы смотреть, про жизнь и про любовь намного интереснее.

— Как это? — изумился Кот. — Что вы такое говорите, уважаемый Ворон? Я за свою жизнь столько детективов по телевизору посмотрел — не перечесть, и все такие живые, динамичные, там все время что-то происходит, какие-то повороты неожиданные, погони, драки, убийства — одним словом, драйв. А вы говорите — скукотища.

— Вот то-то и оно, что ты по телевизору смотрел, а там же все вранье, от первого до последнего слова. Там все придуманное из головы и высосанное из пальца. А мы смотрим про реальную жизнь, про то, как на самом деле происходит, а не как сценаристы придумали. Слушай и учись, пока есть у кого, — с нескрываемым удовольствием изрек Ворон.

После «Макбета» Театр всегда спал беспокойно, хорошо еще, что этот спектакль давали примерно раз в два месяца. Уж очень много крови и смертей в пьесе! А про ненависть и прочие эмоции и говорить нечего, ими переполнено все действие, каждая роль, каждая реплика. Кроме того, ставивший пьесу режиссер сделал акцент на войне и борьбе за власть как грязном деле в прямом и переносном смысле, этой концепции подчинено все декорационно-оформительское решение спектакля, в соответствии с которым все мужские роли игрались в одинаковых, заляпанных грязью и кровью, плащах, а сцена была одета минимально, демонстрируя скудный, убогий быт средневековой Шотландии, да еще в период войны. Никаких роскошных покоев в Инвернесе, никаких ярких костюмов, все строго и приглушенно, оформление выступает фоном для сильных чувств и обуревающих души Макбета и его жены страстей. Театр очень уставал в дни, когда на сцене шел «Макбет», и не мог дождаться, когда зрители покинут здание, а рабочие закончат демонтировать декорации. Хорошо еще, что декорации несложные, и их разбирают в тот же вечер, Театр, наверное, вообще не смог бы уснуть, если бы на сцене оставались сукна, которые имеют обыкновение особенно сильно пропитываться эмоциями и сутью происходящего. Но все равно сон после «Макбета» бывал поверхностным и каким-то рваным, даже и непонятно, то ли сон это, то ли легкая полудрема, а может, и вовсе бодрствование.

Проводив последнего рабочего, Театр подождал, пока дежурный пожарный вместе с охранником обойдут все здание, послушал, как запирает дверь вахтерша Тамара Ивановна, перебрал в памяти наиболее яркие, наиболее удачные моменты сегодняшнего спектакля, отметив необыкновенно острую, насыщенную игру Михаила Львовича Арцеулова в роли Макдуфа, и стал расслабляться в попытках уснуть. Но что-то мешало ему. Театр чувствовал в себе что-то лишнее, что-то не присущее себе. Что-то постороннее.

Он сосредоточился и начал прислушиваться поочередно к разным частям здания. Начал со служебного входа — здесь все, как обычно, вахтерша с охранником смотрят кино по телевизору. Главный вход — тишина, окошечки кассы и администратора закрыты и заперты изнутри на защелки. Кабинет главного администратора возле входа в фойе тоже заперт, и свет внутри погашен. В гардеробе темно, в фойе тоже, зрительный зал пуст, и сцена пуста... Нет, не совсем пуста, кое-что из реквизита все-таки не унесли, то ли забыли в спешке, то ли поленились, ну, да это ничего, завтра все заберут и расставят по местам в реквизиторской, такое случается, хотя это и нарушение, конечно. На первом этаже в служебной части здания тишина и пустота, на втором, в гримуборных, как обычно, грязь и беспорядок, но завтра с утра придут уборщицы и все почистят. Никаких посторонних людей нет.

А ощущение не проходило, напротив, оно становилось все отчетливее. Театр перевел внутренний взгляд на служебную лестницу и стал прощупывать путь наверх, к квартире Лесогорова. Наверное, у Артема гости, отсюда и ощущение чужеродности. Нет, это не гости, во всяком случае, никаких посторонних людей он в квартире не обнаружил.

Театр вздрогнул. В верхней части здания он почувствовал смерть. И тут же успокоился. Ну конечно, столько смертей, столько трупов в пьесе, отсюда и ощущение. Просто оно застряло где-то, не исчезло вместе с декорациями, актерами и зрителями, а притаилось, вероятнее всего, на верхней галерее, под самыми колосниками, запуталось в тросах и не может вырваться.

Он уже почти начал задремывать, избавившись от тревоги, но снова проснулся и прислушался. Нет, это не та смерть, которая у Шекспира. Она какая-то другая. Театр начал вспоминать все смерти, которые повидал на своем веку. Чаще всего он видел покойников в гробах, когда умирал кто-то из актеров или работников театра, и в фойе проходила гражданская панихида. Но смерть при этих панихидах воспринималась совсем иначе, потому что сам момент смерти наступал не здесь, не в здании, сюда привозили уже мертвое тело, которое ничего не излучало. Самое мощное излучение происходит именно в момент смерти или при артистическом изображении этого момента. Правда, два раза артисты умирали прямо в Театре, но это тоже было не то. И один раз умер зритель. Театр попытался сформулировать, что именно было «не так», и понял, что, когда умирали артисты и зритель, их довольно быстро увозили на машине «Скорой помощи», и ощущение смерти не успевало укорениться в здании, распространиться по нему, пропитать стены, полы и потолки. А то, что он чувствовал сейчас, говорило о смерти, которая уже обжилась, устроилась удобно и начала расползаться по Театру. О смерти, которая пришла сюда не только что, а как минимум часа два назад, а то и все три.

Театр волновался, проклинал собственную беспомощность и мучился догадками. Уснуть ему так и не удалось.

В пятницу, 19 ноября, на утреннюю репетицию пьесы «Правосудие» были вызваны всего четыре артиста, играющие судью, адвоката, прокурора и подсудимую, жену пресловутого Зиновьева: по графику запланирована работа над отрывком «Допрос подсудимой», и другие актеры сегодня не нужны. Помреж Александр Олегович Федотов с удовольствием поставил последнюю отметку в явочном листе после того, как в нем расписалась Людмила Наймушина, играющая подсудимую. Все на месте, все пришли вовремя, и через десять минут, как только стрелки часов покажут одиннадцать, можно давать звонок к началу репетиции.

Без пяти одиннадцать в репетиционном зале появился Семен Борисович Дудник в своем неизменном, растянутом на локтях свитере крупной вязки с низко вырезанной горловиной и с темно-синим, в серых разводах, шейным платком. Он деловито раскладывал на столе свои записи, а Федотов думал о том, как уверенно стал чувствовать себя очередной режиссер. Ну, конечно, если Лев Алексеевич в ближайшие два месяца не появится в театре, то «Правосудие» будет по праву считаться спектаклем, поставленным

Дудником. И на афишах «Новой Москвы» его имя будет написано крупными буквами. Это ли не праздник! Завлит Илья Фадеевич Малащенко вчера, встретив Федотова в коридоре, сказал, что Дудник поставил вопрос о созыве худсовета якобы для решения вопроса о приеме в труппу двух молодых артистов, которые показывались Богомолову почти месяц назад. Что за спешка? Подождут артисты, никуда не денутся, для чего собирать худсовет без художественного руководителя театра? Нет, для Дудника в этом есть большой смысл, он хочет показать, что и без Богомолова театр не стоит на месте, жизнь идет, работа двигается, и работу эту вполне по силам возглавить именно ему, Семену Борисовичу. Не зря он так колотится с «Правосудием», репетирует каждый день, кроме вторника, до седьмого пота, и актеров загонял, и сам еле дышит, а Артему Лесогорову окончательно кислород перекрыл, не поощряет бесконечные переделки, все гонит, гонит, торопится, чтобы успеть собрать спектакль, пока Богомолов не вернулся. То есть кое-какие переделки он, конечно, разрешает, и на некоторых даже сам настаивает, но это уж вещи совершенно необходимые, даже он, Федотов, с ними согласен, даже ему понятно, что переделывать надо.

Кстати, о Лесогорове. Что-то его не видно, хотя обычно автор пьесы на репетиции является чуть ли не первым, садится у стеночки, достает последний вариант текста пьесы и кладет на колени свою толстую тетрадку, в которой стенографирует. Сам Федотов нет-нет да и прибегает к помощи Артема, если в ходе репетиции запутывается в бесчисленных указаниях режиссера и не успевает все фиксировать. Артем всегда пойдет навстречу, найдет нужное место и скажет слово в слово, кто что сказал, кто что возразил и на чем, как говорится, сердце успокоилось.

— Семен Борисович, автора нет, — осторожно заметил Федотов, когда прозвенел звонок и все актеры собрались в репзале. — Будем начинать без него?

— На кой он нам сдался, — проворчал Дудник. — Без него спокойнее. Он нам всю работу тормозит. А так мы, Бог даст, сегодня всю сцену пройдем и больше к ней возвращаться не будем.

Репетиция началась, однако уже минут через пятнадцать оказалось, что без Лесогорова не обойтись: на предыдущей репетиции в текст были внесены некоторые изменения, и сегодняшние реплики персонажей должны были на этих изменениях базироваться. У актеров же в руках были тексты ролей, распечатанные еще неделю назад, без учета последних изменений. Обычно таких проблем не возникало, Артем работал над своей пьесой добросовестно и оперативно, сразу после репетиций уходил к себе и вносил изменения не только в те отрывки, которые только что репетировались, но и в последующие сцены, если они этими изменениями затрагивались, а на следующий день приносил исправленные варианты.

Попробовали работать на слух, с листа, Федотов, глядя во внесенные накануне карандашные поправки, подсказывал, и актеры на ходу меняли текст роли, но толку из этого не вышло. Они путались, сбивались, не могли сразу сообразить, что сказать и как построить фразу, Федотов нервничал, потому что неподготовленная репетиция — его прямая вина, а Дудник откровенно злился: его уверенность в том, что удастся пройти сцену за одну репетицию, слабела с каждой минутой.

— Александр Олегович, найдите автора, — скомандовал он, — пусть принесет исправленный вариант для сегодняшней сцены. Перерыв десять минут.

Федотов кинулся звонить Лесогорову на мобильный, но никто не отвечал. Спит, что ли? Время к полудню, пора и встать уже. Хотя, возможно, он опять гулял до поздней ночи в «Киномании» и теперь отсыпается. Александр Олегович вышел из репетиционного зала и поспешил к лестнице, по которой можно подняться в служебную квартиру.

Телефон в кармане Сташиса звенел не переставая. Это не было похоже на звонки дочери или няни, которые в рабочее время обходились письменными сообщениями. Может, что-то случилось? Звонки были негромкими, но Настя хорошо их слышала и сердилась: они мешали разговаривать с работником радиотехнической службы.

— Простите, — сказала она собеседнику, — одну минуту. Антон, посмотрите, что там. Невозможно работать.

Стасис с виноватым видом полез в карман, посмотрел на дисплей продолжающего звонить аппарата, на котором высветились номер телефона и имя абонента, и удивленно приподнял брови.

— Это Бережной. Ответить?

— Ну, ответьте, — неохотно согласилась Настя. — Только коротко, мы работаем.

Антон нажал кнопку, и лицо его уже через несколько секунд стало сосредоточенным и строгим.

— Вы милицию вызвали? Хорошо, мы сейчас подойдём.

Настя вопросительно посмотрела на него:

— Что стряслось? Куда мы подойдём?

— В служебную квартиру. Там обнаружен труп Лесогорова.

Им вслед неслись заполошные вопросы радиотехника, но они уже неслись по коридору, не отвечая и не оборачиваясь.

Вся лестница, ведущая в служебную квартиру, оказалась заполнена работниками театра, и Насте с Антоном с трудом удалось протолкаться наверх. У дверей квартиры стоял с растопыренными руками помреж Федотов и истошно вопил, стараясь перекрыть гул голосов:

— Разойдитесь, пожалуйста, разойдитесь, сейчас приедет милиция, я уже позвонил и вызвал, ну разойдитесь же, сюда нельзя входить.

Входить, собственно говоря, никто и не пытался, желающих своими глазами посмотреть на мертвое тело что-то не находилось, но все хотели убедиться в том, что мгновенно облетевшая театр страшная весть — правда, а не выдумка, не злая шутка, не розыгрыш и не результат чьих-то галлюцинаций.

— Кто входил в квартиру? — спросил Сташис, как только им удалось приблизиться к Федотову.

— Только я. Меня Семен Борисович послал. — Федотов говорил, будто оправдываясь. — Артем не пришел на репетицию, а нам понадобился исправленный вариант, без него репетиция тормозила, и Семен Борисович велел мне найти автора. Я звонил, телефон не отвечал, ну, я и поднялся, а тут... Я сразу же в милицию позвонил, честное слово.

— Прямо сразу же? — недоверчиво прищурилась Настя.

Федотов отвел глаза.

— Вообще-то я сначала директору позвонил. Растерялся. А Владимир Игоревич сказал, что он в милицию сам... Вы будете входить?

Настя вопросительно посмотрела на Антона. Сейчас решать может только он как представитель власти, ей на месте происшествия вообще присутствовать не полагается. Конечно, если повезет, то приедет сам Коля Блинов, тогда вопрос можно будет решить, а вот с другим следователем ей не договориться, это точно.

— Вы совершенно уверены, что Лесогоров мертв? — спросил Антон. — Может быть, надо вызвать «Скорую»?

— Я вызвал, — торопливо отозвался Александр Олегович. — Мне директор так и сказал, мол, я в милицию позвоню, а ты «Скорую» вызывай, чтобы времени не терять, а то пока дозвонишься... Вообще-то, я не проверял, я трупов боюсь, но у него голова разбита, и каминные щипцы рядом валяются... И письменный стол весь в крови. А вы думаете, что он может быть жив?

— Я лучше сам посмотрю, — произнес Антон, решительно отодвинул Федотова и вошел в квартиру.

Настя осталась на лестничной площадке и поймала удивленный взгляд помрежа.

— А вы разве не пойдете?

Ну что, объяснять ему, что она права не имеет? Он ведь, как и все в театре, считает, что она тоже работает на Петровке.

— До приезда экспертов чем меньше посторонних следов останется на месте, тем лучше, — нашлась она.

— А, ну это да, это правильно, — покивал головой помреж. — И вы все-таки женщина, не надо вам на такое смотреть.

— Ничего, — усмехнулась Настя, — я привычная и не такое повидала.

Ей повезло, информация о преступлении в театре «Новая Москва» попала в нужные руки, и на место происшествия выехал следователь Блинов, который, на счастье, оказался не на выезде и не вел допрос, а составлял в своем кабинете очередную официальную бумагу. Прибывшие врачи констатировали смерть Лесогорова, и после того, как тело осмотрел судебный медэксперт, стало понятно: смерть журналиста наступила около четырнадцати-пятнадцати часов назад, то есть накануне, примерно в девять вечера, плюс-минус час. Николай Николаевич Блинов попросил подняться в квартиру охранника-чоповца, который должен был сдать смену ровно в полдень, но в связи с чрезвычайными событиями не ушел домой, остался в театре. Вахтерша Тамара Ивановна толклась здесь же, на лестнице.

— Вчера кто-нибудь приходил к Лесогорову? — спросил их следователь. — Может быть, кто-то его спрашивал, искал?

Оказалось, что никто не приходил, не искал и не спрашивал. И сам Артем никого с собой не приводил. И вообще, он накануне из театра не выходил, это они оба помнят совершенно отчетливо.

— Но вы заступили на смену в двенадцать часов вчерашнего дня, — не унимался следователь. — Может, гость к нему пришел до этого, с самого утра? Вы можете связаться с теми, у кого вчера приняли смену? Я бы у них спросил.

Узнав номера телефонов, он поручил Антону Сашису позвонить и вскоре получил вполне ожидаемый ответ: накануне с утра Артем Лесогоров театр не покидал, и никакие гости к нему не приходили. Пришлось полагаться на свидетельские показания, потому что камеры видеонаблюдения в театре, конечно, были, но не пишущие. Следователь отозвал Настю в сторонку.

— Ну, что скажешь, самодеятельный сыщик? Ты в этом театре трешься уже вторую неделю, должна понимать, как тут дела обстоят.

— Дела обстоят так, что в квартиру мог пройти любой из работников театра плюс любой из девяти сотен зрителей, — отрапортовала Настя. — Здание так устроено, что это возможно. Вряд ли вас это порадует.

— Н-да, попали... — задумчиво почесал переносицу Блинов. —Значит, так. Зови сюда Сташиса, буду ему указания давать. Кстати, где твой дружок Зарубин? Я ж велел вызывать его сюда, а то со мной два опера приехали, которые совершенно не в теме, они делом Богомолова не занимаются.

— Здесь я, Николаич, не пыхти, — Сергей Зарубин вынырнул из-под руки эксперта, обрабатывавшего поверхность дверного косяка. — Ты небось с мигалкой ехал, а я, как простой смертный, все пробки собрал. Николаич, я парой слов с Каменской перекинусь, лады?

Следователь сделал недовольное лицо, но Зарубин не обратил на это никакого внимания и потащил Настю в угол комнаты.

— Убивать меня будешь? — виновато прошептал он. — Убивай, я же сам тебя и оправдаю. Ну, не сработала у меня чуйка, бывает. Казни, режь, делай что хочешь. Только Коле не говори, а то он меня со свету сживет.

— Да ну тебя, — огорченно махнула рукой Настя. — Ведь просила же, просила, напоминала десять раз: собери мне данные на Лесогорова. Чуяло мое сердце, что именно здесь что-то неладно, он что-то знал, что-то важное, и его убили, чтобы он никому не рассказал. Я с тобой как с человеком, как с профессионалом, а ты... Дал бы мне вовремя информацию, я бы Лесогорова уже раскрутила по полной. А теперь только гадать остается.

— Ну виноват, виноват. Хочешь, плюнь мне в рожу, — предложил Зарубин. — А я тебя утешу и скажу, что ничего твой Лесогоров такого особенного не знал. И убили его совсем не поэтому.

— А почему?

— Да это же очевидно, Пална! Сначала пытаются устранить Богомолова, потом устраняют Лесогорова. То есть сперва убирают режиссера спектакля, за ним — автора пьесы. Ну? Соображай.

— Соображаю, — кивнула Настя. — Ты хочешь сказать, что кто-то пытается сорвать постановку «Правосудия»?

— Именно что.

— А зачем? Кому мешает постановка нового спектакля в театре? — не поняла она. — Или у тебя есть новая информация, которую я не знаю?

— Информации новой нет, есть только старая, да и та от тебя пришла. Но ты сама посуди: два убийства, с разницей меньше чем в две недели, совершенные одинаковым способом — били чем-то тяжелым по голове, потерпевшие — люди, связанные с одной и той же пьесой. Где тут место сомнениям?

На первый взгляд места действительно не было, и то, что говорил Зарубин, звучало более чем убедительно. Но ведь Настя разговаривала с Лесогоровым и поймала его на откровенной лжи. Неужели это ничего не означает? Неужели она ошибалась в своих подозрениях?

— Надо узнать, с кем Лесогоров был наиболее близок здесь, в театре, — сказала она вместо ответа. — Я спрошу у Федотова, он должен знать.

Александр Олегович стоял на лестнице вместе с вахтершей Тамарой Ивановной и что-то оживленно обсуждал.

— Он с Никитой Колодным дружил, — сразу же ответил помреж, не задумываясь ни на минуту. — Они и в «Киноманию» вместе ходили, и в другие места. Насколько я знаю, Никита часто у него бывал в этой квартире.

— А Колодный сегодня в театре? — спросила Настя.

— На репетицию его не вызывали, и в вечернем спектакле он не играет, так что, скорее всего, его сегодня вообще не будет.

— Надо, чтобы был, — твердо произнесла Настя. — Устроите? Или мне к Бережному обратиться? — Она кивком головы указала на директора, который в нескольких метрах от них разговаривал со следователем Блиновым.

— Зачем же сразу к Бережному? — Ей показалось, что Федотов даже обиделся. — Я сам Никиту найду и вызову, у меня все телефоны есть. А зачем он вам? Вы что, его подозреваете?

— Да Бог с вами! — рассмеялась Настя. — Вы же сами сказали, что Колодный часто бывал в квартире Лесогорова, а нам нужно узнать, не пропало ли что-нибудь, и вообще все ли здесь после убийства так же, как было раньше. Понимаете?

Федотов деловито полез за телефоном, а Настя вернулась в квартиру, где эксперт упаковывал уже обработанное орудие убийства — каминные щипцы.

— Есть что-нибудь? — спросила она.

— Почти ничего, во всяком случае, голыми руками эту штуку за последний год никто не брал, — ответил эксперт. — Наверное, преступник был в перчатках, теперь же все умные стали. А там посмотрим.

К ним подошел Блинов, закончивший задавать вопросы директору.

— Как думаешь, кровь сильно брызгала? — обратился он к эксперту.

Тот задумчиво посмотрел на письменный стол с потеками крови, постоял возле офисного кресла, примерился.

— Не должно бы, — наконец вынес он свой вердикт. — Щипцы длинные, чтобы ими попасть по голове, надо стоять не очень близко к жертве. Но что-то могло остаться на одежде. Могло.

Блинов тяжело вздохнул и крикнул:

— Федотова позовите сюда!

Помреж нарисовался моментально, будто только и ждал, что его призовет следствие.

— Какой спектакль вчера шел?

— «Макбет».

Блинов поморщился.

— Я имею в виду, много актеров было занято в спектакле?

— Много, — кивнул Федотов. — Это людный спектакль, двадцать девять человек. Это с учетом того, что спектакль поставлен экономно, потому что у Шекспира очень много персонажей появляются один-два раза на несколько минут, и есть возможность одному актеру совмещать две, а то и три роли. В «Макбете», например, есть трое убийц, которые отлично переодеваются и играют потом других персонажей. Так что актеров получается девятнадцать плюс десять человек в массовке.

— А сколько работников театра было вечером?

— Ну, — призадумался помреж, — сейчас

вспомню точно... Семьдесят два человека. Может, я ошибся на единицу в ту или другую сторону. Вообще-то, это не мой спектакль, но мы, помрежи, такие вещи всегда знаем точно.

— И зрителей...

— Девятьсот, — подсказала Настя. — Это заполняемость зала. Но надо спросить у кассиров, сколько билетов было продано на самом деле, и у администратора, сколько контрамарок он выписал.

— У нас всегда аншлаги, — гордо заявил Федотов. — Если в кассе и остаются билеты, то не больше двадцати, максимум — тридцати. И то, как правило, на детские утренники. Вечерние спектакли у нас хорошо продаются.

— Ладно, — вздохнул Блинов, — стало быть, будем считать, что девятьсот зрителей и сто человек из театра, это если примерно. Итого — тысяча. И каждый мог с равным успехом пройти на лестницу, подняться в квартиру и совершить убийство. Каменская, тебе не кажется, что ты приносишь одни несчастья?

— Кажется, — честно призналась она. — И вы не первый, кто это заметил.

— Вот кто первым это заметил, тот был умным и прозорливым человеком, — назидательно произнес Николай Николаевич. — Поняла, сыночка?

Актер Никита Колодный, которого срочно вызвали в театр, к беседе оказался мало пригоден: накануне после «Макбета», где он играл две роли — Дональбайна и Молодого Сиварда, Никита здорово напился в компании знакомых актеров и режиссеров, отмечавших окончание работы над очередным телешедевром, и теперь у него болела голова, и вообще налицо имелись все признаки тяжкого похмелья. Но опрашивать его было нужно, никуда не денешься, и Антон Сташис, которому Николай Николаевич Блинов поручил встретиться с Колодным, вместе с Настей пригласили Никиту в кабинет худрука Богомолова.

— Поверить не могу, — бормотал Колодный, морщась от головной боли, — еще вчера Артем был здесь, мы с ним разговаривали... Ужас какой-то. Скажите, а что будет теперь с постановкой? Ее закроют? А вы не могли бы посодействовать, чтобы ее не закрывали? — Он устремил умоляющий взгляд сперва на Антона, потом на Настю. — Я понимаю, Артема убили, и сейчас надо говорить только об этом, но я... но для меня... — Помолчав несколько секунд, Никита словно решился и выпалил: — Я жить не смогу, если эту пьесу закроют! Для меня сейчас все решается, буквально все!

— Что, неужели так серьезно? — не поверил Сташис.

— А как вы думали? — Колодный вскинул голову, в его глазах горело отчаяние. — Возьмем хотя бы вчерашний спектакль, так вам будет понятней, наглядней. У меня две роли, целых две! Дональбайн и Молодой Сивард, казалось бы, да?

А на деле что? Дональбайн, сын короля Дункана, появляется на сцене три раза, причем два из них стоит столбом и не произносит ни слова, а в третьем выходе у него три реплики. То есть три раза тявкнул — и в будку. Потом, уже ближе к концу спектакля, появляется Молодой Сивард, два выхода, первый — без слов, второй — четыре реплики и короткое сражение с Макбетом, в котором Сивард погибает. Это называется: артист Колодный занят в спектакле. И таких спектаклей много, и в каждом примерно такие вот роли. И это на протяжении нескольких лет. Чего только я не делал, и поговорить с худруком приходил, просил, спрашивал, почему меня не занимают, и творческие заявки писал, дескать, прошу рассмотреть мою кандидатуру на такую-то роль. И что? Ничего. Как выходил стоять столбом — так и выхожу. И вдруг Лев Алексеевич предлагает мне роль, центральную, главную, на которой держится весь спектакль. Это для меня первая за много лет возможность показать себя, как-то утвердиться в профессии. Я начал терять кураж, я утрачиваю профессионализм... Вы можете меня понять? Можете понять, как важно для меня, чтобы спектакль пошел?

— Можем, — равнодушно ответил Сташис.

Настя с любопытством посмотрела на Антона. Что-то не так? Он что-то заметил? Странно, что такая пылкая, наполненная чувством речь не вызвала в молодом оперативнике ни малейшего отклика. Даже ей самой стало в тот момент жалко артиста Колодного. Или это проявление отношения Антона ко всему, что кажется ему неважным, потому что важным, по-настоящему важным, он считает совершенно другие вещи? Впрочем, если вдуматься, то истинного сочувствия Никита Колодный у Насти тоже не вызывает. Убит его приятель, хороший знакомый, убит не когда-то давно, а всего лишь накануне, а Колодный думает только о том, как бы у него главную роль не отобрали. Неужели все артисты такие?

— Вопрос о продолжении работы над пьесой не в нашей компетенции, — холодно ответила Настя. — Давайте вернемся к делу. О чем вы обычно разговаривали с Лесогоровым?

— В основном о пьесе, — пожал плечами Колодный. — Пьеса его интересовала больше всего, ни о чем другом он не говорил. Советовался, как изменить, что изменить... Ну, вы понимаете.

— И всё? — уточнила Настя. — За время вашего знакомства вы не говорили ни о чем, кроме пьесы?

— Еще Артем очень интересовался жизнью известных людей, — горько усмехнулся Никита. — Я часто приглашал его с собой в клуб, где они бывают, он сам меня попросил об этом. Сидел там и глазами по сторонам стрелял, все высматривал знаменитостей и меня спрашивал, кто это, с кем пришел и так далее. Он ведь журналист, для него это нормально. Наверное, хотел материал для публикаций собрать. Про всякие сплетни меня спрашивал. Думаете, его могли из-за этого?..

— А почему нет? — ответил Антон вопросом на вопрос. — Вполне возможно. Вы не знаете, Лесогоров блогерством не увлекался?

Отличный вопрос! Настя искренне позавидовала Антону, потому что это пришло в голову ему, а не ей. Молодец, парень. А она уже старая, она — прошлый век. Разве в прошлом веке, когда она училась работать и совершенствовалась в своей профессии, о блогах кто-нибудь слышал? Все вопросы, которые в подобных случаях задаются свидетелям, слетают с языка уже автоматически, потому что задавались сотни раз, и вопроса о блогах среди них нет. А у Сташиса — есть. В этом и разница между ними. Новое поколение, новые знания, новые навыки.

Насчет того, не был ли Артем Лесогоров блогером, Никита Колодный ничего точно не знал.

— Я сам с Интернетом не дружу, мне как-то не нужно, да и времени нет, — пояснил он.

— Лесогоров называл вам каких-нибудь своих знакомых? Имена, род занятий?

— Да нет, мы это не обсуждали.

— А что у него было с личной жизнью? Женщины, романы, флирт?

— Не замечал. Тема сам ничего не рассказывал, сказал только однажды, что в городе, где он живет, у него роман закончился как раз перед поездкой в Москву. А здесь... Нет, я ничего такого не замечал. Он, вообще-то, многим у нас в театре нравился, особенно молоденьким девочкам, он ведь красивый... был... обаятельный такой, веселый. Да, вспомнил, я его как-то видел в кафе возле театра с нашей Алисой. Но это было давно, больше месяца назад, и только один раз.

— Кто такая Алиса? — строго спросила Настя.

— Звездочка, — усмехнулся Колодный и снова поморщился. — Молодая актриса, только-только после «Щуки», ее Лев Алексеевич отобрал. Красивая.

Настя быстро пробежала глазами список труппы, потому что никакой актрисы по имени Алиса она не помнила, хотя побеседовала уже со всеми артистами. Да, вот она, в списке есть.

— Она что, уволилась? Мы ее ни раз в театре не встретили.

— Да нет, она на съемках в Минске.

— Давно?

— Точно не скажу, это надо у завтруппой спросить. Но порядочно уже, недели три, наверное.

Бог с ней, с этой Алисой, вряд ли у нее с Лесогоровым был страстный роман, который и послужил причиной убийства. Если бы такой роман был, об этом сыщикам уж кто-нибудь да проговорился бы.

— А о своих врагах Артем вам не рассказывал?

— Нет, — покачал головой Колодный. — Какие у него могут быть враги? Такой веселый спокойный парень, доброжелательный, улыбчивый... Его любили.

— У журналиста всегда могут обнаружиться враги, — заметил Антон. — Профессия такая. А по телефону ему часто звонили?

— Откуда же я знаю... — развел руками Никита.

— Я имею в виду: в вашем присутствии.

— Ну, бывало... Вы хотите спросить меня, не слышал ли я чего-то важного? Нет, не слышал. Звонки обычно были от знакомых, которые спрашивали, как идут дела с постановкой пьесы и когда он пригласит их на премьеру.

— Не было такого, чтобы он вдруг расстроился после какого-нибудь звонка? Или испугался?

Нет, нет и нет. То ли Колодный так плохо себя чувствовал, что старался свернуть разговор как можно быстрее, и поэтому ничего не рассказывал, то ли он действительно не знал ничего существенного, что могло бы помочь следствию, но опрос его ни к чему не привел. Единственное ценное, что удалось из него вытащить, это была информация о каких-то особенных отношениях Артема Лесогорова и артиста Арцеулова. На вопрос о том, с кем еще, помимо самого Колодного, общался журналист, Никита ответил:

— С Львом Алексеевичем, естественно, потом с Дудником. Ну, со мной... Да со всеми понемножку, он общительный... был... Со всеми разговаривал, много вопросов задавал, всем интересовался. Некоторым это не нравилось, знаете, людям казалось, что он сплетни собирает. Но так, чтобы постоянно общаться... — Колодный внезапно вскинул голову и слегка прищурился, будто вспомнил что-то. — А вот с Михаилом Львовичем еще, с Арцеуловым. Я и сам удивился, когда узнал. Я как-то после спектакля заглянул к Михаилу Львовичу в гримуборную, мне нужно было кое-что у него спросить, я дверь открыл без стука — а там Артем. И они с Михаилом Львовичем что-то активно обсуждали. Я так удивился! Что им обсуждать? Они на репетициях даже словом обычно не перебрасывались, у Арцеулова по роли вопросов никаких не было. А тут сидят, да близко так, почти вплотную, и разговаривают вполголоса.

— Так уж и вполголоса? — усомнилась Настя.

— Вы думаете, я сочиняю, чего не было? — обиделся Колодный. — У Арцеулова такой зычный баритон, его на весь коридор слышно, если он в своей гримуборной разговаривает. А тут в коридор ни слова не доносилось, я потому и зашел без стука, что было тихо, и я думал, что Михаил Львович там один. Я вошел — и они оба замолчали. А у Артема было такое лицо недовольное... Но последнюю реплику Арцеулова я успел услышать, когда дверь открыл. Он говорил Артему: «Я тебе уже сто раз повторял...» Понимаете?

— Вы хотите сказать, что, судя по последним словам, разговор на эту тему у них был далеко не первым, так?

— Вот именно! — Колодный почему-то обрадовался. — А на людях они вели себя так, будто вообще знакомы только шапочно. Я даже в буфете их за одним столом не видел. Немного от меня толку, да? — Он виновато улыбнулся и всей пятерней взъерошил густые волосы. — Хреновый я сегодня собеседник, башка раскалывается. И вообще, настроение такое, сами понимаете... Память может и подвести. Вы мне оставьте свои координаты, если что еще вспомню — сразу же вам позвоню, ладно? В голове не укладывается, что Артема больше нет. Знаете, такое чувство, что все это мне снится, что это просто кошмар, пьяный кошмар, а проснусь — и все окажется как прежде, и я приду в театр на репетицию, и Артем со своими тетрадками...

Колодный все-таки не справился с собой и заплакал, тихо и горько. И в эту секунду Насте Каменской стало его действительно жалко.

Вызвать в театр всех артистов, занятых в «Макбете», оказалось делом не простым: у кого-то съемки, кто-то репетирует в другом театре, кто-то просто занимается своими делами. Но следователь Блинов стоял на своем: надо опросить всех, чтобы выяснить, кто кого и где видел на протяжении всего спектакля. Может быть, кто-то видел человека, поднимавшегося по лестнице к служебной квартире? Может, кто-то заметил необычную нервозность или рассеянность у партнера по сцене? А ведь, кроме артистов, под подозрением оказались и другие работники «Новой Москвы». О зрителях и говорить нечего... Но надо же с чего-то начинать.

После встречи в кабинете художественного руководителя Никиту Колодного попросили подняться в квартиру и в присутствии следователя посмотреть, не пропало ли что-нибудь и не произошло ли каких-то изменений в обстановке и вещах. Сделать это оказалось непросто, сперва Колодный категорически отказывался идти на место происшествия, бледнел, заикался и говорил, что не вынесет вида комнаты, в которой совершено убийство, потом все-таки дал себя уговорить. По квартире он ходил на трясущихся ногах и все время просил разрешения выйти на кухню попить воды из-под крана. Похмелье, видно, у него было тяжким.

— Я не очень хорошо знаю вещи Артема, — наконец изрек он, — но мне кажется, что все на месте. И компьютер, и папки вот здесь всегда лежали — они так и лежат. И тетрадка со стенограммами.

— Сколько было папок? — строго спросил Блинов.

— Не помню, кажется, три или четыре. Сейчас, погодите. — Колодный наморщил лоб. — Я каждый раз обращал внимание, что они были разного цвета, синяя, красная и черная, да, точно, значит, три. И я загадывал, в каком порядке они будут лежать, у меня примета была: если красная на черной — вечером спектакль пройдет средне, без куража, а если красная на синей — то будет хорошо. Мы, актеры, люди суеверные, в приметы верим.

— А если не красная папка на синей, а наоборот, синяя на красной? — насмешливо спросил Блинов.

— Тогда я с помрежем поцапаюсь, — вполне серьезно ответил Колодный. — Вы зря смеетесь, приметы всегда срабатывают, уж сколько раз проверено.

Он еще немного походил по комнате и остановился возле камина, разглядывая металлическую стойку для аксессуаров, потом растерянно посмотрел на следователя:

— Щипцов нет. Куда они делись? Кому они могли понадобиться? Здесь всегда был полный комплект: щипцы, кочерга, совок, щетка, или как это там правильно называется, я не знаю. А теперь щипцов нет.

— Их изъяли для проведения экспертизы, — холодно сообщил Николай Николаевич. — Это орудие убийства.

— О господи! — Колодный схватился за голову. — Я как-то не подумал... Да, конечно, мне же говорили, что Артема щипцами... забыл...

Все три папки — красная, синяя и черная — лежали на столе рядом с компьютером, сверху находилась тетрадь со стенограммами репетиций. И еще несколько разрозненных листов, испачканных кровью, — новые варианты ролей, подготовленные для сегодняшней репетиции. На полу рядом со столом — принтер, в нем остался распечатанный, но так и не вынутый текст пьесы «Правосудие» с последними исправлениями. Если полагаться на мнение Никиты Колодного, выходило, что из квартиры Лесогорова ничего не пропало. Но понятно, что речь может идти только о вещах очевидных, бросающихся в глаза. А что, если пропала всего лишь флэшка? Сколько таких флэшек может быть у пишущего человека? Ясно, что не одна и не две. И актер Колодный на этот счет ничего точно знать не может. А если речь идет о документе, находившемся в папке? Папка-то на месте, а вот что там внутри было и что осталось? Нет, пожалуй, идея привлечь актера к осмотру места происшествия оказалась не очень-то удачной.

Следователь отпустил Колодного и отправился к костюмерам, куда уже давно послал эксперта с ультрафиолетовой лампой проверять костюмы участников вчерашнего спектакля на предмет наличия следов крови. Если бы улыбнулась удача и удалось обнаружить чей-нибудь костюм с этими следами, расследование можно было бы считать законченным. Но вероятность такого счастливого исхода оценивалась Блиновым как крайне низкая. Николай Николаевич был большим пессимистом.

И не ошибся. Эксперт при нем закончил осматривать последний костюм — темно-вишневое платье леди Макбет, пожал плечами и спрятал лампу в футляр.

— Чисто, — констатировал он. — Либо убийство совершил не артист, либо брызги не попали на одежду. Это и немудрено, удар-то был однократный, а при однократном ударе разбрызгивания крови и мозгового вещества обычно не происходит. Вот если бы преступник нанес несколько ударов, то каждый раз при извлечении орудия из раны летели бы брызги и осколки кости, а так... Шанс, конечно, был, но небольшой.

Следователь, изрядно уставший, собрал оперативное совещание в кабинете Богомолова. Он занял кресло худрука, а все остальные — Зарубин, Антон Сташис, Настя Каменская и оперативник из дежурной группы — разместились на стульях, стоящих вдоль стен.

— Ну, слушаю, — негромко произнес он и, подперев ладонью щеку, уставился на Зарубина.

— Я предлагаю основной рабочей версией считать попытку срыва спектакля, — бодро отрапортовал Сергей. — Сначала Богомолов, потом Лесогоров, и способ совершения преступления одинаковый, все одно к одному.

— С тобой ясно, — вздохнул Блинов. — Сташис, что скажешь?

— Надо покопаться в компе Лесогорова, — ответил Антон. — Мне кажется, он мог кому-то здорово насолить своими материалами. Что ему мешало писать статьи и отсылать их по электронной почте? Значит, они все есть на жестком диске. И блогом его стоит поинтересоваться. Колодный сказал, что наш потерпевший очень любил собирать информацию о жизни звезд. Мало ли про кого он что написал.

— Годится, — кивнул Николай Николаевич. — Вот и займись. А ты что скажешь? — Он перевел взгляд на опера с территории.

— Надо бы любовный фронт проверить, — не очень уверенно проговорил тот.

В принципе это правильно и вовсе не глупо, но он ведь был не в курсе истории с Богомоловым... Настя пожалела о том, что компьютер Артема теперь окажется в полном распоряжении Антона Сташиса. Вот бы ей получить доступ! Уж если Артем Лесогоров действительно хитростью пробрался в театр, чтобы разобраться в какой-то скандальной ситуации, то следы информации на этот счет наверняка окажутся в компьютере. Но что она может? Случилось бы все это на год раньше, когда она не только работала, служила, но и имела право полновесного голоса на совещаниях у начальника, тогда она, конечно, ни минуты не раздумывая, заявила бы, что компьютер потерпевшего берет на себя, и никто бы не возразил: возражать полковнику Каменской в последние годы считалось неприличным и было не принято. А теперь она — никто, человек с улицы. Спасибо еще Блинову, что разрешил присутствовать на совещании, а то ведь мог бы и «попросить». Интересно, он ее мнением поинтересуется? И если да, то когда? Прямо сейчас, при этом оперативнике, который не в курсе Настиного бесправного положения и считает ее сотрудником с Петровки, или потом, с глазу на глаз?

— Ну а ты что молчишь? — обратился к ней следователь. — Есть соображения?

— Два, — кивнула Настя. — Можно начинать?

— Валяй, — разрешил Блинов. — Ишь ты, целых два... Богато живешь, Каменская.

— Первое, — начала она. — У меня есть основания считать, что Лесогоров знал что-то неприятное о ситуации в театре и пытался разобраться. Вполне возможно, что именно поэтому его и убили. Я вам докладывала...

— Да-да, помню, — нетерпеливо дернул рукой Блинов, — можешь не повторяться. Вы со Сташисом провели здесь кучу времени, а толку — ноль. Ты что, собираешься продолжать свое бесполезное ковыряние в театральных дрязгах?

— Собираюсь, — Настя с вызовом вздернула подбородок. — Это моя работа, если вы помните. Теперь второе. Если Зарубин прав и оба преступления направлены на срыв постановки пьесы Лесогорова, то надо немедленно прекратить работу над спектаклем, иначе будут еще жертвы. И я даже примерно представляю себе, кто именно.

— Да? — с интересом переспросил следователь. — И кто же?

— Два актера, исполняющие главные роли: Никита Колодный и Михаил Арцеулов. И еще народная артистка Арбенина. Арбенина — мегазвезда, ее в принципе заменить некем, Арцеулов тоже очень известный, очень популярный актер, на него сделана ставка. Колодный не такой звездный, конечно, но и у него, и у Арцеулова главные роли, и если вводить на эти роли других актеров, будет потрачено много времени. Никто на это не пойдет, над спектаклем уже и без того работают больше двух месяцев, а мне объясняли, что это чересчур долго, при нормальном раскладе за это время обычно выпускается уже собранный, готовый спектакль. Одним словом, Николай Николаевич, надо сделать две вещи: предупредить актеров, чтобы были осторожнее, и добиться прекращения работы над «Правосудием». Хотя бы на время, пока преступник не будет найден.

— Пока... на время, — проворчал Блинов. — И откуда в тебе столько оптимизма? А если мы его вообще не найдем? Костюмы проверили — пусто. Значит, опять все снова-здорово, сто человек из театра и девятьсот зрителей, которых ты никогда в жизни не установишь и не найдешь. Как ты будешь в таких условиях убийцу вычислять? Зарубин, тебе что-нибудь удалось выяснить?

— Ничего, — понуро признался Сергей, которому поручено было опрашивать работников театра, не видел ли кто-нибудь накануне вечером чего-то подозрительного. — Но я пока не всех опросил. Народ еще подтягивается. Видно, придется здесь до самого вечера просидеть.

— Посидишь, не переломишься, — доброжелательно ответил Блинов. — Кстати, откуда у тебя в голове появилась эта бредятина насчет срыва постановки?

— Но ведь все же сходится тютелька в тютельку!

— А мотив? Ну где тут может быть мотив? Кому может помешать постановка какой-то там пьески? — не уступал следователь. — И потом, это нерационально. Вот Каменская мне популярно объяснила, что постановка осуществляется на спонсорские деньги. Нет денег — нет постановки. Так, Каменская?

— Так, Николай Николаевич, — согласилась Настя.

— Ну, и чего проще: уберите спонсора — и не будет никакой постановки. Зачем огород-то городить?

А ведь верно! Настя даже подпрыгнула на месте.

— Точно! — выпалила она. — Куда эффективнее убрать спонсора. Но спонсор — бизнесмен, причем не бедный, он ходит с охраной, его так просто не уберешь, это надо киллера нанимать. А киллер — это деньги. Ну, и связи, возможности. Отсюда вывод: наш преступник — непрофессионал, он не умеет обделывать такие делишки, не знает, с какого конца взяться за решение своей задачи, то есть будет действовать по-дилетантски. А это значит, что я права: будут новые жертвы, если не остановить работу над спектаклем. Он не уймется, и действовать он будет тупо и однообразно.

Блинов долго молча смотрел на нее, потом переменил положение рук, скрестив их на груди.

— Ладно, — наконец сказал он, — уговорила.

— Вы не понимаете, о чем говорите, — мягко улыбнулся директор-распорядитель Бережной. — Мы не можем закрыть спектакль.

— Почему? — строго вопросил Блинов.

— Потому что это деньги. Это живые деньги, которые мы получим после премьеры. И на эти деньги мы сможем поставить еще два-три новых спектакля, причем пригласить для постановки известных хороших режиссеров и заплатить им достойный гонорар. Нет, нет и нет, на закрытие «Правосудия» мы не пойдем ни при каких условиях.

— Но ведь люди в опасности!

— Это вам так кажется. И потом, ваша работа в том и состоит, чтобы защитить их. Вот и защищайте. Лично я больше чем уверен, что ни один человек больше не пострадает.

— Это почему же, позвольте спросить? — Следователь недобро прищурился. — Уж не потому ли, уважаемый Владимир Игоревич, что вы лично прекрасно знаете убийцу и в курсе его планов. Нет?

Бережной и при этом резком выпаде не утратил своей безмятежности. Было очевидно, что его не так-то просто вывести из себя. «Или он и в самом деле отличный актер? — подумал Блинов. — Каменская что-то говорила на этот счет...»

— Нет, Николай Николаевич, — спокойно ответил директор. — Я не знаю, кто убийца, и я не в курсе его планов. Но я знаю театральную среду, знаю актеров. Преступник — человек со стороны, для меня это совершенно очевидно, а коль так — он не может иметь никаких мотивов для срыва постановки. И это означает, что наши актеры в полной безопасности. Я вас убедил?

— Не убедили, — буркнул следователь. — Я остаюсь при своем мнении. И если вы не хотите пойти навстречу следствию...

— Я просто не могу этого сделать, — все так же мягко поправил его Бережной. — Я отвечаю за финансирование всей жизни нашего театра, я кровно заинтересован в деньгах, которые придут от спонсора, и не собираюсь ими жертвовать.

— Но речь же не идет о том, чтобы отказаться от денег! — Блинов не выдержал и повысил голос. — Вы что, не слушаете меня? Речь идет о том, чтобы приостановить работу над спектаклем. Как только мы найдем и обезвредим преступника, вы сможете продолжать ставить свое «Правосудие» хоть до полного посинения!

— А могу я поинтересоваться, о каких сроках идет речь? День-два? Неделя? Месяц? — Бережной достал толстый органайзер и полистал его. — Мы не можем жить без плана, дорогой Николай Николаевич, поймите же, театр — это не только высокое искусство, это еще и производство. А производство невозможно без плана.

У нас на следующий год запланированы две премьеры, и для них совершенно необходимы деньги, которые нам заплатят только в том случае, если мы выпустим «Правосудие». Лев Алексеевич уже провел переговоры с некоторыми актерами из других театров, которых он собирается пригласить в эти спектакли, и они тоже строят определенные планы, как финансовые, так и организационные, ведь им нужно будет освободить время для репетиций. Художники по костюмам, художники-декораторы, художники по свету — у них тоже есть план работы, и хотя они у нас в штате, но их могут приглашать и в другие театры, и они должны понимать, в какой степени и когда будут загружены. Одним словом, это вам только кажется, что поставить спектакль — это просто. Это невероятно, неимоверно трудно и требует четкой организации и планирования работы. А еще это требует денег. Вы можете со всей ответственностью сказать мне, что через три, к примеру, недели мы сможем возобновить работу над «Правосудием»? Можете? Тогда я немедленно внесу коррективы в план на следующий год и начну утрясать изменения со всеми заинтересованными лицами. Или не можете?

— Послушайте, — Блинов не на шутку рассердился, — вы что, не понимаете, что речь идет о тяжком преступлении, об убийстве? Это серьезное дело, а не какие-то там финтифлюшки. И я как представитель государства вправе требовать от вас...

— Не вправе, — невозмутимо отозвался Бережной. — Мы — автономное учреждение культуры, от нас никто ничего не вправе требовать. Только Департамент культуры, и то не по всем вопросам. А уж правоохранительные органы нами совершенно точно не командуют. Одним словом, Николай Николаевич, я ваши трудности понимаю, но и вы наши поймите. При всем желании я не могу пойти вам навстречу.

Следователь поднялся, сделал шаг к двери и с угрозой произнес:

— Хорошо, я знаю, как на вас управу найти. Все равно выйдет так, как я сказал.

Однако у спонсора постановки господина Андрюшина следователь Блинов тоже понимания не нашел. Встретились они в субботу, на следующий день после обнаружения трупа Артема Лесогорова, и Андрюшин уже был в курсе, что его друг погиб.

— Какое несчастье, — то и дело сокрушенно повторял он. — Ах, Темка, Темка! Ну как же ты так? Поверить не могу.

Начал Блинов издалека — с вопросов о том, не было ли у Лесогорова врагов, не рассказывал ли он, что ему угрожают, в общем, задавал весь перечень стандартных вопросов. Но ничего интересного Андрюшин поведать не сумел. Или не захотел.

— Скажите, а как так получилось, что вы решили спонсировать постановку пьесы Лесогорова? — спросил Николай Николаевич.

Андрюшин грустно улыбнулся.

— Когда-то у меня сложилась очень непростая ситуация, и Тема мне здорово помог, он выслушал меня, поверил мне, подсобрал материал и написал статью, которая послужила толчком к возбуждению уголовного дела против тех, кто меня прессовал. Ситуация разрешилась в мою пользу, я был безмерно благодарен Артему, и у нас сложились очень теплые отношения. Примерно год назад или чуть меньше Тема пришел ко мне и сказал, что хочет написать пьесу. Он спросил, помогу ли я ему деньгами, если речь зайдет о постановке, потому что без денег ставить пьесу никому не известного автора никто не захочет. Я заверил Тему, что помогу, даже говорить не о чем. Я очень ему благодарен за помощь и готов был оказать любую ответную услугу. Потом, спустя какое-то время, он позвонил и сказал, что пьесу закончил и надо идти в театр пробивать ее, потому что он показал произведение в своем любимом театре, в «Новой Москве», но ее отклонили. Вот, собственно, и все. Мы пошли вдвоем к художественному руководителю, ко Льву Алексеевичу, и прямо с порога заговорили о деньгах. Пьесу, как вы можете догадаться, сразу приняли, — Андрюшин улыбнулся. — Я предложил такую сумму, что эту пьесу в любом театре взяли бы. Мне для Темы никаких денег не жалко. Он умел дружить как никто.

Следователь подумал, что пора переходить к делу, и изложил бизнесмену свои соображения касательно закрытия работы над «Правосудием». По мере того как он говорил, глаза Андрюшина становились все более холодными, а взгляд — жестким.

— Для меня важно, чтобы пьеса была поставлена, — твердо ответил он. — Я хочу, чтобы спектакль состоялся в память об Артеме, которому я многим обязан.

— Но могут пострадать люди, — пытался возражать Блинов.

Андрюшин стоял на своем, и поколебать его позицию следователю так и не удалось, как он ни бился.

— Спектакль состоится, — твердил бизнесмен. — Пьеса будет поставлена. Любой ценой.

В пятницу, когда нашли тело Лесогорова, репетицию, разумеется, уже не продолжали, а субботнюю репетицию в связи с трагическим событием просто отменили, так что поговорить с актерами Насте Каменской удалось только в воскресенье.

Она пришла на репетицию к самому началу с намерением попросить у Дудника несколько минут, но ничего не вышло.

— Подождите, пока мы закончим, — потребовал режиссер. — Иначе вы своими сообщениями мне актеров окончательно из колеи выбьете, они и так переживают. Я вообще не знаю, как они сейчас будут работать.

Семен Борисович оказался прав, актеры действительно еще не пришли в себя от потрясения, вызванного убийством автора пьесы, и работали на репетиции из рук вон плохо, путали мизансцены, забывали текст, не понимали, чего от них требует режиссер. Через сорок минут после начала Дудник вынужден был репетицию прекратить.

— Это невозможно! — Он почти кричал. — Вы совершенно не в состоянии сосредоточиться на работе! Играете с холодными носами. Все, на сегодня мы закончили, продолжать бесполезно, от такой работы толку не будет. Александр Олегович, — обратился он к помрежу Федотову, — скажите завтруппой, чтобы ближайшую репетицию перенесли на среду, не раньше, пусть люди в себя придут. На среду вызывайте тех, кто в плане на завтра. — Он начал было собирать со стола свои записи, но, заметив Настю, терпеливо сидящую в уголке, скомандовал: — И не расходитесь, у милиции есть какое-то сообщение для вас.

Актеры замерли и с интересом уставились на Настю.

— Вы нашли убийцу? — первой задала вопрос Арбенина. — Скажите же скорее, кто это, ну же, не тяните!

Настя откашлялась и встала. Теперь все смотрели только на нее, и ей отчего-то стало не по себе.

— Семен Борисович меня не так понял. У меня не сообщение для всех, мне просто нужно поговорить с некоторыми из вас. Остальные могут быть свободны. Я прошу остаться только Евгению Федоровну, Михаила Львовича и вас, Никита.

По репетиционному залу разнеслось разочарованное «у-у-у», и участники репетиции во главе с Дудником стали покидать помещение. Помреж Федотов возился, по обыкновению, дольше всех, и Насте даже показалось, что он нарочно копается, чтобы дождаться, пока она начнет говорить. Вот любопытный-то!

Когда Федотов наконец вышел в коридор, Настя, стараясь как можно осторожнее выбирать слова, предупредила троих артистов о возможной опасности. Самой непредсказуемой оказалась реакция Арбениной: Евгения Федоровна залилась звонким смехом.

— Да кому я нужна — одинокая старуха! Что с меня взять? Разве что квартиру, но я ее уже завещала, так что бесполезно стараться.

— Евгения Федоровна, нельзя быть такой легкомысленной, — укоризненно покачал головой Арцеулов. — Анастасия Павловна права: если кто-то хочет сорвать постановку, то начнут именно с вас, потому что вас некем заменить, звезды равного с вами масштаба в нашем театре нет. А без вас зритель на спектакль не пойдет, потому что все остальное ему неинтересно, автор пьесы неизвестный, режиссер — тоже. Я имею в виду, если на афише будет стоять имя Дудника, — тут же поправился он. — Без вас эту пьесу даже нечего пытаться ставить.

— Ох-ох-ох! — Арбенина кокетливо улыбнулась. — Не захваливайте меня, Мишенька, а то я зазнаюсь. Нет, в самом деле, на меня никогда в жизни никто не покушался, так что это будет даже интересно. Я вот сейчас начну бояться, потому что надо обязательно пережить опыт такого страха, это потом может очень пригодиться для сцены.

Арцеулов тут же весело подхватил:

— Наша Евгения Федоровна живет по заветам Станиславского, она старается получить как можно больше жизненных впечатлений и сложить их в свою внутреннюю копилку, чтобы потом в нужный момент достать и вспомнить, что она чувствовала и как думала. Верно, Евгения Федоровна?

— Мишенька, вы упрощаете Станиславского, но в целом вы недалеки от истины. Мне терять нечего, я уже достаточно пожила, а вот вам надо бы прислушаться к тому, что говорит Анастасия. Не понимаю, отчего вы-то так веселитесь, ведь дело серьезное.

Михаил Львович поднял руки и демонстративно поиграл бицепсами, обтянутыми тонким трикотажным джемпером.

— Мне нечего бояться, я сам кому угодно шею сверну. Я, между прочим, три раза в неделю в спортзале занимаюсь, со мной не так-то легко справиться. И потом, я все-таки не народная артистка Арбенина, меня вполне можно заменить в спектакле, так что бояться мне нечего, от моего устранения ничего не изменится.

Вид у актера и в самом деле был внушительный: широкоплечий рослый мускулистый Арцеулов выглядел весьма брутально.

А вот Никита Колодный, похоже, перепугался не на шутку. Он сидел на стуле в самом центре помещения, бледный, плечи опущены, руки висят вдоль туловища, как плети.

— Никита, а вы что молчите? — обратилась к нему Настя. — Вы тоже считаете, что мы перестраховываемся, и никакая опасность вам не грозит?

Колодный поднял на нее совершенно больные глаза.

— Знаете, я был бы счастлив, если бы меня нельзя было заменить... Но мне все равно очень страшно. Любая замена, любой ввод — это потеря времени, и кто его знает, как там решит руководство... Для меня очень важен этот спектакль, я просто не переживу, если что-нибудь сорвется. Господи, как же мне теперь?.. Ходить по улице и каждую минуту ждать, что меня кто-нибудь по голове?.. Или яду в стакан с чаем?

Голос его дрожал, по вискам стекали капли пота, и было видно, что он по-настоящему боится. Впрочем, подумала Настя, все эти симптомы могут оказаться всего лишь последствиями давешнего похмелья. Похоже, актер Колодный регулярно позволяет себе «нарушать режим» и напиваться. Ну что ж, ничего удивительного, пьющий актер — это так же нормально, как пьющий сыщик. Да и Арбенина предупреждала об этом.

Настя первой вышла из репзала, прошла несколько шагов по коридору и остановилась: ей нужен теперь Арцеулов, к которому у нее был вопрос. Михаил Львович появился в коридоре буквально следом за ней и решительно направился в сторону кабинета директора, но Настя его перехватила.

— Михаил Львович, мы можем поговорить?

Тот недоуменно вздернул брови.

— Еще о чем-то? Вы же, кажется, все уже сказали.

— У меня остались вопросы к вам. Где мы можем побеседовать?

Тот огляделся, потом посмотрел на часы.

— Вообще-то, у меня уже нет времени...

— Это ненадолго, — пообещала Настя.

— Тогда давайте прямо здесь. Что вы хотели спросить?

Мимо них проплыла Евгения Федоровна Арбенина в узких обтягивающих брючках и полотняном приталенном пиджачке.

— Анастасия, загляните ко мне в гримерку, — актриса сделала выразительное лицо, дескать, мне есть что вам сообщить. — Я буду вас ждать.

Интересно, зачем?

— Хорошо, Евгения Федоровна, я освобожусь

и приду. Михаил Львович, какие отношения связывали вас с Артемом Лесогоровым?

На простоватом, с крупными чертами, но очень ухоженном лице Арцеулова отразилось искреннее недоумение. Впрочем, оно вполне могло оказаться и наигранным, ведь говорил же Гриневич...

— Ровно никаких, — спокойно ответил он. — Мы с ним виделись только на репетициях, ну, или где-то сталкивались случайно, в буфете, например, или в коридоре, или в приемной Льва Алексеевича, одним словом, где-то в здании театра. За рамками подготовки пьесы мы с автором не общались. А что, вам кто-то что-то сказал?

В вопросе Настя не услышала ни малейшего беспокойства, только одно любопытство. «Любой мало-мальски профессиональный актер кого угодно вокруг пальца обведет...»

— Лесогоров когда-нибудь заходил к вам в гримуборную?

— Не припоминаю... — пожал мощными плечами Арцеулов. — Пожалуй, нет. А что, вам сказали, что он ко мне заходил?

— Сказали, — кивнула Настя, слегка улыбнувшись.

— Кто?

— Ну, Михаил Львович, — она от души рассмеялась, — что за вопрос? Вы же понимаете, что я вам этого все равно не скажу.

— Да, конечно, — теперь в его голосе зазвучала растерянность. — Ума не приложу, кто мог вам такое брякнуть. Да и зачем? Теперь я совершенно точно припоминаю, что Артем ко мне никогда не заходил.

Ладно, возьмем на заметку. Колодный утверждает, что застал Лесогорова в гримерке у Михаила Львовича, да еще за каким-то серьезным разговором, ведущимся вполголоса и явно не в первый раз. А сам Михаил Львович это отрицает. Любопытно.

Расставшись с Арцеуловым, Настя направилась в «женское» крыло к Арбениной. Евгения Федоровна стояла у открытой фрамуги и курила, выпуская дым в узкую щель, из которой тянуло холодом и сыростью. На гримировальном столе возвышалась пластиковая переноска, в которой мирно дремала белоснежная Эсмеральда.

— Деточка, я просила вас зайти, чтобы предупредить: не обращайте внимания на то, что говорит Миша, то есть Михаил Львович. Он все врет.

Вот это номер! И откуда Арбенина узнала, о чем Настя только что разговаривала с Арцеуловым?

— Что вы имеете в виду? — осторожно спросила она.

— Да то, что он любого порвет и кому угодно шею свернет. Не слушайте вы его, я вас умоляю! Миша, конечно, накачанный юноша, силища в нем будьте-нате, но... Видите ли, деточка, он трус. Да-да, трус. — Арбенина резким выверенным движением выбросила в щель окурок, закрыла окно и повернулась к Насте лицом. — Вернее, я не так выразилась... Видите ли, у многих актеров есть так называемая боязнь телесного контакта. Он не то что ударить — он обнять другого человека не может без специального усилия. Ему это трудно. Ну, знаете, мысли всякие бывают, например, что человек болен, заразный или просто немытый... У кого-то изо рта неприятно пахнет, и не хочется близко подходить. Такой невроз. Это часто встречается.

— Знаю, — кивнула Настя. — И Михаил Львович...

— Ну да, — Евгения Федоровна улыбнулась чуть смущенно. — Поймите меня правильно, я вам это говорю не для того, чтобы опустить Мишу и подорвать его репутацию крутого мужика, вовсе нет. Вы должны понимать, что он на самом деле не сможет постоять за себя, если, не приведи Господь, что-то случится. Он беззащитен, как ребенок. Мухи не обидит. Только пыжится и хорохорится, потому что хочет быть похожим на своих сценических и экранных героев, а на самом деле Мишенька — слабак. Вы уж примите меры, защитите его как-нибудь.

— Вы так печетесь об Арцеулове, а как насчет вас? Вы ведь тоже нуждаетесь в защите.

— Да бросьте вы! — махнула рукой Арбенина. — Что со мной сделается? А даже если и сделается, так лучше я отойду в мир иной в расцвете славы и в атмосфере таинственного преступления, чем всеми забытой полубезумной старухой, доживавшей свой век в богадельне. Яркий пример — Зоя Федорова, о ней до сих пор помнят, хотя с момента ее убийства прошло бог знает сколько лет. Нет, обо мне вы не беспокойтесь, я фаталистка и умею принимать удары судьбы. А вот о Мише позаботьтесь. Да и о Никите тоже. У Миши хотя бы мощь и мускулатура есть, он одним только видом может напугать, а Никита у нас совсем мальчик, тонкий, стройный, хрупкий, он может оказаться легкой добычей.

Настя припомнила фигуру «хрупкого мальчика». Да, Колодный сухой и жилистый, совсем не атлетического сложения, но мускулы у него, насколько позволяли увидеть короткие рукава майки, более чем приличные. Он явно очень спортивный парень и вовсе не слабый. Тоже еще, мальчик! Ему тридцать один год, давно пора в мужики записываться.

— Евгения Федоровна, вы не замечали, Арцеулов много общался с Лесогоровым? Вы ведь в театре почти каждый день бываете, наверняка знаете все и обо всех, и мимо вас ни одна мелочь не проскользнет.

Арбенина помедлила с ответом, выпустила кошку из переноски и налила в кошачью мисочку воды из-под крана. Кошка сладко потянулась, выгнувшись всем гибким телом, запрыгнула на диванчик и вытянулась на спине, раскинув задние лапы в стороны, а обе передние оттопырив почему-то влево. Евгения Федоровна с умилением наблюдала за движениями своей любимицы.

— Взрослый актер не может переиграть ребенка, но ни один ребенок никогда не сможет переиграть в кадре животное, — почему-то изрекла она, и Насте показалось, что ее вопрос Арбениной не понравился, и отвечать на него актриса не стремится.

— Я слышала об этом, — сдержанно сказала Настя. — И все-таки, как насчет Артема и Михаила Львовича? Какие у них были отношения?

Арбенина почему-то вздохнула.

— Насколько я могла заметить — не близкие. Но Мишенька симпатизировал Артему и на репетициях всегда заступался за него, когда артисты требовали тех или иных поправок. Мишу все устраивало, ему его роль нравится. И Артем ему очень нравился. — Она тонко улыбнулась. — Вот и все, что я могу сказать.

Н-да, немного... Господи, как все просто! Настя с трудом удержалась от смеха. Арбенина видела, что Арцеулов симпатизирует автору пьесы, молодому красивому блондину, и у нее родились определенные подозрения, касающиеся сексуальной ориентации Михаила Львовича. А поскольку традиционная ориентация самого Лесогорова ни у кого, кажется, сомнения не вызывала, то, по мнению актрисы, речь могла идти о неразделенном влечении актера Арцеулова к молодому драматургу. Вот глупость-то! Ни о чем подобном и речи нет. Впрочем... Кто его знает? А вдруг именно так и есть? И убийство Лесогорова не имеет никакого отношения к покушению на Богомолова, а связано исключительно с личными любовными переживаниями? Ну, и что мешает Арбениной прямо заявить об этом? Чего она жмется и про животных в кадре рассказывает? А-а, все понятно, сор из избы. Как же можно бросить хотя бы тень сомнения на любимца публики Михаила Арцеулова, признанного героя-любовника и отважного воина, трагического злодея и благородного гения!

— Вы меня простите, деточка, — чуть суховато произнесла Евгения Федоровна, — мне нужно переодеться и отдохнуть, в моем возрасте даже половина репетиции, как сегодня, требует больших усилий.

— Конечно, конечно, — пробормотала Настя и вышла.

Вот и о возрасте Арбенина вспомнила очень кстати. Да ни одна актриса, будь ей хоть девяносто лет, не признается, что устает и ей трудно. Просто она хотела прервать разговор, вот и все.

Между полуднем и часом дня артистический буфет обычно пустовал, технические службы начинали обедать с часу, и Михаил Львович Арцеулов пил чай в полном одиночестве, когда к нему подскочил Александр Олегович Федотов.

— Ну, что? — спросил он с горящими глазами.

Арцеулов поставил чашку на стол и удивленно посмотрел на помрежа.

— Что?

— Ну, что она сказала? Зачем она вас просила остаться? Они нашли убийцу, да?

— А, ты об этом! — Арцеулов откусил большой кусок кекса с изюмом и принялся с удовольствием жевать. — Нет, никого они не нашли. Они, по-моему, вообще искать не умеют, ходят, смотрят, разговаривают, а где дело? Где результат? Еще один труп — вот и весь итог их бурной деятельности. Кругом одни дилетанты! Ну что они могут? Баба и пацан, просто смешно.

— Так что она сказала-то? — настойчиво повторил Федотов.

— Сказала, что кто-то хочет сорвать постановку «Правосудия», и я — следующая жертва.

Помреж вытаращил глаза, у него даже дух перехватило.

— Иди ты! Прямо так и сказала?

— Так и сказала, — совершенно серьезно подтвердил Михаил Львович. — Просила, чтобы я был осторожнее и внимательнее.

— А ты?

— А что я-то? Мне-то чего бояться? Да пусть ко мне только кто-нибудь приблизится, я его одной левой сделаю. Ты меня знаешь, я не шучу.

— Это точно, я тебя знаю. — Глаза помрежа внезапно сузились, и он пристально посмотрел на артиста. — А признайся, Миш, ну как на духу признайся: это ведь ты Богомолова... того?.. Не простил ему Прекрасную Елену?

Лицо Арцеулова мгновенно побагровело и стало тяжелым и страшным.

— Прекрати молоть чушь! — зашипел он, оглядываясь на девушку за буфетной стойкой. — По-твоему, я и Лесогорова грохнул? Зачем? Тоже из-за Ленки? Дурак ты, Саша, и не лечишься. Тебя послушать, так люди из-за любви черт знает на что способны.

— А разве нет? — невинно осведомился помреж.

— Не знаю. Лично я — нет. — Арцеулов, казалось, немного успокоился. — Я Лену давно простил. И вообще, у меня с личной жизнью все в порядке, и ты это прекрасно знаешь. Я к Льву Алексеевичу претензий не имею.

— Это ты кому-нибудь другому расскажи!

— Да тише ты! Чего орешь? — Арцеулов снова тревожно оглянулся на буфетчицу, которая мирно резала колбасу и красную рыбу и делала бутерброды.

— Что я, не вижу, как ты его ненавидишь? — продолжал Федотов, понизив голос. — Да тебя всего трясет, когда он в одно с тобой помещение входит. И не я один, вся труппа в курсе твоей пламенной любви к Богомолову. А мальчишку ты убил, чтобы подозрение от себя отвести. Ловко придумано, только старо, как мир. Думаешь, сыщики поведутся на твою хитрость? Уж если я догадался, они тем более допетрят.

Арцеулов медленно отодвинул чашку на середину стола, прикрыл на мгновение глаза, а когда открыл их, на лице его сияла добрая и слегка недоуменная улыбка.

— Да что ты, в самом деле, Саша! — проговорил он вполне мирно. — Ты не болен, случаем? Ты вообще себя слышишь? Что ты несешь? Ты что, всерьез думаешь, что это я сделал?

— Думаю, — кивнул Федотов. — И не только я один. Скажи спасибо, что милицейские пока еще так не думают, но это вопрос дней, а то и часов. Тебя труппа уважает, ты заслуженный артист, поэтому все молчат, но это только до поры до времени. Так что готовься, доктор Астров.

— Александр Олегович, вы кушать будете? — окликнула помрежа буфетчица. — У нас сегодня рыбка красненькая на редкость удачная, нежная и почти совсем несоленая. Подать вам?

Федотов вскочил и кинулся к двери.

— Нет, спасибо, я попозже, — крикнул он на ходу.

Михаил Львович Арцеулов снова остался один. Он некоторое время посидел за столом, потом поднял голову и позвал буфетчицу:

— Рыбка хорошая, говоришь?

— Отличная! Давно такой не было, — с готовностью откликнулась девушка.

— Тогда давай парочку бутербродов. И еще чайку.

Похоже, разговор с помощником режиссера на аппетите актера Арцеулова никак не сказался.

Следователь Блинов милостиво разрешил Насте Каменской ознакомиться с бумагами Лесогорова, изъятыми в квартире при театре, но только у себя в кабинете.

— Выносить не дам ни одной страницы, — категорично заявил он.

— А можно, я сниму копии и возьму домой? — попросила Настя.

Следователь выразительно покрутил пальцем у виска.

— Ты видела, сколько этих бумаг? Любой ксерокс сдохнет, пока ты их копировать будешь. Сиди здесь и читай, если тебе так прибило.

Читать в кабинете Блинова не хотелось, но Настя понадеялась на удачу: она пока просто поработает с этими бумагами, разберется, что там к чему, а за это время какое-нибудь решение придет в голову. В конце концов, Николай Николаевич сам поймет, что ему неудобно, когда рядом за свободным столом сидит кто-то посторонний. Она положила перед собой три папки — красную, синюю и черную, тетрадь со стенограммами и разрозненные листы, собранные по всей квартире, и принялась за сортировку. То и дело ей звонил Антон Сташис, который в соседнем помещении изучал содержимое жесткого диска компьютера Лесогорова и многочисленных флэшек и спрашивал, нужен ли им тот или иной файл.

— Анастасия Павловна, а я был прав насчет блога, — радостно сообщил он по телефону. — Лесогоров щедро делился знаниями, почерпнутыми во время походов на светские тусовки и в клубы. Всех, кого только можно, грязью облил. Я вчера в Интернете сидел читал, а сегодня нашел в его компе файл с заметками, он, видать, сразу после получения впечатлений все записывал, чтобы не забыть, а в блоге выступал примерно раз в неделю.

— Вот их всех и выписывайте, — вздохнула Настя.

В другой раз он озадаченным голосом поведал, что нашел целый файл, посвященный шекспировскому «Гамлету».

— Надо?

— Дайте подумать, — попросила Настя.

«Гамлет». Могут ли соображения молодого журналиста по поводу этой пьесы иметь отношение к убийству? Крайне маловероятно. Тем более в «Новой Москве» такого спектакля не было, так что нет никаких оснований думать, что в этих заметках может содержаться информация об актерах и других работниках театра. Но, с другой стороны, чем трагедия Шекспира могла заинтересовать Артема? Он не искусствовед, не филолог, не режиссер и даже не актер, для чего ему размышлять над пьесой? Есть вопрос, а коль на него нет ответа, его надо искать и найти во что бы то ни стало, это одна из главных заповедей тех, кто пытается раскрывать преступления.

— Распечатайте мне этот файл, — попросила она и снова углубилась в бумаги.

Никакой сортировки у нее не получилось, все бумаги Лесогорова представляли собой распечатки текста пьесы с рукописными правками и чистовые варианты. Собственно, чистовой вариант был только один — последний, вынутый прямо из принтера, на всех остальных пестрели пометки и вставки, сделанные то карандашом, то ручкой. И никаких посторонних материалов среди этих бумаг не оказалось. То ли их не было вовсе, то ли их все-таки унес с собой преступник.

Так, теперь тетрадь со стенограммами. Ну, тут сам черт ногу сломит, стенографией Настя Каменская не владеет. А что, если...

— Николай Николаевич, — обратилась она к следователю, который старательно сшивал толстое уголовное дело и составлял опись, — надо бы заказать расшифровку стенограмм Лесогорова.

Блинов недовольно оторвался от своего занятия.

— Это еще зачем?

— Ну, мало ли... А вдруг он стенографировал не только репетиции, но и пользовался стенографией, чтобы фиксировать сомнительную информацию, а? Вдруг в этой тетрадке отражена не только работа над пьесой, но и компромат какой-нибудь? Это ведь достаточно остроумный способ спрятать от посторонних глаз материал, сегодня стенографией мало кто владеет.

— Не выдумывай, — резко оборвал ее Блинов. — У нас таких экспертов нет, значит, надо искать стенографистов и платить им за работу, а кто будет платить? Наше министерство? Или ты лично, из своего кармана?

— Я найду, кто оплатит расшифровку, вы только разрешите мне снять копию с тетради, — уверенно сказала Настя.

— Да делай что хочешь, — внезапно рассердился следователь, — только голову мне не морочь, у меня работы выше крыши. И имей в виду: я постановление не вынесу, сама выкручивайся.

Настя очень надеялась на помощь Вавилова, человека, который оплачивал ее работу в театре. И Вавилов не подвел.

— Я выделю средства, — пообещал он. — Если это нужно для Льва Алексеевича, то нет проблем.

Вообще-то, Настя не была уверена, нужно ли это для раскрытия покушения на Богомолова, но на всякий случай изобразила полную уверенность. Повесив трубку, она взяла тетрадь со стенограммами и отправилась искать ксерокс, заодно прихватив с собой последний вариант пьесы. Просто так, ради любопытства. Если уж вокруг «Правосудия» кипят такие страсти, надо хотя бы ознакомиться с текстом. Для общего развития.

Остаток дня она провела в поисках стенографистов, которые взялись бы за срочную работу, потом ездила к Вавилову за деньгами, потом отвозила деньги и материалы специалисту, который жил у самой Кольцевой автодороги на юго-западе Москвы, то есть в противоположном от ее дома конце города. Дома она оказалась поздно вечером, быстро поужинала, забрасывая в себя все, что попадалось под руку, и удивляясь, что никак не может насытиться, и выложила на стол два пластиковых файла: в одном был последний вариант пьесы, в другом — распечатанные Сташисом заметки по поводу «Гамлета».

Чистяков в комнате работал на компьютере. Выйдя на кухню, чтобы налить себе чаю, и увидев жену с бумагами в руках, он сразу забеспокоился.

— Будешь говорить, что тебе комп нужен? — ринулся он в нападение. — И не мечтай, не пущу, мне срочно надо...

— Леш, я сегодня не писатель и не искатель, — успокоила она его, — я сегодня читатель. И потом, у меня же есть ноутбук, ты забыл?

— Это ты забыла, подруга, что он у тебя два дня назад полетел, и я отвез его к себе в институт, чтобы ребята посмотрели и починили.

Вот черт! Она и в самом деле об этом совершенно забыла. Просто из головы вылетело.

— Ну, они посмотрели? Что сказали? — с надеждой спросила Настя. — Когда починят?

— Обещали сегодня, так что завтра или послезавтра я его тебе привезу. А сегодня — уж извини. Ты наелась? А то я еще оладьи из кабачков в кулинарии взял, вкусные. Хочешь?

— Уже захотела, — грустно призналась она. — Нашла их в холодильнике, захотела и съела.

— А курица? Я же специально курицу пожарил, — расстроился Чистяков. — Она хороша, пока горячая, а завтра уже совсем не то будет.

— Не плачь, курицу я тоже съела. Извини.

— Всю? — не поверил Алексей.

— Сколько ты мне оставил, столько и съела, — огрызнулась Настя. — Я целый день голодная ходила. И вообще, ты должен радоваться, что у меня хороший аппетит.

— Ну, ты даешь! — только и сказал он, налил большую пузатую чашку чаю и ушел в комнату работать.

Начать Настя решила с заметок о «Гамлете», потому что в тексте пьесы ответов на вопросы о двух тяжких преступлениях нет и быть не могло. А вот в заметках — кто знает... Быть может, промелькнет какая-то аналогия с тем, что происходит сегодня в театре «Новая Москва».

Но заметки о трагедии ее разочаровали. Артем Лесогоров явно не читал ни Белинского, ни Аникста, ни Лукова, ни других шекспироведов, и его мысли оказались бледными и неглубокими. Ну что это такое, в самом деле? «Гамлет до такой степени поглощен идеей мести, что жертвует даже Офелией, доводя ее своим внезапным равнодушием до помешательства. И только в момент похорон Офелии он понимает, что натворил, и дает волю чувствам, затеяв драку с ее братом». Так мог бы написать школьник старших классов, но уж никак не человек с высшим образованием, профессионально занимающийся журналистикой. И, разумеется, никаких аналогий Настя не нашла. Зря только время потратила.

Ладно, почитаем пьесу. Что ж, завлита Малащенко можно понять, подумала Настя, перевернув последнюю страницу, такое и в самом деле вряд ли имеет смысл рекомендовать к постановке. А ведь это последний вариант, многократно исправленный и улучшенный. Что же было в самом начале-то? Наверное, полный караул. И сама детективная история, рассказанная в пьесе, безжизненная, какая-то мертвая, словно искусственно придуманная для некоей невидимой цели. Если бы видеть эту цель, то история, наверное, выглядела бы оправданной, а так... Впрочем, чему удивляться, цель-то очевидна: заработать славу, известность, или, как вариант, любыми способами проникнуть в театр, а для этого нужно что-то эдакое придумать. Вот Лесогоров и придумал.

Ей все не давала покоя мысль о явной лжи Артема, когда он объяснял ей, почему выбрал для постановки своей пьесы «Новую Москву». Что-то тянуло его именно в этот «храм искусства», и никакой другой театр ему не был нужен. Но что же? Что?

И снова все обернулось совсем не так, как хотелось Ворону. Стоило ему закончить рассказ о записках Лесогорова по поводу «Гамлета», как общий разговор немедленно свернул в сторону Шекспира. Камень и Змей как существа высокообразованные перебрасывались цитатами, ссылаясь то на язык оригинала, то на различные переводы и щеголяя знаниями, почерпнутыми из специальных книг и статей. Кот, однако, слушал их, презрительно прищурившись, и Ворону даже показалось, что у этого оборвыша есть собственная точка зрения, никоим образом с официальной не совпадающая. С одной стороны, конечно, интересно послушать, может, этот проходимец Змею нос утрет. Но с другой стороны, он ведь выступать будет, а этого допустить никак нельзя.

Но допустить все-таки пришлось, потому что Змей и Камень, устав бомбардировать друг друга высокой критикой, обратились к Коту.

— А вы что скажете, тезка? Вас ведь, наверное, не случайно Гамлетом назвали, у вашего папеньки должно было быть свое отношение к этой бессмертной трагедии и ее главному персонажу принцу Гамлету.

Кот неторопливо прошелся вдоль Камня от лица до задней части и обратно. Ходил он все еще медленно и сильно хромал при этом, но Белочка настаивала, чтобы он постоянно тренировался и все время увеличивал дистанцию «пробега».

— Ну, что Гамлет? — наконец начал он. — Тридцатилетний оболтус. Ему давно королевством править пора, политические вопросы решать или войны вести, а он все в университете учится. Чему там учиться-то до тридцати лет?

Ворон от удивления даже забыл не любить Кота.

— А точно, что ему тридцать? — недоверчиво спросил он. — А то мы все как-то привыкли, что он молоденький совсем, практически мальчик. Студент, одним словом.

— Ну прям-таки, молоденький он! — фыркнул Кот. — Могильщик-то что говорит? Что старший Гамлет, папаша нашего принца, разбил войско Фортинбраса тридцать лет назад, как раз в тот день, когда родился молодой Гамлет.

— А вот и неправда, — вмешался Ворон, чрезвычайно довольный тем, что помнит цитату наизусть и может наконец утереть нос инвалиду-всезнайке. — Первый могильщик говорит: «Из всех дней в году я начал в тот самый день, когда покойный король наш Гамлет одолел Фортинбраса». Гамлет его спрашивает: «Как давно это было?» А он и отвечает: «Это было в тот самый день, когда родился молодой Гамлет, тот, что сошел с ума и послан в Англию». А про тридцать лет там ни слова не говорится, это уж ты сам придумал, так что нечего тут... Я все дословно помню. — И горделиво оглядел присутствующих.

Но Кота его слова ничуть не смутили.

— Вы, уважаемый Ворон, не все помните. Буквально через несколько реплик тот же самый Первый могильщик говорит: «Я здесь могильщиком с молодых годов, вот уж тридцать лет». Так что никакой принц Гамлет не молоденький, а в те времена люди вообще жили мало, так что тридцать лет — это уже, почитай, полустарый. И вот, — Кот сделал драматическую паузу и обвел глазами слушателей, — встает вопрос: чему он учился в этих своих университетах в Виттенберге так долго?

Ответом ему было молчание, которое прервал нетерпеливый Ворон:

— И чему же он там учился?

— Так ясное дело, водку пить и девок портить, вот и вся его учеба, — недобро ухмыльнулся Кот. — Королева Гертруда-то про своего сынка так и говорит: «Он тучен и одышлив». Это в тридцать-то лет?! Это ж какой образ жизни надо вести, чтобы к тридцати годам получить одышку и обрасти жиром! Он, поди, в своем университете из кабаков не вылезал. И дружки его, Розенкранц и Гильденстерн, того же помета. Так они там втроем и гужевались. И вдруг ни с того ни с сего на ровном, можно сказать, месте Гамлет начал усиленно думать о всемирном зле и мироустройстве.

— Позвольте, уважаемый, — вмешался Камень, — с чего вы решили, что он начал об этом думать ни с того ни с сего? У него были причины...

— Да причины-то были, только навыка думать у него не было и быть не могло, — сердито откликнулся Кот. — Потому как, ежели навык думать у него был, он не стал бы так долго учиться, а давно уже все науки одолел бы. Вот такое мое мнение. А вы, уважаемый Камень и уважаемый Змей, начитались шеспироведов и очень хотите из Гамлета трагическую фигуру вселенского масштаба сделать.

Змей покачал головой и тонко улыбнулся.

— Значит, вы, уважаемый Гамлет, считаете, что ваш тезка совсем не такой на самом деле?

— Да нет, конечно, — с горячностью ответил Кот. — Какой же он «такой»? Он обыкновенный раздолбай, который вдруг попал в сложную нравственную ситуацию: папаша требует, чтобы сын отомстил за его смерть, а парень к этому морально совершенно не готов. Ну не убийца он! И неохота ему про вселенское зло и улучшение мира думать, не об этом у него голова болит, не приучен он к таким размышлениям. А мстить-то надо. Хошь не хошь, а надо. И «мстя» должна быть страшной, иначе папаша его не поймет. Вот он и мучается, потому что надо через собственный характер переступить и сделать то, к чему душа не лежит. И кстати, про какое величие его души можно рассуждать, если он убивает Полония и говорит: «Я оттащу подальше потроха»? Про покойника — и такие слова! Это что, по-вашему, высокая мораль? Это у них такое величие души? Ну уж извините. — Кот гордо вскинул голову и многозначительно пошевелил усами. — А потом, когда начинают искать труп Полония, Гамлет проявляет себя необыкновенно цинично, демонстрируя полное пренебрежение к чужой жизни и неуважение к чужой смерти. Ведь Полоний-то в убийстве Гамлета-старшего вообще не замешан, ему мстить не надо было, а у Гамлета ни сожалений, ни отчаяния по поводу безвинно погубленного отца Офелии, — ничего. Вот вам и все величие его души. Я уж не говорю о том, как он походя расправился с Офелией. Понятно, что он так себя повел, потому что у него была цель, но, знаете ли, пассаж о том, что цель оправдывает средства, мне как-то не близок. А как он поступил со своими друзьями-собутыльниками? Это же уму непостижимо! Они-то ведь не знали, что написано в том письме, которое они везут в Англию, им велели отвезти — они и везут. А Гамлет что устроил? Назвал их гадюками, подделал письмо, переписал его, и ребят казнили, как только они высадились в Англии. За что он их так? Они-то к мести за отца вообще никаким боком не причастны. То есть он за просто так, за как не фиг делать, убивает всех подряд. Тоже мне, борец за мировое добро и совершенство! Между прочим, хотите, я вам «Гамлета» поставлю? А что, прекрасная идея. — Кот воодушевился и попытался запрыгнуть Камню на спину, но сил не хватило, он сделал несколько попыток, но каждый раз не допрыгивал и соскальзывал, плюхаясь то на спину, то на живот, в результате остался на земле, но принял позу существа, дающего руководящие указания. — Вы, Белочка, будете Гертрудой, а вы, Заяц, будете Клавдием. Вы, Ежик, сыграете роль Гамлета, вы такой же колючий.

— А я? — не утерпел Ворон.

— А вы, уважаемый Ворон, будете Могильщиком. Или хотите — Тенью Отца Гамлета?

Ворон обиделся. Чего это он будет Могильщиком или Тенью какой-то там?

— А ты сам, Котище дурацкое, кем будешь? — сердито спросил он.

— А я — режиссер, — торжественно объявил Кот. — Я буду всеми вами помыкать, указывать, всех вас ругать, говорить, что вы тупые, безмозглые и ничего не умеете, и всем вам место в уличном балагане, а не в серьезном театре.

— А зачем вы будете так говорить? — наивно спросила добрая и бесхитростная Белочка. — Это же обидно. Вы что, хотите нас обидеть, уважаемый Кот Гамлет?

— Ничего я не хочу, я хочу быть настоящим режиссером, а для этого я должен ругаться и кричать, чтобы меня все боялись и уважали, понятно?

Терпению Ворона пришел конец. И как же он так неудачно рассказал про записки о Гамлете? Надо срочно отвлечь компанию от мыслей о постановке и вообще о Гамлете, хоть о шекспировском, хоть о кошачьем. Что бы такое сказать? О чем бы спросить, чтобы Кот ответил и перестал выступать со своими режиссерскими замыслами? А, вот хороший вопрос:

— Слышь, ты, режиссер-самоучка, а почему это помреж Федотов назвал Арцеулова доктором Астровым?

— Это же элементарно, — презрительно усмехнулся Кот. — Потому что в чеховском «Дяде Ване» доктора Астрова зовут именно Михаилом Львовичем. Арцеулова так полтеатра называет, но в основном за глаза. Кстати, по поводу «Дяди

Вани» тоже не все просто в современной режиссуре...

Ворон в ужасе закрыл глаза. Да когда же он уймется, этот самозванец! Про что ни расскажи — у него на все готовы пламенные речи. Как же его заткнуть? Вот! Надо еще про это спросить, ответа Кот наверняка не знает и стушуется.

— Погоди про режиссуру, — оборвал его Ворон, — ты нам вот про что скажи: чего это Арбенина воду мутит насчет этого Астрова? Намекает, что он гомосексуалист. Это правда или как?

Выстрелив вопросом, Ворон торжествующе приосанился и приготовился радостно встретить поражение противника, который вынужден будет признать собственную некомпетентность. Ведь про такое можно точно знать только в одном случае: если свечку держал, а уж в том, что Кот Гамлет свечку над Арцеуловым не держал, Ворон не сомневался.

Кот потянулся и равнодушно изрек:

— Понятия не имею. Мне это неинтересно. Разговоров никаких про это не было, во всяком случае, я не слышал, а ведь папенька с бабушкой всех актеров постоянно обсуждали, и если бы что-нибудь было, я бы услышал. Может, они меня стеснялись и при мне про такое не разговаривали. Не знаю. А врать не стану.

— Ну да, будут они тебя стесняться, — в голос загоготал Ворон. — Ты им что, подружка малолетняя? Это только в нашем мире ты говорящий, а в том мире ты тварь бессловесная, человеческой речи не понимающая. Не знаешь ответа на вопрос — так и скажи, мол, не в курсе. А ты все выкручиваешься, изворачиваешься, как уж на сковородке.

— С чего это я человеческой речи не понимаю? — тут же обиделся Гамлет. — Я все отлично понимаю. Другое дело, что ответить не могу. А так я — полноценный член ихнего общества. И ничего я не выкручиваюсь, я честно говорю: не знаю. Почему вы ко мне все время придираетесь, уважаемый Ворон? Я давно заметил, что вы ко мне плохо относитесь, не любите вы меня. Почему? Что я вам сделал?

— Ну что вы, Гамлет, — тут же вступил миротворец-Камень, — мы все к вам прекрасно относимся, любим и уважаем.

— Да? — Кот принял позу незаслуженно обиженного. — Вы все меня называете на «вы», и только уважаемый Ворон позволяет себе «тыкать» мне и обзываться. Я уж молчал, молчал, но это не значит, что я ничего не замечаю. Мне это неприятно. Мы с уважаемым Вороном на брудершафт не пили. Я требую, чтобы ко мне относились уважительно.

— Да кто ты такой... — начал было Ворон, но тут приподнял голову Змей:

— Друзья, давайте не будем выяснять отношения. Наш уважаемый Ворон относится к вам, дорогой Гамлет, ровно и по-дружески, просто у него такая манера общения. Не надо на него обижаться, он со всеми нами на «ты» и всех обзывает. Если вы заметили, меня — больше всех. Такой характер. Уверяю вас, что ничего плохого он за душой не держит.

Заступничек, едрена-матрена! Разве Ворон просил эту кишку позорную за себя заступаться? Дожили! Уже Змей выступает в защиту Ворона, смертельного врага, а дальше что будет? Все с этим Котом пошло наперекосяк, ну все! Надо придумать, как от него избавиться.

Во вторник в театре выходной, и Евгения Федоровна Арбенина поехала к Елене Богомоловой узнать, не нужна ли помощь. Она долго колебалась, ехать или ограничиться звонком по телефону, но потом решила, что девочке не помешает моральная поддержка «глаза в глаза». И снова вопрос: когда и куда ехать? Днем в больницу, где, как Арбенина знала, Елена проводит время ежедневно, или вечером домой. Поколебавшись, Евгения Федоровна выбрала домашний вариант: после болезней и смертей пятерых своих мужей больниц она не любила и боялась. «Успею еще належаться в них, когда придет время и обрушатся всевозможные болячки, — думала актриса, выруливая из своего уютного двора на шумную, забитую автомобилями Тверскую. — И куда они все едут в такое время? Уже всем спать пора, а они все тащатся куда-то...»

Она никогда не бывала дома у художественного руководителя театра, знала только, что он живет на Кутузовском проспекте, и попросила

Елену продиктовать точный адрес. Долго кружила между домами, пока наконец не выехала на маленькую улочку, застроенную панельными девятиэтажками. Неужели здесь? Да, номер дома правильный. Евгения Федоровна с трудом втиснула машину в небольшое пространство между торцом дома и мусорными баками и вошла в подъезд. В нос ударил запах кошачьей мочи. Неужели Лев Алексеевич, такой изысканный, такой элегантный, живет в этой дыре?

Квартира оказалась маленькой и неудобной, но Евгения Федоровна как-то мгновенно забыла об этом, едва увидела почерневшее, изможденное лицо Елены. Они уселись пить чай, Елена, правда, предложила ужин, но Арбенина отказалась.

— Я не знаю, что мне делать, — говорила Елена сквозь слезы, которые постоянно катились у нее по лицу и которых она, казалось, уже давно не замечала. — Врачи не говорят ничего определенного, Леве то хуже, то лучше, но в сознание он не приходит. Я больше не могу существовать в таком подвешенном состоянии! Только бы он выжил! Пусть он останется глубоким инвалидом, пусть будет лежачим, неподвижным, немым, только бы остался жив! Я не смогу его хоронить, я этого не вынесу!

Евгения Федоровна ласково взяла Елену за руку, погладила сухую, чуть шершавую кожу. Девочка совсем себя запустила, подумала она, даже руки перестала кремом мазать, не может думать ни о чем, кроме мужа.

— Леночка, деточка моя, — сказала она проникновенно, — ты говоришь чушь. Поверь мне, я старая, я живу долго и пережила пятерых мужей. Не надо, чтобы Лев Алексеевич выживал любой ценой. Я сейчас скажу тебе одну вещь, а ты ее обдумай. Пусть лучше уходит, чем остается, как ты выразилась, «хоть какой».

Елена перестала плакать и вскинула на Арбенину непонимающие глаза, наполненные ужасом.

— Что вы такое говорите, Евгения Федоровна? Как это — лучше пусть уходит? Вы хотите сказать, что лучше пусть Лев Алексеевич умрет? Да как вы можете?!

— Я — могу, — слегка усмехнулась Арбенина. — Поверь мне, деточка, у меня был опыт жизни с парализованным мужем, перенесшим инсульт. Не надо врать ни себе, ни окружающим. Лучше проститься с человеком и похоронить его, чем так... Я понимаю, тебе стыдно и неловко так думать, потому что это не принято. Надо бороться до конца, надо верить и надеяться. Знаю я все эти лозунги. Но лозунги — это одно, а реальные возможности медицины — совсем другое. В огромном количестве случаев медицина бессильна поставить человека на ноги, вернуть ему разум и речь. Бессильна, понимаешь? И много ли смысла в таком существовании?

— Смысл есть всегда, — твердо ответила Елена. — Если вы его не видите, это не значит, что его нет. Человек должен жить во что бы то ни стало, это аксиома.

Евгения Федоровна вздохнула и отняла руку. Ну что можно объяснить этой девочке, которая прожила всего тридцать лет? Она, наверное, еще никого из близких не хоронила. И тяжелых болезней не видела. И смерти боится, боится просто панически, отсюда и все ее рассуждения, которые звучат, конечно, очень гуманно, но на самом деле продиктованы лишь одним: желанием как можно дольше избегать смерти, своей ли, чужой ли. Это обычный страх, присущий подавляющему большинству людей. Это нормально. Но, Бог мой, если бы они только знали, как это неправильно! Смерть — это норма жизни, обычное повседневное явление, к которому можно и нужно привыкнуть и перестать его бояться. Без смерти нет жизни, а без жизни нет смерти, не бывает, жизнь и смерть связаны друг с другом как сиамские близнецы. Если ты не боишься жить, то не должен бояться и смерти как неизменного и неизбежного спутника любой жизни. Конечно, в тридцать лет такие слова звучат нелепо и непонятно, а вот ей, Евгении Федоровне Арбениной, за семьдесят шесть лет успевшей перехоронить множество родных, близких и просто знакомых, кажется, что это очевидно и не требует объяснений.

— Ты только представь себе, — сказала она неторопливо, — что Лев Алексеевич останется жив и сохранит разум, но все остальное болезнь у него отнимет. Он будет лежать дома, беспомощный, неподвижный, безмолвный, будет лежать и ждать, когда ты подойдешь к нему, и будет понимать, что ты, молодая красивая девочка, сидишь около него и выносишь из-под него горшки вместо того, чтобы работать и жить своей жизнью. Ты думаешь, ему это понравится? Леночка, деточка моя, это только сейчас тебе кажется, что ты готова на все и будешь преданно ухаживать за мужем, чего бы тебе это ни стоило. Это только сейчас, поверь мне. Лев Алексеевич молод, очень молод, ему еще нет пятидесяти, и у него здоровое сердце. Если он выживет, то проживет еще очень и очень долго. Твоя жертвенность, которую ты готова демонстрировать сейчас, расцветет пышным цветом в первые три месяца, потом ты начнешь уставать. А в один прекрасный день вдруг осознаешь, что так будет всегда. Всегда, понимаешь? Год, два, пять лет, десять, двадцать, тридцать... Ты готова тридцать лет ухаживать за лежачим мужем? Не ходить на работу, света белого не видеть, не встречаться с друзьями, не приглашать никого в гости, никуда не ходить, кроме магазина и аптеки, считать копейки, потому что ты не будешь работать и заработка у тебя не будет, о Льве Алексеевиче я уж не говорю. Ты хотя бы приблизительно представляешь себе, какой жизни ты сама себе желаешь? И Льву Алексеевичу, который будет все это видеть и осознавать, мучиться, страдать и мечтать о скорой смерти?

Елена удрученно молчала. Арбенина встала, прошла в кухню и снова вскипятила чайник. Вернувшись в комнату с кипятком, она налила себе и Елене горячего чая, Елене положила сахар, себе добавила несколько капель молока.

— То, что вы говорите, бесчеловечно, — наконец выдавила Елена и снова заплакала. — Я не могу и не буду так думать. Каждый человек имеет право прожить столько, сколько ему отмерено судьбой, и ни днем меньше.

— Ты лжешь. — Голос Арбениной внезапно стал жестким и недобрым. — Ты лжешь сама себе и мне. Не надо. Ты на самом деле так не думаешь. То, что ты говоришь, правильно по сути, и я не взялась бы с этим спорить, но это не твои мысли. Ты так не думаешь, — повторила она чуть громче.

— Но...

— На самом деле ты думаешь только о том, что не хочешь потерять мужа и похоронить его. Ты этого боишься. И прячешься за слова, которые услышала от других людей, и рассказываешь мне, как мечтаешь посвятить всю оставшуюся жизнь уходу за безмолвным паралитиком. Это ложь, трусливая ложь. Ты этого совершенно не хочешь. Ты просто не хочешь потери.

Елена вскинула голову, и слезы, до этого капавшие со щек прямо на стол, потекли по шее за воротник черной футболки.

— Да, — сказала она с вызовом, — я не хочу потерять мужа. Это что, плохо? Это предосудительно? Я вас не понимаю, Евгения Федоровна.

— А я тебе сейчас объясню, — мягко проговорила актриса. — Бояться и не хотеть потери — нормально. Но не нужно пытаться обмануть себя и заменить одну огромную боль другой, еще большей. Я много теряла, деточка, и скажу тебе, что боль от потери не проходит никогда. Это иллюзия, это миф, что она со временем проходит. Не проходит. Да, она становится менее острой, она слабеет, хиреет с течением времени, но остается с человеком до самого его конца. Но самый острый, самый болезненный момент, момент, когда теряешь и прощаешься, быстротечен. Тебе кажется, что ты не можешь дышать, не можешь жить, не видишь и не слышишь ничего вокруг — и вот проходит день, два, три, неделя, месяц, и ты с удивлением обнаруживаешь, что ты жива, дышишь, видишь, слышишь. И даже ходишь на работу и решаешь какие-то вопросы. И телевизор смотришь. Все можно пережить, поверь мне. Потому что чужая смерть и потеря — это не что-то особенное, это атрибут, имманентно присущий любой человеческой жизни. Так к этому и надо относиться. Больно, страшно, невыносимо — но со временем ты приходишь в себя. А вот если ты собираешься тридцать лет ухаживать за мужем и жить непонятно на какие доходы — тут картина совсем другая. Тут боль постоянная, одинаковая, не ослабевающая, напротив, с годами усиливающаяся, потому что, конечно, ты привыкаешь, но и трудности накапливаются. Ты, вероятно, рассчитываешь, что тебе будет помогать мама Льва Алексеевича, но она ведь уже очень немолода. Ну, год, ну, два, а потом? У вас, наверное, отложены какие-то деньги, и ты сможешь на них жить, но они кончатся — и что потом? Ты еще очень молода, и здоровье у тебя отменное, но пройдет десять лет, пятнадцать, у тебя появятся проблемы, тебе станет все труднее ухаживать за мужем, и ты невольно начнешь проклинать и собственную жизнь, и жизнь своего обожаемого мужа, которая все никак не закончится и не даст тебе наконец вздохнуть полной грудью. Ты этого хочешь?

Елена упрямо мотнула головой.

— Все равно я никогда не соглашусь с тем, чтобы Лева... чтобы он умер, — она с трудом выговорила последнее слово. — Я не боюсь трудностей.

— Господи, дурочка ты моя маленькая, — Арбенина подошла к Елене вплотную и обняла ее за плечи. — Да разве речь идет о том, на что ты согласишься или не согласишься? Речь идет о том, чтобы быть готовой ко всему, и не только морально, но и во всех других смыслах. Вот ты явно не готова терять, и сейчас тебе кажется, что пусть наступят какие угодно последствия, какие угодно трудности, только не потеря. А я пытаюсь тебе объяснить, что потеря — это наименьшее из зол, которое может случиться. Да, человек имеет право прожить столько, сколько судьба ему назначила, это даже не обсуждается. Но не надо бояться потерять, потому что все другие варианты могут оказаться еще тяжелее, еще невыносимее, понимаешь? Не надо обманывать себя и думать, что главное — не потерять, а со всем остальным можно ужиться, ко всему остальному можно приладиться, и это будет точно лучше, чем потеря. Не со всем и не ко всему. И лучше не будет. Вот, собственно, только это я и хотела тебе объяснить.

В глазах Елены плескалось смятение, она пыталась осознать то, что ей объясняли.

— И... и что мне делать? — растерянно спросила она.

— А вот это хороший вопрос, — засмеялась Арбенина. — Ты явно выздоравливаешь. Значит, так, дорогая моя: коль ты должна быть готова ко всему, в первую очередь надо не просиживать дни и ночи возле реанимации, а работать, причем чем больше — тем лучше, потому что, каков бы ни был исход, тебе потребуется много денег. Их надо заработать. Накануне несчастья Лев Алексеевич говорил, что ты должна через короткое время ехать на гастроли, вот время прошло, а ты здесь. Почему?

— Но как же... ведь Лева... и Анна Викторовна... — забормотала Елена.

— Вот именно, Лева и Анна Викторовна, — сердито откликнулась актриса. — Анна Викторовна прекрасно может остаться здесь контролировать ситуацию, ежедневно общаться с врачами и информировать тебя. А ты должна работать, работать и работать! Как ломовая лошадь, забыв обо всех своих страхах и сомнениях. Я знаю, что ты мне сейчас скажешь: невозможно и неправильно думать о работе, когда у тебя муж при смерти. Так?

Елена молча кивнула и низко опустила голову.

— А я тебе скажу, что и возможно, и правильно. Потому что в твоей работе не только ты одна, там задействовано огромное количество людей, чья работа и, соответственно, заработок впрямую зависят от того, что делаешь ты, Елена Богомолова. Это у тебя несчастье, это ты переживаешь, это у тебя муж при смерти, а они? Они тут совершенно ни при чем, и их жизни тут ни при чем, а ты ведешь себя так, что поставила весь коллектив в зависимость от своей ситуации. Труппа уехала на гастроли без тебя?

— Да. Я все организовала, как смогла...

— Вот именно, как смогла, — презрительно фыркнула Арбенина. — А нужно организовывать так, как надо, как должно быть, а не как ты смогла, то есть кое-как. Когда следующие гастроли?

— Труппа сейчас в Иркутске, там пять спектаклей, потом прямо оттуда они должны ехать в Новосибирск, потом в Красноярск, в Томск, оттуда — в Кемерово. Большой тур по Сибири.

— Вот и покупай билет, лети в Иркутск и включайся в работу, — посоветовала Евгения Федоровна. — Что будет — то будет, а люди, твои коллеги, не должны страдать. Им нужно жить, работать и кормить семьи. При чем тут Лев Алексеевич? При чем тут твое личное горе? Как только что-то изменится, ты в ту же секунду можешь вылететь в Москву. Не нужна ты здесь сейчас, пойми это! Тебе надо деньги заработать, чтобы подготовиться к будущему. Это же Льву Алексеевичу нужно в первую очередь, вот и постарайся ради него. Представляешь, сколько тебе потребуется денег, если он вернется домой инвалидом? А если, не дай Бог, скончается? Ты хоть знаешь, сколько нынче стоят достойные похороны?

Елена, уже вроде бы успокоившаяся, снова заплакала.

— Я не могу об этом думать...

— А надо. Надо думать. И готовиться надо. Смерть, морг, гроб, венки, похороны, могилы — это все элементы нашей жизни, от которых никому еще не удалось скрыться и спрятаться. Все через это проходят. И тебе придется, рано или поздно.

Домой Арбенина возвращалась глубокой ночью. Она очень устала от разговора с Еленой, но в то же время была довольна: ей казалось, что она сумела встряхнуть бедную девочку и направить ее по конструктивному пути. В последние двое суток, после разговора с Каменской Евгения Федоровна много думала о возможности собственной внезапной смерти. Нельзя сказать, чтобы мысли были приятными и веселыми, это только перед своими коллегами она бодрилась, на самом деле страх поселился в ней с первого же мгновения, как только ей сказали, что могут быть еще жертвы. Она пыталась представить себе, как кто-то подкрадывается сзади и бьет ее чем-то тяжелым по голове, и... Что? Она умрет? Или, как Богомолов, впадет в кому и окажется в реанимации, и будет лежать там сутками, неделями, месяцами с непонятным исходом, слабеющая, с зондами и трахеостомой, подключенная к аппаратам? Нет, нет и нет! Лучше сразу умереть. Даже если выживешь после такой травмы, то прежней жизни уже не будет, а в таком случае пусть лучше вообще не будет никакой. Другая жизнь Евгении Федоровне Арбениной, народной артистке России, не нужна.

Этот вторник выдался не по-осеннему солнечным, хотя и холодным. У Ирины Савенич было запланировано выступление перед отдыхающими в пансионате, которым руководил ее муж Коротков, и она хоть и не без труда, но вытащила-таки Настю и Чистякова с собой за город. Настя, конечно, не забыла о своем обещании поехать, данном за две недели до этого, но в последний момент что-то заленилась, ей захотелось поваляться дома на диване, поспать, побездельничать, ну, в крайнем случае — поработать. Однако Чистяков проявил завидную твердость.

— Во-первых, ты обещала, и одним этим уже все сказано, — заявил он. — Во-вторых, ты бледная и заморенная, тебе надо воздухом подышать. И в-третьих, дай своему мальчику дух перевести. Я же помню, как все было, когда ты служила.

— И как же? — прищурилась Настя, натянув одеяло до самого носа.

— А ты все время ныла, что невозможно заниматься несколькими делами одновременно, потому что мозги не успевают перестраиваться с одного массива информации на другой. Было?

— Ну, было, — неохотно согласилась она. — И что с того?

— А твой мальчик тоже служит, и у него, кроме вашей общей театральной эпопеи, наверняка в производстве еще куча всего другого, а ты ему вздохнуть не даешь, таскаешь за собой по театру каждый день с утра до ночи. Совесть-то поимей, подруга.

— А вот и не каждый, — возмутилась она. — Я его в прошлый вторник не трогала. И сегодня отпустила. И, между прочим, вчера мы тоже не встречались. Я в театре одна была.

Она слукавила и испуганно зажмурилась. Интересно, Лешка обратит внимание на ее невинную ложь?

— А кто вчера каждые десять минут звонил тебе и спрашивал, надо или не надо? Ты-то в театре отсиделась, лентяйка, а он торчал за компьютером вашего потерпевшего и смотрел, нет ли там чего интересного. Ну, что ты на меня так затравленно смотришь? Ты же сама мне это сказала вчера. И про компьютер, и про то, как он тебе звонил. Врала?

— Нет, правду говорила.

— Закончил он с компом возиться?

— Сказал, что закончил.

— Ну и пусть занимается своими делами, оставь ты парня в покое хоть на один день, у него и без тебя руководителей хватает. Позвони Сережке Зарубину и скажи... Нет, — спохватился Алексей, — я сам позвоню, а то ты еще что-нибудь не то скажешь.

Он быстро схватил телефон и нашел в записной книжке номер Сергея.

— Серега, ставлю тебя в известность, что Аськи сегодня целый день не будет, можешь спать спокойно, я ее увожу за город, — заявил он. — И мальчику своему передай, что руководящих указаний ему сегодня не поступит. Что? А при чем тут это? Извини, друг, на труп Лесогорова она не нанималась, ее подрядили только на Богомолова, или как там его... Ах, вот как? Тогда слушай, что я тебе скажу: моя жена — женщина в возрасте, она не может работать, как стальная машина, ей нужен отдых. Да? А нечего было ее на пенсию отправлять в пятьдесят лет, если ты считаешь, что она еще молодым фору даст. Не ты отправлял? А мне один черт, отправляла система, а ты — ее полномочный представитель. Короче, подполковник, моей жены для тебя сегодня нет и до завтра не будет. Усвоил? Обнимаю.

Настя вылезла из-под одеяла и нашарила ногами тапочки.

— Ну и злыдень же ты, — сердито сказала она. — Назвать меня женщиной в возрасте! Да как у тебя язык повернулся?

— Легко, — с улыбкой ответил Алексей. — Он у меня вообще подвижный. Давай умывайся, собирайся, позавтракаем и двинемся. Очень Юркиных шашлычков хочется.

Они долго выбирались из Москвы по утренним пробкам, зато потом, за МКАДом, дорога до самого пансионата оказалась свободной. Настя сидела рядом с мужем на переднем сиденье и смотрела по сторонам. Любоваться было особенно нечем, деревья уже все облетели, а снег еще не выпал, и пейзаж выглядел голым и каким-то неприкаянным, но она все равно смотрела, одновременно перебирая в уме все, что удалось узнать за последние дни. Настя Каменская не умела останавливаться, пока работа не закончена.

Юру Короткова она не видела несколько месяцев, хотя регулярно общалась с ним по телефону, и очень удивилась, увидев, как он округлился и раздался в талии.

— Так в коня корм, — рассмеялся Коротков. — Зато цвет лица какой, а? Я никогда в жизни не проводил столько времени на свежем воздухе. А тут приходится постоянно из корпуса в корпус бегать. Да и на территории все время какие-нибудь работы ведутся, приходится наблюдать и контролировать.

Мясо уже было замариновано, и Ирина, приехавшая еще накануне, колдовала над мангалом, раздувая угли.

— А Дашка где? — спросил Юрий. — Она же собиралась.

— Едет, — успокоила его Настя. — В Москве жуткие пробки, наверное, никак выбраться не может, мы по Ленинградке еле ползли.

Когда приехала Даша с детьми, Коротков моментально пристроил маленькую дочку в детскую группу, а старший, Саня, остался с ними. Шашлык удался, неторопливая прогулка по территории доставила Насте огромное удовольствие, и она уже забыла, как еще несколько часов назад не хотела ехать и собиралась променять эту радость на тупое лежание на диване. Все-таки какой Чистяков молодец!

— Ириша, — обратилась она к жене Короткова, — я в последние дни много общалась с актерами и обратила внимание, что ты на них как-то мало похожа.

— Это в чем же? — удивилась Ирина. — Толстая, что ли?

— Ну перестань, — рассмеялась Настя. — По-моему, у тебя просто комплексы. Понимаешь, я задаю им вопросы, а они рассказывают мне совершенно о другом. Увлекаются, отвлекаются, уносятся мыслью куда-то... Вместо ответа на свои вопросы я получаю повести о них самих. Это что, у всех так? Или мне просто не повезло? Ты же совсем не такая, а я тебя много лет знаю.

— Понимаешь, Настюша, я — не показатель, — задумчиво ответила Ирина Савенич. — Меня воспитывали две ни на кого не похожие женщины, уникальные, неповторимые. И хотя я плохо поддавалась воспитанию, кое-какие результаты все-таки налицо. Мне очень повезло, что они были в моей жизни. Впрочем, одна из них никуда не делась и до сих пор меня воспитывает, если успевает. — Она хитро улыбнулась. — Но, в силу ее и моей занятости, времени на это остается мало. А в целом мы, актеры, действительно очень эмоциональны и любим поговорить. Как правило — о себе. Между прочим, именно поэтому нам так нравятся творческие вечера. Стоишь на сцене один, никаких тебе партнеров, которые могут оттянуть внимание на себя, и отвечаешь на вопросы, рассказываешь о себе. Мечта!

— Я еще хотела спросить: это правда, что артисты — люди зависимые и их это ломает?

Ирина задумчиво помолчала, сломала веточку на кусте, мимо которого они проходили, и зажала ее губами.

— Это правда, — наконец ответила она. — Знаешь, что самое страшное в нашей профессии? Когда телефон молчит. Вот ты снялся в фильме, говорят, что удачно, тебя хвалят, у тебя все получилось, и кажется, что завтра начнется новая жизнь, что тебя станут рвать на части, приглашать всюду, снимать... А телефон молчит. Месяц молчит, два, три... Никто никуда тебя не зовет, даже на пробы не приглашают. И ты не понимаешь, сколько еще это продлится, и позовут ли вообще когда-нибудь куда-нибудь. Если ты работаешь в театре — это одна песня, и такое молчание можно как-то пережить, хотя тоже тяжело, потому что... ну, в общем, тяжело. А если ты не в труппе, то вообще караул. И тут самое главное — уметь ждать, верить и надеяться. Актер, который не умеет ждать и надеяться, не сможет много лет быть актером, он или сопьется, или сколется, или уйдет из профессии.

— То есть для того, чтобы быть артистом, надо, с одной стороны, быть темпераментным и эмоциональным, а с другой — терпеливым и упорным? — уточнила Настя.

— Совершенно верно. Ты очень точно сформулировала.

— Но ведь это же невозможно! Терпение и упорство, умение ждать и верить несовместимы с бурным темпераментом и эмоциональностью, это же из разных опер, — удивилась Настя.

— И это верно, — засмеялась Ирина. — Вот поэтому много кто хочет стать актером, а становятся ими единицы. Когда я говорю «становятся», то имею в виду, что человек не только получает актерское образование, но сохраняет себя психически здоровым на протяжении долгих лет и при этом активно работает в профессии. Думаешь, почему актеры так много пьют? Да потому, что никакие нервы не выдерживают такой жизни. Но, вообще-то, артисты разные, как и все люди. Не надо равнять всех под одну гребенку.

— А режиссеры?

— Режиссеры? — переспросила Ирина. — Ты имеешь в виду, все ли такие, как Лев Алексеевич Богомолов? Отвечаю: далеко не все. И не все кричат и матерятся, среди режиссеров очень много спокойных и уравновешенных людей. Ты же сама меня учила когда-то, что все люди разные. Вот и мы тоже очень разные. Я с твоим Богомоловым никогда дела не имела, он же кино не снимает, а я в театре не играю, но наслышана, конечно. Так вот он — нежный цветок по сравнению с некоторыми деятелями. Не знаю, как в театрах, а про съемочную площадку могу сказать ответственно: есть такие режиссеры, от которых все рыдают, а есть такие, которые к своей группе относятся с вниманием и уважением, особенно к актерам, любят нас и считаются с нами.

— У меня еще вопрос. Ты про Михаила Львовича Арцеулова что-нибудь слышала?

— Про Арцеулова? Ну, я с ним один раз снималась, у него была главная роль, а у меня — роль второго плана. А что ты хочешь узнать?

— Меня интересует его сексуальная жизнь, — пояснила Настя.

— Как у всех, — пожала плечами Ирина. — Михаил Львович настоящий мужик, у него девиз: ни одной юбки мимо.

— То есть он не голубой?

— Да Бог с тобой! — расхохоталась Ирина. —

Кто угодно, только не он. И потом, он дважды был женат и сейчас живет в гражданском браке с... Господи, как же ее... Ведь знала!

— Да ладно, не вспоминай, — Настя махнула рукой. — Будет нужно — я и сама узнаю.

— А с чего ты взяла, что Арцеулов голубой? Тебе так показалось или кто-то сказал?

— Арбенина намекнула.

— Арбенина?! — Ирина выразительно закатила глаза. — Ну, Настя, ты же здравый, умный человек, разве можно верить тому, что говорит такая актриса, как Арбенина?

— А что? — насторожилась Настя. — С ней что-то не так? Тебе что-то известно о ней?

— И о ней, и о любой другой актрисе ее возраста, статуса и положения. Подумай сама: в кино ее уже давно не снимают, остался только театр, но в театре ролей для возрастных актрис очень мало. Конечно, ей дают играть все, что можно, но ведь этого «можно» — чуть, капля. Она одинока, у нее нет ни мужа, ни детей. Правда, я слышала, что у нее есть любовник, но такой замшелый, что это скорее друг. Чем ей заняться? Ей же скучно, пойми это, скучно! И вдруг такая оказия: преступление.

— Даже два.

— Тем более! Сыщики пришли, настоящие, из милиции, вопросы задают, и главное — слушают. Ну как тут не соблазниться! Настюша, не мне тебя учить, ты свое дело знаешь лучше многих, но, имея дело с театром и с артистами, ты должна все время иметь в виду: им нужно внимание. Любой ценой. Они даже соврать могут, лишь бы вызвать к себе интерес и заставить слушать. Нет, дорогая моя, насчет Арцеулова даже и не думай. А про то, что Арбенина намекала, — забудь.

Пока они бродили по ухоженным, обсаженным кустами дорожкам, Настя задала Ирине еще множество вопросов про актеров, режиссеров и театральную жизнь, но ответы не пролили ни капли света на совершенные преступления.

К вечеру солнце скрылось, и стало холодно, так что ужином Коротков кормил своих гостей в маленьком банкетном зале. В восемь вечера начался творческий вечер Ирины Савенич, Настя с Алексеем сидели в первом ряду вместе с Коротковым, Дашей и ее детьми. Настя наблюдала за Ириной и все время вспоминала ее слова: ты одна на сцене, партнеров нет, никто не оттягивает на себя внимание, и отвечаешь на вопросы о себе. Мечта!

Весь следующий день Настя и Антон снова провели в театре, и снова безрезультатно. Никто не видел никого, кто поднимался бы по лестнице в сторону служебной квартиры во время спектакля. Ближе к вечеру ей позвонили и сообщили, что расшифровка стенограмм готова.

— Вам распечатать? — спросила женщина на том конце провода.

— Не нужно, я сама распечатаю, если потребуется. До которого часа удобно к вам подъехать забрать работу?

— Я не ложусь до двенадцати.

На этот вечер Настя с Антоном запланировали понаблюдать во время спектакля за передвижениями в районе прохода от фойе через неохраняемую дверь к лестнице, ведущей в квартиру. Кто обычно по вечерам здесь бывает, кто куда ходит, появляются ли здесь зрители и так далее. Уйти раньше десяти вечера не удалось, и на Юго-Западе Настя оказалась только в двадцать минут двенадцатого. Забрав диск с материалом, она поехала домой, чувствуя, что засыпает на ходу. «Не буду сегодня читать, — решила она. — Я такая сонная, что толку от такого чтения все равно не будет, все самое главное пропущу, если оно вообще там есть, это главное... А скорее всего, ничего в этих стенограммах нет. Прочту завтра, вот прямо с утра встану и прочту, все равно мы с Антоном договорились начинать после обеда, у него какие-то дела...»

Дома Настя сразу же вынула диск из сумки, положила рядом с компьютером и отправилась в душ. Она так устала, что даже есть не хотела.

— Ася, — в ванную заглянул Алексей, — что за диск валяется на столе? Его куда-то убрать или можно выбросить?

— Это я принесла, — ответила она, не открывая глаз, потому что по лицу стекали горячие струи.

— И что на нем?

— Стенограммы репетиций.

— А это что такое? — удивился Чистяков.

— Ну, сидит человек на репетиции и дословно записывает, кто что сделал и кто что сказал.

— И зачем это надо?

— Да Бог его знает. Наш потерпевший этим увлекался. Вот хочу почитать, может, там что-то интересное есть.

— А можно мне тоже почитать? — попросил он. — Я же никогда не был в театре на репетиции, а мне страшно любопытно, как это происходит.

— Читай, — разрешила Настя, обильно поливая губку гелем для душа, — я все равно сегодня уже работать не буду, спать хочу смертельно. Завтра с утра начну читать. Да, Леш, — спохватилась она, — если найдешь там что-нибудь, не относящееся к репетиции, сделай закладочку, ладно?

— А ты спать собираешься? Тогда я на кухне почитаю, на твоем ноутбуке, чтобы тебе в комнате не мешать.

— А его сделали? — обрадовалась Настя. — Ты привез? Спасибо тебе, солнышко!

Она домылась, почистила зубы и рухнула в постель. Ей казалось, что прошло много времени, чуть ли не полночи, когда она проснулась, сперва даже не поняв, что ее разбудило. Какие-то странные звуки... За стеной хохотал Чистяков. Громко, сладко, упоенно, повизгивая и похрюкивая, как хохотал только в далекой молодости.

Настя сползла с дивана и, завернувшись в одеяло, побрела на кухню.

— Леш, ты чего? — укоризненно спросила она.

Алексей долго не мог успокоиться, тыкал пальцем в экран компьютера, набирал в грудь побольше воздуха и снова разражался хохотом. Наконец ему удалось справиться с душившим его смехом.

— Я тебя разбудил? Ну прости, Асенька, но это выше моих сил! Почитать тебе вслух? Или подойдешь и сама почитаешь?

Она взгромоздилась на стул, подобрав одеяло, чтобы оно не лежало на полу, отхлебнула чай из чашки мужа и потребовала:

— Читай вслух, только с выражением. Раз уж я все равно проснулась, так хоть удовольствие получу.

— Ну, слушай. «Автор: «Вы неправильно говорите, не «доказательная» база, а «доказательственная». У меня в тексте написано: «доказательственная база». А вы вслед за всеми СМИ говорите «доказательная», это неправильно, это безграмотно». Колодный: «Зато так удобнее произносить, ваша доказательственная база на язык не ложится. Да мало ли безграмотного в повседневной жизни — и ничего, никто не сдох. Вот я, например, недавно видел объявление на витрине магазина: «КОЖГОЛОНТИРЕЯ, ОКССЫСУАРЫ». И ведь никто не снял, все читают и ржут. Нет, правда, Артем, пусть будет «доказательная» база, так легче произносить».

Чистяков снова рассмеялся. Настя сперва прыснула, потом не выдержала и расхохоталась вслед за мужем. КОЖГОЛОНТИРЕЮ еще можно как-то пережить, но ОКССЫСУАРЫ — это действительно высоко.

Вид книжной полки резал глаз, что-то было не так... Ну конечно, бронзовая статуэтка, изображающая ангела с крыльями и лицом, закрытым маской, стояла не на своем месте. Ей положено находиться строго перед третьим томом собрания сочинений Ромена Роллана, именно перед третьим, в котором начало романа «Жан-Кристоф», а ангел стоит куда дальше. Вера вздохнула и передвинула статуэтку на место. Эту бронзовую фигурку она получила в наследство от бабушки, а все, что связано с бабулей, для нее свято. И место это Вера определила не просто так, с бухты-барахты, а именно потому, что бабушка обожала «Жана-Кристофа» и постоянно перечитывала. Вера тоже любила эту книгу, но поскольку прочла ее впервые в детстве, то и любовь именно к первому тому была особенной, ведь в этой части романа Жан-Кристоф еще ребенок и подросток, и все его переживания были Вере понятны и близки. А в следующих томах он уже взрослый, и ей уже не так интересно. Зато первый том романа был зачитан практически до дыр. Так что после смерти обожаемой бабули ее статуэтка заняла свое нынешнее место точно рядом с ее любимой книгой. Наверное, Никита что-то искал на полке и сдвинул ангела, а на место не поставил, не понимает он, как это важно для Веры. Знает, ведь она много раз ему объясняла, но большого значения не придает, считая все это не более чем милым чудачеством. Впрочем, справедливости ради надо сказать, что вообще-то к причудам жены Никита относится очень серьезно. Но — только когда трезв. Когда выпьет, ему все трын-трава, в том числе и Верина трепетная любовь к бабушке, и ее желание хранить память о ней.

А нетрезвым ее муж Никита бывал в последнее время частенько. Почти каждый день.

Вера обвела глазами комнату в поисках еще какого-нибудь непорядка и, конечно же, обнаружила его. За то время, что она была на работе, Никита вернулся из театра после репетиции и какое-то время побыл дома. Нетрезвый. Таким уже пришел или дома расслабился? Она вздохнула. Сейчас мужа нет, и неизвестно, каким он придет. Но, судя по тому, что выпивать он начал уже днем, к вечеру картина вряд ли станет более радостной.

Она навела в квартире порядок, приготовила ужин и села на диван с книгой в руках. Книга ей не нравилась, Вере было скучно, да и язык какой-то крученый, пока продерешься сквозь заросли прилагательных — всю голову сломаешь в попытках не потерять подлежащее и сказуемое.

Но читать надо, это ее работа. А потом еще и рецензию писать. Но написать — не проблема, рука у Веры легкая, язычок острый, а вот дочитать до конца...

В замке лязгнул ключ, хлопнула дверь. Никита пришел. Вера с удовольствием отложила книгу и вышла в прихожую. Муж раздевался, бледный, с трясущимися руками. Глаза лихорадочно блестят, губы судорожно сжаты.

— Что ты, Никитушка? — ласково спросила она. — Что-то случилось?

— Налей мне выпить, — потребовал он вместо ответа, проходя в комнату.

Он шел босиком, в одних носках, и Вера послушно пошла следом за ним, неся в руках тапочки.

— Обуйся, пол холодный. Никитушка, по-моему, тебе хватит на сегодня, ты уже достаточно выпил. Давай лучше поужинаем, я как раз приготовила... И я тысячу раз просила тебя не садиться в таком состоянии за руль. Ты что, хочешь оставить меня вдовой?

Она не повышала голоса и говорила по-прежнему ласково, Вера вообще была не из тех женщин, которые умеют повышать голос и делать его стальным, она могла только просить и плакать.

Никита рухнул на диван и закрыл лицо руками.

— Вдовой? Да ты и так можешь остаться вдовой в любой момент, как же ты не понимаешь? Что ты мне все про ужин... Какой ужин? Ты что,

166

забыла? Меня могут убить. Убить! Меня! Могут! — истерически выкрикнул Колодный. — Каждый день, каждый час, каждую минуту. Я этого не вынесу, Вера! У меня нет больше сил!

Она присела рядом, обняла мужа и стала гладить по спине.

— Ну не надо так, милый, не надо. Все обойдется, все будет хорошо, ничего плохого с тобой не случится. Надо верить в это — и все будет хорошо. Не надо думать о плохом, не надо его призывать, надо думать только о хорошем, — приговаривала она в такт движениям руки.

Никита вырвался, вскочил и заметался по комнате.

— Как же ты не понимаешь?! Я больше не могу! У меня не хватает нервов это пережить! Сначала Богомолов, потом Артем, а теперь мне заявляют, что я могу стать следующей жертвой. Налей мне выпить, я же просил!

— Тебе хватит, — робко заметила Вера. — Никитушка, давай лучше чайку...

— Я сам знаю, когда мне хватит!

Он открыл дверцу бара, достал бутылку виски и отхлебнул прямо из горлышка.

— Все идет прахом, и постановка, и моя роль... У меня только-только появилась надежда, и вот... Вера, я боюсь, — голос его сел до шепота. — Я никому не признаюсь, но тебе скажу правду: я смертельно боюсь. Даже не предполагал, что человеку может быть так страшно, как мне сейчас. Знаешь, я много чего в своей жизни сыграл, и страх тоже играл, но только теперь понял, что это такое: смертный ужас...

Он подошел к сидящей на диване жене, рывком поднял ее и прижал к себе, потом внезапно отпустил и рухнул перед ней на колени, крепко обхватив ее бедра. Вера попыталась поднять его, но Никита был намного мощнее хрупкой невысокой женщины.

— Не бросай меня, Верка, — шептал он, уткнувшись лицом ей в живот. — Я умру, если ты меня бросишь. Ты — единственное, во что я еще верю, на что надеюсь. Ты ведь не предашь меня, правда?

Губы у Веры задрожали, она еле сдерживалась, чтобы не заплакать.

— Ну что ты, Никитушка... Как же я могу тебя бросить, я же люблю тебя. Почему ты так говоришь?

— Потому что я — неудачник... Если с этой ролью не выгорит, значит, мне вообще не судьба быть актером... Ничего у меня не получается! Зачем тебе такой муж? Ты меня бросишь, я знаю. Я столько лет тебя добивался, столько сил положил... И это тоже пойдет прахом. Неудачник, проклятый неудачник!

Он отпустил ее бедра и осел на полу, словно тряпичная кукла, у которой закончился завод.

— Никитушка, я никогда тебя не брошу, что ты такое говоришь! Милый мой, любимый мой, не надо так... Ты только не пей так много... пожалуйста...

Она все-таки разрыдалась, закрыв лицо руками. Колодный неловко, опираясь руками о пол и пошатываясь, поднялся с колен, усадил плачущую жену на диван, а сам взял со стола бутылку, сделал еще пару глотков и прохрипел:

— Я не могу не пить. У меня нервы не выдерживают. И вообще, я в порядке... Ну, ладно, не плачь, а? Я не могу видеть, как ты плачешь, — умоляюще проговорил он. — Успокойся, Веруша, не разрывай мне сердце.

— Ты все время пьешь, — всхлипывала Вера. — Ты в последнее время совсем не обращаешь на меня внимания, меня как будто нет, я — пустое место. Приходишь пьяный, засыпаешь, просыпаешься и убегаешь, а возвращаешься опять пьяный. Никита, когда это кончится?

— Да что «это»? Подумаешь, выпил человек немного! Чего ты из этого проблему делаешь? Хочешь от меня избавиться? Да пожалуйста, меня со дня на день убьют — и гуляй на свободе! Дождаться не можешь?

Последние два глотка из бутылки оказались роковыми, Никита Колодный зверел на глазах, теряя человеческий облик и произнося обидные и несправедливые слова. Вера заплакала еще горше, она хорошо знала своего мужа и понимала: выслушать ей придется много разного, прежде чем он угомонится и уснет.

Но как же она его любит! И ничего не может с этим сделать. Любит — и все.

Настя жалела, что при ее разговоре с Арцеуловым после репетиции не присутствовал Антон Сташис, и решила ошибку не повторять.

— Я поспрашиваю у него про роль, — говорила она Антону по пути в гримуборную Арцеулова, — и еще раз спрошу про Лесогорова, а вы посмотрите, ладно? У нас получается несостыковка того, что говорит Колодный, с показаниями Арцеулова. Там, по-моему, что-то нечисто.

Михаил Львович в ответ на просьбу встретиться и поговорить пообещал приехать в театр не за сорок пять минут до начала спектакля, а часа за полтора.

— Другого времени у меня не будет, — сказал он. — Я весь день занят. Вам полчаса хватит на ваши вопросы?

— Должно хватить, — ответила Настя, а про себя подумала: «Ну, это уже как пойдет».

С Михаилом Львовичем они столкнулись в коридоре «мужского» крыла, он шел к своей гримерке в распахнутом пальто и со стаканом чаю в руке.

— Ну-с, — Арцеулов повесил пальто в шкаф и вальяжно раскинулся на диванчике, указав гостям на два стула, стоящие перед гримировальными столиками, — давайте свои вопросы.

— Скажите, — начала Настя, открыв блокнот, куда она делала подробные выписки из стенограмм репетиций, — вам удобно играть роль Зиновьева? Не смущает мотивация вашего героя?

— А что там должно смущать-то? — Арцеулов

повел мощными плечами. — Нормальная мотивация, как у многих. Конечно, она чудная, странноватая, но вы покажите мне пьесу, где мотивация героя будет понятна абсолютно каждому? Пьесы для того и пишутся, чтобы показать необычные переживания, нестандартные ситуации. Да взять хоть чеховского дядю Ваню. Вот почему у Войницкого год назад испортился характер? Двадцать пять лет он терпел, терпел, а потом вдруг — раз! — и год назад у него терпелка кончилась. Двадцать пять лет все было хорошо, и вдруг он взбрыкнул. С чего это? Многие актеры считают, что это произошло из-за появления Елены Андреевны, но ведь Елена Андреевна живет в имении только три месяца, а Мария Васильевна говорит: «Прости, Жан, но в последний год ты так изменился, что я тебя совершенно не узнаю». Тоже ведь непонятно, что у него за мотивация, и ничего — сто лет уже пьесу играют, и никого не смущает, что непонятно. Я вам больше скажу: никто на эту непонятность даже внимания не обращает. И таких примеров я вам сотню приведу.

— А вот Никита Колодный все время жалуется, что ему неудобно играть, у него текст на язык не ложится, он не понимает, как отыгрывать реплики вашего героя.

Арцеулов внимательно посмотрел сначала на Антона, потом на Настю и усмехнулся:

— А вы неплохо осведомлены. Вы ведь, кажется, были только на одной репетиции?

— На двух с половиной, — уточнил Антон.

— Ах так... ну, все равно. Я вообще не понимаю, чем Никита недоволен. Уж какие такие в моей роли реплики, которые надо так уж особенно отыгрывать? Нет, я Никиту, конечно, понимаю, первая серьезная роль в нашем театре, и ему хочется сделать блестящую работу, чтобы его заметили, чтобы заговорили о нем, чтобы пресса была хорошая. На самом деле, я думаю, что его попытки изменить мой текст — это всего лишь попытки сделать собственную роль более яркой, более выпуклой. Решил, понимаете ли, мальчик потянуть одеяло на себя, ну да у нас, у актеров, это дело обычное, каждый из нас не о судьбе спектакля в целом заботится, а только о том, чтобы себя, любимого, показать. По мне, так у моего героя все связно и логично, он мать любил, пытался сделать все, что мог, но не смог только одного: окончательно расстаться с бизнесом, потому что бизнес — это его жизнь, его будущее, а у умирающей матери будущего все равно нет. Конечно, выбор тяжелый, кто ж спорит, но этим и интересна моя роль, а Никитка хочет все это похерить. Но я не сержусь на него. Просто он еще молодой и неопытный, его можно простить. Хотя нервозности из-за его выступлений на репетициях многовато, это я признаю. Да вы и сами, наверное, заметили.

— Заметили, — кивнула Настя. — И еще мы заметили, что вы обычно заступались за автора пьесы и старались защитить его от нападок и претензий Колодного. У вас с Артемом Лесогоровым сложились дружеские отношения?

Арцеулов нахмурился и выпрямился на диванчике, теперь он сидел с прямой спиной и плотно сдвинутыми коленями.

— Я вам уже говорил: за пределами репзала у меня не было никаких особых отношений с Артемом. А заступался я за него просто потому, что не терплю, когда работа тормозится, я люблю, чтобы шло постоянное движение вперед, чтобы спектакль с каждой репетицией срастался, становился на ноги. А из-за Никиты мы все время останавливались и увязали в болоте бесплодных обсуждений. Нет, какие-то предложения Никиты режиссер принимал, спору нет, но в целом... Выпендрежник он, вот что я вам скажу. Может, не зря Лев Алексеевич его не любит и играть ему не дает. Я ответил на ваш вопрос?

— И все-таки вернемся к Лесогорову, — упрямо произнесла Настя. — У вас сложилось какое-то мнение о нем как о человеке, о личности?

— Никакого мнения у меня нет, — резко ответил Михаил Львович. — Автор пьесы мне был неинтересен. И в пьесе меня все устраивало. Что мне было делить с Артемом? Сидит он на репетиции — и пусть сидит, если режиссер не возражает.

— Вы бывали у него в квартире?

— Нет, — чуть помедлив, ответил актер, — ни разу не был. Зачем мне туда ходить? То есть в самой квартире я, конечно, бывал, и не раз, но это было, когда у нас ставил режиссер из Прибалтики, Риминас, мы с ним очень дружили... И когда приезжал Витя Басманный из Питера, он у нас был занят в одном спектакле и обычно ночевал в нашей служебной квартире. Но этот спектакль в прошлом году списали, и Витя больше не приезжает. А к Лесогорову в гости я не ходил.

— Он вам что-нибудь о себе рассказывал? — настырно продолжала Настя, будто не слыша ответов Михаила Львовича.

— Да нет же, господи! — Арцеулов начал закипать. — Вы вообще понимаете, о чем я вам толкую? Вы меня слушаете или как?

— Извините, Михаил Львович, — невинно улыбнулась Настя, — но у меня перечень вопросов, составленный следователем, и я обязана их все задать, я человек подневольный. Вы уж не сердитесь.

Актер мгновенно смягчился и ответил на ее невинную улыбку улыбкой лучезарной и добродушной, дескать, мы с вами как люди зависимые всегда друг друга поймем. Она еще некоторое время помучила его вопросами, но ничего принципиально нового выяснить не удалось.

— Ну, что скажете, Антон? — спросила она, когда они снова оказались в кабинете Богомолова. — Каковы результаты ваших наблюдений?

— Никаковы, — развел руками Антон. — Я не заметил, чтобы Арцеулов говорил не то, что думает. Кое-что он как человек интеллигентный попытался смягчить, но в целом...

— Что он пытался смягчить? — требовательно спросила Настя.

— Свое отношение к Колодному. Он говорил, что Никита — молодой, неопытный, и его можно понять. А на самом деле Колодный его раздражает, прямо-таки бесит своими попытками тянуть, как они любят говорить, одеяло на себя. Но это все. В той части, где речь шла о Лесогорове, он не лгал, они действительно не общались в приватном порядке. Лесогоров ему не был интересен.

— Почему?

— Наверное, потому, что слишком молод, чтобы приятельствовать с Михаилом Львовичем, ведь Арцеулов намного старше.

— Нет, я хотела спросить: почему вы решили, что Лесогоров ему неинтересен?

— А у него вся мимика и моторика выдавали пренебрежение, когда он говорил об Артеме, — пояснил Антон. — Во всяком случае, мне так показалось. Знаете, довольно часто люди считают тех, кто моложе, заведомо глупыми, неинтересными и ничего не умеющими. Арцеулов явно из их числа. Он и к Никите Колодному так же относится.

— Понятно, — протянула Настя. — И что мы будем делать с показаниями Колодного, который утверждает, что застал Лесогорова в гримуборной у Михаила Львовича, и более того, якобы слышал, как Михаил Львович сказал Артему: «Я тебе сто раз говорил...» Куда мы это денем?

— Анастасия Павловна, может быть, стоит обратить внимание на то, что вы мне сами вчера говорили насчет Арбениной? — осторожно предложил Сташис. — Похоже, тут аналогичная ситуация.

— Вы хотите сказать, что Колодный все это выдумал, чтобы было интереснее? Чтобы на его слова обратили внимание, чтобы начали дергать Арцеулова, чтобы еще раз обратились к самому Никите... Да? Думаете, ему скучно и хочется внимания?

— А почему бы нет? Он, конечно, в отличие от Арбениной, человек молодой, но профессиональная жизнь у него бедновата. Отчего бы не поразвлечься?

Настя удрученно вздохнула. Интересно, какова доля информации, полученной в театре, которая имеет под собой такую же «подкладку»? Если верить Иришке Савенич и Грише Гриневичу, доля эта ох как велика! Пожалуй, Сережка Зарубин был прав, когда боялся и не хотел работать в театре, он, наверное, точно знал, с чем придется столкнуться. Вот и отправил Настю отдуваться вместо себя. Молодец!

— Интересные дела творятся в вашем театре, уважаемый Гамлет, — заметил Змей, когда Ворон закончил очередной отчет о ходе расследования. — А что там насчет «Дяди Вани»? Михаил Львович сказал любопытную вещь, я как-то раньше не задумывался над тем, что же случилось с

Войницким год назад. Он прав, я даже внимания не обратил на эту фразу Марии Васильевны, думал, что все дело в жене профессора. У вас, кажется, были какие-то соображения?

— Ну при чем тут «Дядя Ваня»? — взбеленился Ворон. — Какое отношение Чехов имеет к нашей истории?

Честно говоря, про «Дядю Ваню» ему самому было интересно послушать, потому что пьесу эту он видел во множестве театров по всему миру, даже удалось залететь в кинотеатр в Лондоне и посмотреть английскую экранизацию Чехова — фильм под названием «Август», поставленный Энтони Хопкинсом. Эту пьесу Ворон любил нежно, он даже сам не понимал, почему она ему так нравится. Но не станет же он сидеть на ветке, как дурак, и слушать Кота! Этого еще не хватало.

— Ну, вы тут пообсуждайте, ежели вам надо, — сказал он как можно равнодушнее, — а я полечу отдыхать, умаялся что-то.

— Разве ты не останешься? — разочарованно спросил Камень.

— Ты совесть-то имей, — сердито каркнул Ворон. — Пока я летаю и добываю вам историю, вы тут бока пролеживаете и спите сколько влезет, а я? Я хоть и Вечный, но не железный. Все, целую страстно, я полетел.

Это была маленькая, но вполне простительная, по мнению Ворона, ложь. Никуда лететь далеко он и не собирался. Взмыв высоко вверх, он отлетел буквально на несколько деревьев в сторону, опустился на землю и на когтистых лапках вперевалочку пробрался в кусты, из которых все было отлично слышно. Правда, мало что видно, но это ничего.

— Мой папенька мечтал сыграть дядю Ваню, — разглагольствовал Кот, — и много говорил со мной о том, как он видит эту роль. Ведь что такое Войницкий? Маменькин сынок, проживший сорок семь лет рядом с матерью и, вероятнее всего, не знавший любви к женщине. Из этих сорока семи лет двадцать пять он посвятил, опять же под руководством маменьки, Марии Васильевны, служению профессору Серебрякову. По ночам делал для него переводы, зачитывался его научными трудами, знал их наизусть. Это что такое? Это — кумирство. А кумирство — это что? Правильно, это признание собственной слабости и недостаточности по сравнению с объектом своего фанатичного обожания. Дескать, он такой удалый и умный, он лучше всех на свете, а я рядом с ним — червь недостойный, мое место в этой жизни — служить ему, ноги мыть и воду пить. Вот так Иван Петрович Войницкий и прожил больше половины своей жизни с осознанием собственной неказистости. Потом что-то случилось, что — непонятно, тут Арцеулов правильно сказал. Никто не знает, какая шлея ему год назад под хвост попала, чего он вдруг взъерепенился и характером стал плох. Может, кризис среднего возраста, может, еще что. И вот живет он почти год со своим испортившимся характером, а тут вдруг сам профессор Серебряков с молодой женой Еленой Андреевной появляются в усадьбе и живут аж целых три месяца. И Войницкий в Елену влюбляется. А что ему с этой любовью делать? Он никогда в жизни за женщинами не ухаживал, красивых слов им не говорил, глазки не строил и не заигрывал. Ничего этого он не умеет. Поэтому с Еленой он так неловок, можно сказать, топорен, он лепит ей все прямо в лоб, дескать, дорогая моя, роскошь, в ваших жилах течет русалочья кровь, и все такое, а она вообще не знает, как реагировать. Как в обществе принято? Вроде глупо, Войницкий человек совсем не светский и ухаживает не так, как привычные ей бонвиваны. Ну, представьте, что было бы, если бы в ответ на его искренние и неумелые признания Елена сказала: «Ах, негодник эдакий, вы, право, баловник». Бред же! Идиотизм. А никак по-другому она реагировать тоже не умеет, потому что в то время женщины не умели быть прямыми и искренними в романтических отношениях, это считалось неприличным, и их этому не учили. И вот стоит она и не знает, как ей реагировать на такие эскапады Войницкого. Вот она и отвечает: «Когда вы мне говорите о своей любви, я как-то тупею и не знаю, что говорить». И не зря Войницкого в пьесе называют «шутом гороховым». Он до такой степени неловок и нелеп в своей новой ипостаси влюбленного бунтаря, что никак иначе восприниматься и не может, только шутом гороховым. Дядя Ваня откровенно слабый человек, не верящий в свою ценность и достоинство, но пока это не касалось женщины, все было нормально, а теперь он не может смириться с тем, что он недостойный, никчемный, только и умеет, что счета писать, масло продавать и выполнять указания племянницы, которая в хозяйственных вопросах явно лучше сведуща и оборотиста. И когда он высказывает Серебрякову все, что думает о нем, и даже стреляет в него, хотя и не попадает, это не проявление силы Войницкого, это всего-навсего робкий бунт раба, который, как и все такого рода проявления, закончился ничем. Он даже покончить с собой не осмелился. Он смирился, покорно отдал Соне украденный у Астрова морфий, попросил у Серебрякова прощения, сам его тоже простил и послушно сел вместе с племянницей снова составлять счета за масло. Вот так мой папенька видел Ивана Петровича Войницкого и очень хотел его сыграть. Только не довелось.

Судя по дрогнувшему голосу Кота, Гамлет пустил слезу. Ворон тоже с трудом сдерживался, чтобы не захлюпать клювом. Очень уж проникновенная картина получилась у этого противного Кота! И дядю Ваню жалко... И отчего-то себя Ворону тоже было жаль. Наверное, в том, что говорил Кот, послышалось ему зерно ответа на вопрос о том, почему же он так любит эту пьесу. Но — только послышалось. Внятного объяснения Ворон сам себе дать так и не смог.

— Понимаешь, Лесогоров пытался создать детектив для сцены, а это очень сложно, — задумчиво рассуждала Настя, сидя вместе с мужем на диване перед включенным без звука телевизором. — Мало кому такое удавалось.

— Что, так плохо?

— Кошмарно, — призналась она. — Вот слушай, я тебе перескажу... Хотя погоди-ка, я все равно собиралась сегодня перечитать пьесу более внимательно, я же ее только по диагонали просмотрела, давай я тебе вслух почитаю, хочешь?

— Хочу! — радостно согласился Чистяков. — Только я себе пожевать что-нибудь принесу.

Через несколько минут он уселся поудобнее, поставил на колени тарелку с печеньем, а на пол — кружку с чаем и приготовился слушать.

В пьесе «Правосудие» обыгрывалось заседание суда. Слушается дело по обвинению некоей Марины Зиновьевой в умышленном убийстве мужа, бизнесмена Зиновьева, имеющего строительный бизнес. При помощи поворотного круга каждое выступление прокурора, адвоката и свидетелей иллюстрируется соответствующей сценой.

По версии обвинения, строитель Зиновьев попал в тяжелую ситуацию в связи с болезнью престарелой матери. Он устроил ее в коммерческую клинику, платил большие деньги, но матери стало хуже, ее перевели в реанимацию, а это стоило еще дороже. Мать находилась в сопорозном состоянии, и сколько времени оно продлится, врачи не знали и прогнозировать не брались, говорили только, что речь может идти о сроке от нескольких дней до многих месяцев. У Зиновьева закончились деньги, и он принял решение перевести мать в обычную больницу по месту жительства, где ее лечили бы бесплатно. Это потребовало отключения ее от аппаратов жизнеобеспечения, и во время перевозки в машине «Скорой помощи» женщина скончалась, потому что в Москве пробки и дорога заняла много времени. Жена Зиновьева Марина сочла поступок мужа бесчеловечным, упрекала его в жестокости и бессердечии, не смогла простить ему того, что он сделал, и отравила, воспользовавшись тем, что он после смерти матери впал в депрессию, запил и постоянно носил с собой фляжку с виски. Она подсыпала во фляжку таблетки сильнодействующего препарата, а потом, имитируя самоубийство мужа, составила на его домашнем компьютере прощальное письмо. К убийству она готовилась заранее, разработала несколько вариантов письма, и все эти варианты были на флэшке, которую Марина не уничтожила. Флэшку обнаружили у нее на столе, и это послужило основной уликой в обвинении.

По версии защиты, Зиновьев действительно покончил с собой. Марина очень любила своего мужа и боялась его потерять, она дорожила их браком и их отношениями, поэтому никак не могла его убить. В подтверждение доводов защиты были представлены свидетели, страстно говорившие о пылкой любви Марины к мужу.

Обвинение, в свою очередь, вызывает свидетелей, которые рассказывают, как негодовала Марина, как называла мужа чудовищем и убийцей, как рассказывала о его поступке всем знакомым в самых негативных тонах и при этом говорила, что не понимает, как дальше можно жить рядом с этим монстром. В числе свидетелей допрашивается и некий Юрий, тот самый, которого играет Никита Колодный. Юрий приходил к Зиновьеву перед самым убийством, буквально за несколько часов, и дает показания о том, что Зиновьев был в нормальном настроении и никак не походил на человека, который готовится руки на себя наложить.

У Юрия и Зиновьева, то есть у Колодного и Арцеулова, три большие совместные сцены. Первая показывает нам, как выглядели события с точки зрения Юрия, дающего показания в суде. Оказывается, Марина Зиновьева — виновница автоаварии, в которой тяжело пострадала любимая женщина Юрия. Юрий хотел бы добиться материального возмещения затрат на лечение. Официально ГИБДД признало обоюдную вину, поэтому по суду компенсации ему не полагалось, но на самом деле виновата была жена Зиновьева, которая вела машину в нетрезвом состоянии и потом дала большую взятку за фальсификацию медицинского заключения. Юрий уже приходил раньше к Марине, пытался с ней поговорить, но она отказала ему, причем в грубой и оскорбительной форме. Поэтому он решил поговорить с самим Зиновьевым. Пришел и поговорил. Зиновьев выразил готовность заплатить.

Вторая сцена показывает события по версии адвоката Марины. Зиновьев покончил с собой на фоне депрессии, вызванной всей ситуацией с болезнью и смертью матери. Когда пришел Юрий, Зиновьев поделился с неожиданным гостем своими переживаниями, все подробно и честно рассказал, но Юрий отреагировал на рассказ с таким ужасом и отвращением к содеянному, что только укрепил Зиновьева в мысли покончить счеты с жизнью.

И, наконец, третья сцена: Марину Зиновьеву признают виновной, ей выносят приговор, Юрий выходит из зала суда, произносит торжествующий монолог, и зрителю показывают, как все было на самом деле. Юрий действительно приходил к Зиновьеву, говорил о компенсации, а Зиновьев рассказывал о смерти матери. Юрий реагирует цинично и жестоко и, воспользовавшись моментом, подсыпает во фляжку с виски таблетки, пишет на компьютере прощальное письмо, записывает его на флэшку, чтобы подбросить Марине Зиновьевой. Он хочет таким образом подставить ее и отомстить.

— Н-да, — разочарованно протянул Чистяков, когда Настя дочитала пьесу до конца, — не «Мышеловка», это однозначно.

— И не «Свидетель обвинения», — поддакнула Настя, аккуратно складывая листы в прозрачный файл.

Алексей недоуменно нахмурился и непонимающе посмотрел на нее.

— «Свидетель обвинения»? А это при чем?

— Ну как же, Леш, это ведь тоже Агата Кристи, как и «Мышеловка», — удивилась Настя.

— Так я совсем другую «Мышеловку» имел в виду, — пояснил он. — Я тебе про «Гамлета» говорил.

— Про «Гамлета»?! Леш, ты — гений! — радостно закричала Настя, одним глотком допив остатки остывшего чая из Лешиной кружки.

Так вот оно что... Вот, оказывается, что стояло за малоубедительными объяснениями Лесогорова насчет того, что ему нравится, как ставит Богомолов, и что он с детства обожает Арбенину. Не зря она тогда почуяла ложь, не зря предпринимала усилия, чтобы убедиться в том, что Артем говорит неправду. Она была права, ему позарез нужен был именно этот театр, потому что в нем... Нет, не скандальная ситуация, не конфликт, вот тут Настя ошибалась. В театре «Новая Москва» есть что-то. Или кто-то. И все затевалось исключительно ради того, чтобы этого «кого-то» спровоцировать, как пытался сделать принц Гамлет при помощи пьесы «Мышеловка». Лесогоров понимал, что то, что он затеял, очень похоже на шекспировский сюжет, он все время помнил об этом, «Гамлет» не шел у него из головы, он все время возвращался мыслями к пьесе... И постепенно в его голове вырисовывались и формулировались какие-то соображения, какие-то идеи, касающиеся трагедии Шекспира, но не имеющие никакого отношения к тому, что в реальности происходило в театре. Это были просто соображения, и Артем их записывал.

Как жаль, что она не догадалась сделать для себя копию первоначального варианта пьесы! Ведь в последнем варианте уже очень многое исправлено и изменено, а надо бы посмотреть, как выглядел тот материал, при помощи которого молодой журналист Лесогоров собирался устроить свою «Великую провокацию». Ладно, завтра с утра можно поехать к следователю Блинову, найти среди бумаг самый первый вариант и прочесть его, а пока есть смысл углубиться в стенограммы, ведь по этим текстам тоже можно составить достаточно полное представление о том, как выглядело «Правосудие» изначально.

Настя отпустила мужа спать и уселась на кухне со стопкой расшифровок. Когда она их просматривала в первый раз, то искала что-нибудь не связанное с репетициями и не нашла. Теперь же она читала тексты совсем иначе. И совершенно неожиданно обратила внимание на очень точные юридические формулировки, громоздкие, корявые, но принятые в официальном правовом поле, которые в ходе репетиций преобразовывались в привычные разговорные, но неправильные. Например, фраза: «Изготовила с помощью персонального компьютера предсмертную записку от имени Зиновьева» превратилась в слова: «Написала на компьютере прощальное письмо». И вот еще: «В судебном заседании подсудимая Зиновьева виновной себя в предъявленном обвинении не признала», а после правки фраза существенно сократилась и теперь звучала так: «От всего отказалась». Конечно, смысл понятен, но ни в одном приговоре таких слов не встретишь. И еще: «Таким образом, Зиновьева, действуя указанным выше способом при указанных выше обстоятельствах, совершила умышленное убийство своего мужа Зиновьева и инсценировала его самоубийство». Внесенная автором под нажимом актеров правка превратила эту длинную фразу в краткое резюме: «Вот так она его и убила».

И подобных примеров Настя обнаружила немало. Откуда же у Лесогорова появились такие точные формулировки? Обычно писатели, да и журналисты ими не пользуются, пишут попроще, чтобы было привычно и понятно, а зачастую просто и не знают этих правильных, выверенных юридических формул. Значит, у Лесогорова был консультант — профессиональный юрист. И его надо обязательно найти.

Настя задумалась. Какие еще есть варианты? Например, автором пьесы, настоящим автором, мог быть не Артем, а совсем другой человек, с юридическим образованием, может быть, из следователей, судей или прокурорских работников.

А Лесогоров каким-то образом присвоил произведение и выдавал его за свое. Вполне возможно, история такие случаи знает. Кстати, это вполне может объяснять, почему он так легко и охотно соглашался на всевозможные переделки текста. А чего? Ему не жалко, это же не его детище.

Или вот такое объяснение: Лесогоров пользовался материалами реального уголовного дела и все формулировки выписал из настоящих юридических документов. Тогда надо непременно узнать, какое это дело, потому что преступником вполне может оказаться кто-то из фигурантов.

Надо проверять, надо все проверять. И не первоначальный текст пьесы читать, как Настя запланировала на завтрашнее утро, а ехать в Подмосковье, в город Шиловск, где жил и работал Артем Лесогоров.

Она выехала утром пораньше и уже к одиннадцати часам была в Шиловске. Найти редакцию местной газеты труда не составило, а вот прорваться к кому-нибудь из руководства оказалось делом непростым. Впрочем, выслушав небрежные объяснения на тему: «Он занят, он на совещании, у него планерка, он на выезде», Настя решила действовать проще и принялась искать дверь, на которой было бы написано что-то вроде «Криминальная хроника». Дверь нашлась довольно быстро, а за ней Настя обнаружила нежно целующуюся молодую пару. Она деликатно кашлянула, но парочку ее присутствие, казалось, не особенно смутило. Парень и девушка оторвались друг от друга, но позу не поменяли, так и оставшись сидеть в обнимку.

— А Сережи нет, — сразу заявила девушка, — он уехал и сегодня уже не вернется.

Сережа какой-то... Интересно, он кто? Начальник?

— Я не к Сереже, — улыбнулась Настя. — Мне бы насчет Артема Лесогорова с кем-нибудь поговорить. С вами можно?

Лицо девушки моментально, как по заказу, приняло выражение мрачное и скорбное, парень тоже попытался изобразить печаль, но менее успешно.

— Ой, Артем... — Девушка даже как будто всхлипнула. — Такое несчастье... Мы всей редакцией на похороны ходили. Надо же... А вы из милиции?

Ну, удостоверение у нее в этой комнате вряд ли будут проверять, так что можно и слукавить.

— Я занимаюсь расследованием его гибели. Скажите, Лесогоров давно у вас работал?

— Ну как... — парень пожал плечами. — И да, и нет. То есть в газете давно, а в нашей редакции недавно. И вообще, он уже давно не работает, взял творческий отпуск.

— Творческий отпуск?

— Ну да. Пришел к главному, сказал, что хочет написать художественное произведение, и попросил год. Главный ему отпуск, конечно, не дал, у нас это не принято, сказал, мол, увольняйся совсем и делай что хочешь, но, если надумаешь вернуться, мы будем рады в любой момент взять тебя обратно. На том и порешили.

— А вы не знаете, с чего вдруг Лесогоров взялся за художественное произведение? — спросила Настя.

— Ой, он вообще такой разбросанный был. — Девушка оживилась и отсела от своего возлюбленного, переместившись на другой стул. — Сначала все больше по политике специализировался, депутаты всякие, выборы, скандалы, черный пиар и все такое. А потом вдруг начал писать криминальные очерки, да такие яркие, интересные! Весь город ими зачитывался. Мы были уверены, что он будет продолжать, а он вдруг затеял творческий отпуск...

Вдруг начал писать криминальные очерки. Что значит «вдруг»? Появился источник информации? Или осведомленный консультант? Настя буквально забросала вопросами парня и девушку из криминальной редакции, но ни о каком консультанте они ничего не слышали. Или его не было вовсе, или Артем Лесогоров старательно скрывал от коллег свои контакты.

Она попросила подобрать ей материалы Лесогорова на криминальные темы, девушка поискала в компьютере и через несколько минут вручила Насте флэшку с пятью очерками. Настя хотела было попросить распечатать их, но отчего-то ей стало неудобно, и она решила, что обойдется. У нее есть ноутбук, этого вполне достаточно.

Читать можно было и в машине, но когда Настя попыталась делать выписки, оказалось, что на коленках все-таки ужасно неудобно. Пришлось искать кафе. Молоденький прыщавый официант принес ей кофе и три пирожка с капустой и с одобрением, как ей показалось, посмотрел на дорогой компьютер, который Настя уже поставила перед собой и включила. Пирожки оказались вчерашними и не особенно вкусными, но ей было все равно. Главное — очерки и содержащаяся в них фактура. В одном из них она узнала дело бизнесмена Андрюшина, спонсора постановки «Правосудия», все остальные материалы были ей незнакомы.

Закончив работу, она расплатилась, убрала компьютер в специальную сумку, села в машину и отправилась в Шиловское УВД, где замом по криминальной милиции работал ее давний знакомый по фамилии Тимонин.

— Каменская, ну где тебя носит! — встретил ее Тимонин, вставая из-за стола. — С утра позвонила, сказала, что приедешь, я тебя жду, жду, как дурак, обедать не иду, а ты где-то шатаешься. Ну, дай я тебя обойму, пенсионерка!

Он сжал ее в медвежьих объятиях и смачно расцеловал в обе щеки.

— Деньги зарабатывать к нам приехала? — гудел он, усаживая Настю за длинный стол с полированной, но изрядно поцарапанной столешницей. — Слыхал, слыхал, что ты теперь у Владика Стасова подкармливаешься. Как он платит, хорошо?

Ну, все понятно. Тимонин, конечно, хороший парень, но он четко знает правила: частный сыск за информацию должен платить. И не только своим сотрудникам, но и тем, кто эту информацию дает, будь то хоть дворники, хоть работники милиции.

— Платит нормально, — улыбнулась Настя. — Но у нас с тобой финансового альянса не выйдет.

— Это почему же? — огорчился Тимонин.

— Да потому, что я к тебе приехала по делу Лесогорова. Усекаешь?

— У-у-у, — разочарованно протянул тот. — А чего у нас искать? Его же у вас грохнули, в столице, он там последние несколько месяцев прожил, там и искать надо. А у нас что? Глухая провинция.

— Ладно, не прибедняйся. В общем, так: меня прислали просто потому, что людей не хватает, можно считать — на общественных началах. Я просто прощупываю почву и собираю первичную информацию. В следующий раз приеду вместе с парнем с Петровки, все будет официально, как положено.

Тимонин рассмеялся и ослабил узел галстука.

— Ты мне скажи: пойдешь со мной обедать? А то у меня в три часа совещание, надо успеть поесть до этого времени. Пошли, за харчем поведаешь, какая информация тебе нужна.

— Я лучше здесь, — заторопилась Настя. — Я быстро. Вот смотри, — она достала из сумки сделанные от руки выписки, — есть пять криминальных очерков, написанных Артемом Лесогоровым. Вот здесь кратко изложенная фактура, чтобы тебе материалы целиком не читать, у тебя и так времени нет. Мне нужно знать, что это были за уголовные дела. Вот и все.

Тимонин протянул руку, взял листки, быстро пробежал глазами.

— Я не понял вопроса, — сказал он. — Что значит: что за дела? Обычные, уголовные. Ты конкретней говори, что тебе надо.

— Первое: мне надо знать, реальные ли это дела или журналистские выдумки. И второе: если дела реальные, то кто их вел, кто по ним работал.

— В смысле розыска? — уточнил Тимонин.

— И в смысле следствия тоже. Одно дело, я имею в виду Андрюшина, точно реальное. А остальные?

Тимонин еще несколько минут изучал ее записи, уже более внимательно.

— Вот это дело я помню, и это тоже... А вот этого не помню. Или забыл, или оно было раньше, до того, как меня сюда перевели.

— Или это плод фантазии, — предположила Настя. — В любом случае мне нужна информация по этим делам. Поможешь?

— Куда ж от тебя деваться, пенсионерка ты

моя, — весело вздохнул Тимонин. — Еще раз спрашиваю: пойдешь со мной обедать?

— Не пойду, я только что из кафе, пирожков наелась.

— Тогда я побежал, ты уж извини, но времени совсем нет. Оставь свой телефончик, я тебе позвоню, когда что-нибудь узнаю.

Они вместе вышли из кабинета и спустились на первый этаж, Тимонин повернул в сторону столовой, а Настя вышла на улицу. У нее мелькнула крамольная мысль побездельничать и просто погулять по городу, походить, посмотреть на дома, на людей, на магазины и кафе, но моросил мелкий холодный дождь, а зонта у нее не было... Пришлось садиться в машину и возвращаться в Москву.

По дороге Настя поняла, что у нее страшно ноет спина и начались лампасные боли в ноге. Вообще-то, она собиралась вторую половину дня провести в театре, помогая Антону Сташису и выполняя возложенное на нее задание, но, если она хочет сохранить работоспособность на ближайшие дни, надо ехать домой, ложиться на пол и подсунуть под крестец резиновый коврик-аппликатор, утыканный иголками. Обычно это помогало, если не запускать процесс, а поймать обострение в самом начале. Она позвонила сначала Стасову, потом Зарубину и, наконец, Сташису, убедилась, что без нее жизнь не останавливается и идет своим чередом, и отправилась прямо домой.

Лежать на аппликаторе было больно, но только первые три минуты, потом появлялось приятное тепло, по спине начинали бегать электрические мурашки, и уже через двадцать минут Настя обычно крепко засыпала. Так было и на этот раз. Сквозь сон она слышала, как пришел домой муж, который, увидев ее лежащей на полу, сразу все понял, осторожно прикрыл дверь в комнату и скрылся в кухне. Настя хотела было проснуться и заговорить с ним, но спать было так сладко...

Проснулась она от звонка мобильника — звонил Тимонин.

— Все дела настоящие, — сообщил он, — и все вел следователь Тихомиров. Этого достаточно?

— Вполне, — обрадовалась Настя. Значит, один и тот же следователь. Вот он, источник информации, откуда Лесогоров черпал материал для своих очерков. — А как бы мне с этим Тихомировым встретиться? Прямо завтра, а?

— Это вряд ли, — очень серьезно ответил Тимонин. — Анатолий Петрович умер.

— Как?! — ахнула Настя. — Когда?

— Да уж прилично, весной девятого года.

— Погоди минутку, — попросила она, неуклюже поднимаясь с пола.

Положив телефон на стол, кряхтя вытащила из сумки флэшку с материалами Лесогорова и вставила в компьютер. На шум из кухни выглянул Чистяков.

— Чем-нибудь помочь? Зачем ты вскочила?

— Спасибо, солнышко, я справлюсь, — ответила она, щелкая мышью.

— Эй, ты там что, провалилась? Ау, Каменская! — доносилось из трубки.

Зажав телефон между щекой и плечом, она проговорила:

— Сейчас, минутку подожди, ладно? Мне надо кое-что проверить.

— Так ты проверяй и потом мне перезвони.

— Нет, я уже готова...

Так и есть, все очерки Артема Лесогорова были опубликованы в мае — июне десятого, нынешнего, года, то есть больше чем через год после смерти следователя Тихомирова. Значит, следователь журналиста не консультировал и ему никак не помогал, но все-таки материалы дел, которые он вел, каким-то образом попали в руки Артема.

— Тим, ты можешь мне достать координаты вдовы Тихомирова или его детей? У него кто-нибудь остался в вашем городе?

— Вдова, Надежда Ароновна, я ее знаю. А тебе зачем?

— Надо. Тим, будь другом.

На том конце Тимонин зашелестел страницами, видно, листал какой-то справочник или записную книжку.

— Ладно, записывай адрес. Но имей в виду, с тебя причитается.

— Сочтемся, — улыбнулась Настя.

Стало быть, завтра с утра придется снова ехать

в Шиловск. Или послать Антона? После сегодняшней эпопеи со спиной не надо бы ей снова неподвижно сидеть два часа в машине по дороге туда и столько же на обратном пути. Но завтра суббота, а у Антона дети... Правда, он говорил, что не нужно его жалеть и щадить, но все-таки неловко, она прекрасно может сама справиться, ведь официальный статус для встречи с Надеждой Ароновной ей не нужен. Пока не нужен. А там посмотрим.

Надежда Ароновна Тихомирова встретила Настю приветливо, видимо, Тимонин ей все-таки позвонил.

— Такое несчастье с Артемом, — говорила она, провожая Настю в небольшую, но очень уютную комнату. — Просто в голове не укладывается: молодой талантливый мальчик — и вдруг такая страшная смерть! А почему вы решили встретиться со мной? Вы думаете, я что-то знаю про Артемку?

Про Артемку. Вот это уже интересно. Никому не пришло бы в голову в поисках свидетелей, знающих хоть что-нибудь об Артеме Лесогорове, общаться с вдовой умершего полтора года назад следователя. Можно считать, что Насте несказанно повезло. Чистая случайность.

— Вы его хорошо знали? — спросила она.

— Артемку? Он был моим учеником, — с улыбкой пояснила Надежда Ароновна. — Я, видите ли, всю жизнь была учителем в школе, Артем у меня учился.

— И с вашим покойным мужем он был знаком?

— С Толей? — искренне удивилась Тихомирова. — Нет, насколько я знаю, они никогда не встречались. До прошлого года Артем и дома у нас не бывал.

— А что случилось в прошлом году?

Надежда Ароновна вздохнула и перевела взгляд на портрет мужа, висящий на стене. Некрасивое лицо, глубокие мимические морщины, в глазах — упрямство и неуступчивость. Наверное, у Анатолия Петровича был непростой характер.

Анатолий Петрович Тихомиров начал собираться на пенсию загодя, года за два, а то и за три до достижения возраста. Он хотел после окончания службы заняться написанием мемуаров и стал подробнейшим образом записывать дома свои впечатления и ход расследования по наиболее интересным делам, особенно по тем, которые так и остались нераскрытыми. После его скоропостижной смерти Надежда Ароновна и думать об этих записках забыла, а потом спустя несколько месяцев вспомнила и решила предпринять определенные усилия, чтобы довести задуманное мужем до конца. Сама она литературными талантами не обладала, но зато всегда поддерживала отношения с выпускниками, среди которых был и Артем Лесогоров, ставший журналистом. Вот к нему-то Тихомирова и обратилась со своим предложением произвести литературную обработку записок мужа. У Артема хорошее, легкое перо, и в школе он по сочинениям получал только отличные оценки. Надежда Ароновна передала Лесогорову все материалы мужа, чтобы Артем сделал из них книгу, которая будет опубликована под двумя именами — Тихомирова и Лесогорова. Артем с готовностью взялся за работу, но вот что-то книги все не было и не было, хотя переданные ему материалы журналист использовал для нескольких очерков, которые были опубликованы в местной газете, а один, самый скандальный, про бизнесмена Андрюшина, даже перепечатали в центральной прессе.

— Теперь, когда Артемки больше нет, книги уж точно не будет, — с грустью сказала Надежда Ароновна. — А я так надеялась оставить хоть какой-то след в память об Анатолии Петровиче. Жаль, что так вышло.

— Но можно ведь передать материалы еще кому-нибудь, сделать вторую попытку, — предположила Настя.

— Да где теперь их найдешь, материалы-то? Я же все Артему отдала, копии сделать не догадалась. Когда имеешь дело с молодым человеком, как-то в голову не приходит, что он тоже смертен и с ним может случиться все, что угодно... — расстроенно проговорила Тихомирова. — Послушайте, вы же занимаетесь расследованием, обещайте мне, что, если Толины записки найдутся, мне их вернут. Обещаете?

— Это не в моей компетенции, к сожалению, — покачала головой Настя. — Если записки окажутся вещественными доказательствами, их судьбу будет решать суд, а не я. А если окажется, что они к убийству Артема отношения не имеют, то вам их, конечно же, вернут. Но при условии, если их вообще найдут.

— Как жалко, — бормотала Надежда Ароновна, провожая Настю, — как жалко, что все так вышло. Я так хотела, чтобы об Анатолии Петровиче осталась память...

Из машины Настя позвонила Зарубину и попросила продиктовать ей официальный адрес Лесогорова в Шиловске.

— Хочу посмотреть, что делается у него в квартире, живет ли там кто-нибудь, и что там есть интересного, — объяснила она Сергею.

— Забудь, — тут же отозвался Зарубин. — Одна ты туда не пойдешь.

Настя спохватилась и осеклась. Сережка прав, визит в квартиру потерпевшего надо осуществлять, имея определенные полномочия. А то явится она туда, шороху наведет, а когда придут проводить обыск или выемку, там уже ничего не окажется. Никак она не может перестроиться и постоянно помнить, что она — никто. Но ведь где-то же лежат материалы следователя Тихомирова, и где им еще быть, как не дома у журналиста, коль в квартире при театре их не обнаружили.

— Но мне надо, Сереж, — жалобно проныла Настя.

— Завтра поедешь вместе со Сташисом. Если ты думаешь, что надо будет производить выемку или обыск, позвони прямо сейчас Блинову и предупреди, чтобы готовил бумаги, а то завтра его наищешься.

— Завтра воскресенье... А сегодня я уже все равно здесь. Ну, Сереж, придумай же что-нибудь!

— Я сказал — нет, — твердо отрезал Зарубин. — Будешь своевольничать — Коле Блинову на тебя накапаю. Пална, не выклевывай мне мозги.

Она хотела еще сказать ему про свою многострадальную спину, которая просто не вынесет еще одной завтрашней поездки в такую даль, но остановила себя. Нечего жаловаться. Хочешь работать — работай, хочешь болеть — болей, и если совмещать одно с другим не получается, не надо вешать эту проблему на третьих лиц, это проблема твоя и только твоя, и разбираться с ней надо самостоятельно.

Поездка воскресным утром за город оказалась намного более приятной, чем в будний и даже в субботний день, дороги были совершенно свободными, и машина летела вперед, почти не останавливаясь. Ехали на Настиной машине, но она попросила Антона Сташиса сесть за руль, а сама откинула спинку переднего сиденья и, извинившись перед спутником, приняла горизонтальное положение. Так было гораздо легче.

— Анастасия Павловна, помните, вы обещали мне объяснить, почему мне не нужно у вас учиться, — неожиданно сказал Антон.

Конечно, она забыла. Но после его слов вспомнила и улыбнулась.

— Вы действительно хотите услышать ответ?

— Действительно. Иначе не стал бы напоминать.

— Видите ли, Антон, если вы начнете у меня учиться, это может повредить вашей карьере. Вы же хотите сделать карьеру?

Вопрос был риторическим, Настя была уверена, что ответ ей известен, и оказалась страшно удивлена, услышав слова Антона:

— Не уверен. Я об этом пока не думал.

— Ну, это вы пока не уверены. Скоро начнете думать и поймете, что карьеру делать хотите. Так вот, Антон, в нашей системе карьеру делают те, кто умеет раскрывать преступления по горячим следам. Именно таких людей ценят начальники, потому что с начальников всегда спрашивают быстрый результат, и кто из подчиненных может этот быстрый результат обеспечить, тот и лучше, тот и более перспективен. Но для этого надо иметь быструю реакцию и молниеносное цепкое мышление, которых у меня, честно вам признаюсь, нет и никогда не было. Зато я умею работать с большими массивами информации, которая уже собрана, то есть не по горячим следам, а тогда, когда все, что можно, уже остыло и никуда не убежит. Я, Антон, жутко медлительная, но зато так же жутко усидчивая. Для работы с массивами информации нужна чугунная задница, так вот, она у меня есть. А у вас ее нет, и не надо, чтобы была, потому что вы — мужчина, у вас дети, вам надо двигаться по служебной лестнице, получать большую зарплату и их кормить. У меня, Антон, совсем другой характер и совсем другой менталитет, и не надо вам у меня учиться, эдак вы карьеры не сделаете. Учитесь лучше у Сергея Кузьмича.

— Я учусь, — кивнул Сташис. — Вы верно заметили, у него и реакция отличная, и цепкий он. Но я хотел бы уметь делать то, что умеете вы.

— Не надо, не морочьтесь. Сегодня на такие умения спрос низкий, я — прошлый век, я свои умения вырабатывала, когда еще компьютеров не было. Вы небось даже представить себе не можете, что были такие времена, когда не было компьютеров и мобильных телефонов, про Интернет я уж вообще молчу. А я в эти времена жила, училась и работала.

— Да, чуть не забыл, — спохватился Сташис, — мне Николай Николаевич вчера сказал, что сожительницу Лесогорова уже опрашивали. Ну, ту девушку, с которой он жил в Шиловске, пока в Москву не уехал.

— А почему я об этом узнаю только сейчас? — недовольно нахмурилась Настя.

— Так она ничего толкового не рассказала. И потом, вы последние два дня работали по собственному графику, с нами не контактировали.

— И все-таки что рассказала девушка?

— Их отношения практически полностью

распались как раз к моменту отъезда Лесогорова. Они жили вместе в его квартире в Шиловске, у нее своего жилья нет, она приезжая, откуда-то из-под Тулы. Когда Лесогоров собрался в Москву, он ей сказал, чтобы она подыскивала себе новое жилье, а пока может пожить у него, ему квартира все равно в ближайшее время не будет нужна. И она совершенно не в курсе его московских дел.

— Не в курсе московских дел, — негромко повторила вслед за Антоном Настя. — А шиловских? Может быть, она в курсе тех дел, которые у Лесогорова были в Шиловске?

— Об этом ее не спрашивали. У нас ведь основная версия — московская.

— У нас с вами, Антон, основная версия теперь шиловская, — строго произнесла Настя. — И будет оставаться основной, пока мы с ней не разберемся до конца и не поймем, что в очередной раз тянем пустышку. Вот такое мое вам оптимистическое решение.

Он рассмеялся, и Настя рассмеялась вслед за ним.

Им пришлось изрядно поплутать, пока удалось найти улицу, на которой жил Артем Лесогоров. Вернее, улицу-то они нашли без труда, а вот дома с таким сложным номером, включающим «дробь», «корпус» и «строение», на ней не обнаружилось. Как часто бывает, дом оказался совсем в другом месте, но числился почему-то именно по этой улице.

Дверь им открыла симпатичная молоденькая девушка в свободной майке, явно размера на три больше, чем нужно, и в джинсовых шортиках. Вся квартира была в беспорядке, на полу стояли коробки, на столе в центре комнаты громоздилась куча одежды.

— Пытаюсь собрать вещи, — виновато улыбнулась девушка по имени Вика. — Я все думала, что поживу здесь, пока Тема в Москве, он же надолго уехал, и я рассчитывала, что у меня есть еще несколько месяцев. А теперь надо съезжать, уже родственники Темины звонили из Волгограда, квартирой интересуются.

— Мы вас надолго не отвлечем, — улыбнулся Антон. — Скажите-ка нам, Вика, после отъезда в Москву Артем приезжал сюда? Он бывал в этой квартире?

— Да, конечно, — кивнула Вика. — Не очень часто, примерно раз в две недели.

— И зачем он приезжал? Что делал, чем здесь занимался?

— С какими-то бумагами сидел, читал, писал... — Вика пожала плечами. — Ничего особенного. Да мы с ним уже почти не разговаривали. Как чужие стали. «Привет — привет, до свиданья, я поехал».

— Нам бы посмотреть эти бумаги, — попросила Настя.

— Пожалуйста, смотрите, я у него на столе ничего не трогала.

Вика показала на рабочий стол, стоящий в соседней крохотной комнатушке. Настя и Антон принялись изучать содержимое папок и файлов. Записки Анатолия Петровича Тихомирова нашлись почти сразу же. Даже папка была другой — старомодной, картонной, с тряпичными завязками, такими папками пользовались лет двадцать назад.

— Мы заберем это? — обратился Антон Вике.

— Да ради Бога, — равнодушно ответила девушка.

— Может, оформим изъятие? — шепотом спросила Настя, когда Вика отошла, занимаясь укладкой вещей в коробки. — А то мало ли что.

— Да ладно, — махнул рукой Антон, — обойдемся. Если придется компьютер отсюда изымать, тогда уж с постановлением, а так...

Когда они сели в машину, Настя сразу же подняла спинку сиденья. Полежать на обратном пути ей не удастся, придется читать бумаги следователя. Собственно, «придется» — это неправильное слово. Она будет читать. Она хочет их прочитать и убедиться, что ее версия верна. Или неверна.

Нужные ей страницы из записок Тихомирова нашлись сразу же, они были верхними в той самой толстой папке. Дело бизнесмена Леоничева. История с болезнью и смертью его матери. Его самоубийство. Негодование жены и ее разговоры с друзьями и знакомыми. Все было в точности, как в пьесе «Правосудие».

И не совсем, как в пьесе, потому что записи оказались неоконченными. Последним, что было записано по делу Леоничева, была фраза: «Очень интересно поговорил с М.А. Торлакян. Выходит, все концы ведут в «Новую Москву». И дата.

И больше ничего. Запись сделана в верхней трети страницы, другие две трети листа остались пустыми.

Настя подумала немного, вытащила телефон и набрала номер Надежды Ароновны.

— Простите, вы не скажете, какого числа скончался Анатолий Петрович? — спросила она.

Выслушала ответ, снова посмотрела на дату, поставленную под последней записью. Так и есть. Анатолий Петрович Тихомиров умер на следующий день после того, как записал информацию про М.А. Торлакян. И почему-то эта информация привела его мысль к театру «Новая Москва». Почему? Что такого он узнал? Ездил ли он в театр, успел ли или только собирался?

— Ты бы помылся, — презрительно сказал Ворон Коту Гамлету, — на тебя смотреть страшно.

— Я болен, — капризно ответил Гамлет, — мне нельзя мыться, я могу простыть, у меня организм ослаблен.

— Наш пернатый друг прав, — вмешался Змей, — вы уже достаточно набрались сил, чтобы помыться в ручье. Я уверен, после этого вам станет намного легче.

Кот еще некоторое время поупирался, потом нехотя направился в сторону ручья. Змей пополз следом, чтобы, как он сам выразился, проконтролировать процесс, да и на всякий случай, мало ли, вдруг Гамлету станет плохо.

— Ползи, ползи, кишка кожаная, — буркнул ему вслед Ворон, — охраняй своего питомца, а то, не дай Бог, ему сухой листик на башку свалится. Это ж настоящее сотрясение мозга может приключиться!

— Не будь злым, — с улыбкой сказал Камень. — Кот ведь и в самом деле пока еще слабоват.

— Как речи перед вами толкать, так он не слабоват, — огрызнулся Ворон, — на это у него сил хватает. А как помыться... А! — безнадежно махнул он крылом. — Что с тобой говорить? И ты, и этот червяк зеленый попали под чужое влияние, слушаете его, рты пооткрывали, а он и рад.

— Я не понимаю, что плохого, если мы послушаем существо, которое знает то, чего не знаем мы, — рассудительно заметил Камень. — Ты просто ревнуешь.

Ворон собрался оскорбиться до глубины души, но решил пока повременить. Успеет еще. Сейчас вернется Гамлет, вот тогда и посмотрим, чья возьмет.

Гамлет в сопровождении Змея вернулся не

скоро, но зато Ворон торжествовал: после мытья этот приблудыш выглядел еще хуже, чем просто грязным. Мокрая шерсть торчала во все стороны слипшимися комками непонятного цвета, видно было только, что светлого. Даже, кажется, белого. Правда, после купания в ручье глаза Гамлета, отмытые от засохшего гноя, широко раскрылись, и оказалось, что один глаз у него зеленый, а другой — апельсиновый. Вот уж урод так урод!

— Надо бы Ветра позвать, — озадаченно произнес Камень, разглядывая мытого Кота, — пусть бы он вас посушил, а то ведь и в самом деле простудитесь.

— И вы будете виноваты! — Кот поднял голову и дерзко посмотрел своими разноцветными глазами прямо в глаза Ворону.

Делать нечего, пришлось лететь за Ветром, а то и впрямь обвинят во всех грехах, всех собак на Ворона понавешают, ежели чего с Котом не так выйдет. Ветер оказался неподалеку, отдыхал на склоне горы после очередного долгого путешествия.

— Ты откуда прибыл? — поинтересовался Ворон, втайне надеясь на то, что Ветер прилетел откуда-нибудь из Арктики, напитался холодом и сыростью, и толку от него в деле сушки Кота никакого не будет.

Но ответ Ветра, к сожалению, разочаровал.

— Из Африки, я там на ралли «Париж — Дакар» развлекался.

Пришлось приглашать его в компанию. Ветер тут же принялся за дело, облетая Кота по кругу и создавая вокруг него вихрь горячего сухого воздуха.

— Слышь, ты, театровед, а чего это у тебя глаза разные? — спросил Ворон как можно небрежнее. — Один вставной, что ли?

— Это особенность породы, — скромно потупился Кот. — У меня в роду шиншиллы и мэнские хвостатые.

Ворон недоверчиво прищурился. Это еще что за такие мэнские, да еще хвостатые? А какие бывают, бесхвостые, что ли?

— Чего-чего? Чего ты там городишь насчет хвостатых? — противным голосом переспросил он.

— Так порода называется: мэнская хвостатая кошка, — терпеливо объяснил Гамлет. — Потому что бывают еще кургузые и совсем бесхвостые.

— Да ладно, — не поверил Ворон, — гонишь! Какие такие кургузые? Какие бесхвостые? У всех кошек есть хвост, это аксиома.

— А вот и нет, не у всех, — горячился Кот. — У кургузых вместо хвоста такая маленькая шишечка, а у бесхвостых хвоста нет вообще, ни капельки, ни одного сантиметрика.

— А у тебя есть, — задумчиво заметил Ворон. — Ты неправильный, что ли?

— Так я же объясняю, что моя разновидность называется «хвостатая», потому что у нас есть хвост, как же вы не понимаете, уважаемый Ворон. Или вы опять надо мной издеваетесь?

Дошло, наконец! Ворон удовлетворенно улыбнулся. А что, прикольно было бы, если бы этот тип оказался без хвоста, вот тут уж Ворону было бы где разгуляться.

— Готово! — возвестил Ветер и отлетел повыше, потому что Камень и Змей от его манипуляций уже обливались потом. — Принимайте работу.

Перед ними на поляне сидел неописуемой красоты белоснежный Кот с густой шерстью.

— Ничего себе! — ахнул Камень. — Да вы настоящий красавец, дорогой Гамлет! Я даже представить себе не мог, что вы на самом деле такой.

Нет, Ворону это решительно не понравилось. Еще чего не хватало! И потом, куда девались колтуны? Они же были, он отчетливо их видел.

— Я не стал вам говорить, — с тихой улыбкой признался Змей, — но, когда мы пошли мыться, я по дороге позвал двух воробушков, чтобы они выклевали все колтуны. Правда, красиво получилось?

— Ничего особенного, — проворчал Ворон, а про себя подумал: «Ну, погодите, наплачетесь вы еще с этой красотой. Вам небо с овчинку покажется».

И в целом оказался не далек от истины. Как только Кот Гамлет снова почувствовал себя породистым, красивым и почти здоровым, он сразу же забыл, где находится и кому обязан своим выздоровлением.

— Как-то у вас тут все по-плебейски, — недовольно заявил он, когда ему в очередной раз принесли на широком листе лопуха шарики, скатанные из насекомых, высушенной травки и измельченных овощей. — Мой папенька хоть и бедный был, а меня из фарфорового блюдечка кормил.

— Вот именно, что он бедным был, — тут же встрял Ворон, — и блюдечко тебе приспособил из своего сервиза от бедности, потому что на специальную миску у него денег не было. Все приличные коты, между прочим, жрут из металлических мисок.

— Ну и все равно, — упрямился Кот. — Вот когда я был маленьким и меня еще папеньке не отдали, помню, лежим мы с маменькой в шелковой корзинке, гости приходят, на нас смотрят, красивая музыка играет, духами пахнет. А у вас тут что? Одни сплошные разговоры, и ничего не происходит. А вот еще когда я болел, меня к специальному доктору носили, и он меня лечил в специальной комнате.

Тут уж Ворон не смог скрыть возмущения.

— Да здесь вокруг тебя четыре доктора крутятся, только что в задницу тебе не дуют! Змей ловит, кого сумеет, я насекомых добываю, Белочка готовит, травки собирает, настои для тебя делает, микстуры, примочки, Камень грелкой работает, а тебе все мало, утроба твоя ненасытная! Тебе все какой-то красоты хочется, каких-то изысков! Не нравится тебе у нас — вали на все четыре стороны, нам же хлопот меньше.

Кот обиженно надулся и отвернулся.

— Ворон, Ворон, — кинулся успокаивать друга Камень, — ну не надо так, ну что ты, зачем? Уважаемый Гамлет привык к другому образу жизни, в этом нет ничего порочного, он ни в чем не виноват. Не надо ссориться, друзья мои. Давайте-ка лучше вернемся к шекспировскому «Гамлету», я его что-то несколько подзабыл. Что это за история с «Мышеловкой»?

Конечно, ничего Камень не забыл, и Ворон это отлично понимал. Просто такой дипломатический ход, чтобы отвлечь Ворона от негативных эмоций и дать возможность Коту почувствовать свою нужность и значимость. Вот старый пень! И чего он так перед этим Котом прогибается?

Знатный театрал Гамлет тут же забыл о своих обидах и пустился в объяснения:

— В «Гамлете» по ходу действия приезжают бродячие актеры, и Гамлет просит их сыграть для всего двора пьесу «Мышеловка», в которой будет обыграно убийство его отца со всякими такими подробностями, известными только непосредственным участникам происшествия, то есть убийце-Клавдию и его жертве. Гамлету-младшему хотелось посмотреть, как Клавдий будет реагировать на постановку, не выдаст ли он себя. При этом Гамлет еще и написал сам часть текста, чтобы было поближе к реальной истории.

— Выходит, Лесогоров специально написал

пьесу и притащил ее в театр, чтобы кого-то напугать? Как ты думаешь, Ворон?

Ну, еще бы, конечно, теперь Камень обращается к Ворону, чтобы и ему дать слово и таким образом нейтрализовать назревающий конфликт. Вот миротворец чертов! Ворон хотел было гордо промолчать в ответ, но, конечно же, не смог.

— Или напугать, или спровоцировать, — веско изрек он. — Такое мое мнение.

Но Камню все казалось мало, и он продолжал прикидываться слабоумным.

— А зачем?

Слава богу, Змею тоже надоело это представление, и он решил положить ему конец.

— Ну, это пусть сыщики разбираются, им за это зарплату платят, а наше дело — смотреть и получать удовольствие. Дорогой Ворон, достаточно ли ты уже отдохнул, чтобы лететь смотреть дальше? А то мы сгораем от нетерпения.

«Дорогой Ворон»... Надо же! От этой тощей веревки доброго слова дождался. И все из-за Кота.

Весь понедельник Настя и Антон снова провели в театре в попытках выяснить, не приезжал ли в апреле 2009 года следователь Тихомиров, и если приезжал, то с кем он встречался и о чем спрашивал. Все расспросы оказались бесплодными, никто ничего такого припомнить не мог. С одной стороны, прошло уже полтора года, многое могло забыться, но с другой — визит следователя в театр — событие все-таки нерядовое, оно должно было остаться в памяти.

— Итак, у нас с вами три варианта, — уныло констатировала Настя. — Первый: Тихомиров до «Новой Москвы» не доехал. Второй: он здесь был, но его почему-то забыли. И третий: он здесь был, и его не забыли, но нам об этом не говорят.

— Я бы уточнил, — возразил Антон. — Тихомиров здесь был и разговаривал с каким-то одним конкретным человеком, больше он ни к кому не обращался. Именно поэтому его никто не помнит.

— Кроме этого конкретного человека, — подхватила Настя, — который нам лжет.

— Или которого мы с вами не нашли. Ведь сегодня в театре не вся труппа и не все сотрудники. И это означает, что мы с вами пришли к тому, с чего в свое время начали: нам надо снова методично отлавливать и опрашивать всех без исключения работников театра, включая тех, кто работал весной девятого года и теперь уволился.

Настя схватилась за голову. Снова-здорово! Нет, по второму кругу она этого не выдержит.

— У нас остается Богомолов, которого мы не можем опросить, но ведь Тихомиров мог приходить именно к нему, — с робкой надеждой произнесла она. — Надо поговорить с Еленой Богомоловой, может быть, муж ей рассказывал об этом визите.

Антон с готовностью вытащил телефон.

— Я звоню?

— Звоните.

Но надежда потухла, не успев разгореться. Елена Богомолова твердо заявила, что ни о каком следователе Тихомирове муж ей никогда не рассказывал.

— Опять тупик, — сказала Настя. — То ли Богомолов с Тихомировым и в самом деле не встречался, то ли скрыл этот факт от жены. И если скрыл, на это должны быть очень веские причины. Ладно, Антон, опросами мы с вами ничего не добьемся, все равно будем все время подозревать, что нас обманывают. Мы пойдем другим путем. Поезжайте к Блинову и возьмите у него запрос в архив Шиловского суда, начнем изучать дело Леоничева.

И снова долгая дорога в Шиловск, которая во вторник заняла раза в два больше времени, чем в выходные дни. Спина у Насти разламывалась, но она глотала обезболивающие таблетки и мужественно терпела. Пока они с Антоном добирались из Москвы до родного города Артема Лесогорова, позвонил Сергей Зарубин и сообщил, что М.А. Торлакян скончалась летом 2009 года, месяца через три после Анатолия Петровича Тихомирова, а до этого работала консьержкой в одном из домов в Шиловске.

— Адрес запишешь?

— Я запомню, — ответила Настя.

Конечно, она уже не девочка, но уж адрес-то

она запомнить в состоянии. Правда, адресов оказалось два, один — тот, по которому проживала Маргарита Андреевна, другой — по которому она работала. Но и два адреса запомнить для Насти Каменской пока еще задача вполне посильная.

В Шиловске они разделились, Антон получил для Насти в архиве суда дело об убийстве Леоничева и оставил ее изучать материалы, а сам отправился собирать информацию о покойной Маргарите Андреевне Торлакян.

Если судить по записям Анатолия Петровича Тихомирова, у него были определенные сомнения в виновности Светланы Леоничевой, осужденной приговором Шиловского суда к восьми годам лишения свободы. Эти же сомнения Настя видела и в материалах уголовного дела, в той его части, которая велась внезапно умершим следователем. После смерти Тихомирова дело передали следователю Яцуку, который повел следствие по самому очевидному пути, ни о чем особо не задумываясь и ни на чем не заостряя внимание. Улики налицо, показания свидетелей есть, что еще нужно? Очевидно, ему не хотелось копаться, он стремился закончить дело как можно скорее и передать его в суд. И Яцуку это вполне удалось.

После того, как дело перешло к Яцуку, никакого упоминания о театре не появлялось. Откуда же оно взялось у Тихомирова в его записках? И никакая консьержка Торлакян в качестве свидетеля не вызывалась и не допрашивалась. Посмотрев в деле адрес места преступления, то есть квартиры супругов Леоничевых, Настя мысленно отметила, что он полностью совпадает с адресом места работы консьержки Маргариты Андреевны Торлакян. То есть совершенно очевидно, что Анатолий Петрович Тихомиров пытался выяснить, кто приходил к Леоничевым в последнее время перед смертью потерпевшего.

В целом фабула выглядела примерно так же, как и в пьесе «Правосудие»: некий Леоничев, житель города Шиловска и владелец небольшого строительного бизнеса, долго оплачивал пребывание престарелой матери в частной клинике, даже занимал деньги в долг, чтобы не вынимать их из дела. Счета за клинику, находящуюся в Москве, были огромными, но он платил, пока мог. Потом возможности у него иссякли, кризис 2008 года ударил в первую очередь по строительному бизнесу, Леоничев с трудом отдал долг и начал потихоньку вынимать средства уже из дела, но в один прекрасный момент встал перед дилеммой: или продолжать черпать деньги у себя самого и поставить свой бизнес на грань краха, или перевести мать в муниципальную больницу в Шиловске, то есть перестать платить. Мать была очень пожилой, 94 года, находилась в сопоре и лежала в реанимации, подключенная к аппаратам жизнеобеспечения. Перевозка ее в другую клинику потребовала бы временного отключения ее от аппаратов, врачи точных прогнозов, как обычно, не давали, говорили, что она может перенести переезд, а может и не перенести. Леоничев рискнул, но дорога по перегруженной транспортом Москве заняла слишком много времени, и мать скончалась в машине «Скорой помощи». В тот период, когда Леоничев принимал свое непростое решение, его жена Светлана была в отпуске, который проводила за границей. Вернувшись, она узнала, что свекровь уже похоронили. Светлана была крайне недовольна тем, что ее вовремя не известили и не дали возможности присутствовать на похоронах вместе с мужем, и это стало, по утверждению следствия, первой каплей, упавшей в чашу. Спустя какое-то время Светлана случайно встречает в Москве заведующего отделением реанимации в той самой частной клинике, где много месяцев лежала ее свекровь, и от него узнает, что Леоничев сам принял решение об отключении матери от аппаратов и перевозке ее из московской клиники в Шиловскую больницу. А муж-то ничего этого ей не рассказывал! Сказал только, что мама умерла в больнице. Светлана кинулась к мужу выяснять отношения, называла чудовищем, монстром, кричала, рыдала. Она не могла понять, как можно было принимать такое решение. Да черт с ним, с бизнесом, черт с ними, с деньгами, лишь бы мать оставалась жива, пусть и в сопоре, без сознания, в реанимации. Своим негодованием Светлана Леоничева щедро делилась с окружающими, и очень скоро все друзья и знакомые семьи знали, что она боится мужа, считает его убийцей, негодяем и подонком, недостойным жить на этой земле.

А сам Леоничев в это время начал злоупотреблять спиртным и постоянно носил с собой фляжку, в которую наливал то коньяк, то виски, то водку — по настроению. Носил и то и дело прикладывался. Фляжка была посеребренная, очень красивая, чей-то подарок. Но главное ее достоинство состояло в «правильном» изгибе стенки, благодаря чему она необыкновенно удобно умещалась в карманах. Леоничев даже дома пил только из нее, носил с собой по всей квартире.

По версии обвинения, Светлана Леоничева, не простившая мужу убийства матери, к которой была сильно привязана, подсыпала ему в эту чудесную фляжку сильнодействующий препарат, от чего Леоничев и скончался. К совершению преступления Светлана готовилась заранее, она уже знала, что оставит на домашнем компьютере мужа предсмертное письмо, в котором Леоничев якобы покается в смерти матери, и готовила текст этого письма. Набросала несколько вариантов, один, показавшийся ей самым удачным, признала окончательным, а после того, как отравила мужа, перекинула текст с флэшки на компьютер Леоничева, находящийся в квартире. И все сошло бы ей с рук, если бы не маленькая небрежность: Светлана не выбросила эту флэшку, на которой были все варианты предсмертного письма, а сохранила, и ее нашли.

В судебном заседании Светлана Леоничева

свою вину отрицала, но ее осудили, потому что были и улики, и показания свидетелей о том, как она стала ненавидеть своего мужа и как не могла ему простить того, что он сделал.

Однако в деле не было никакого упоминания о ДТП с участием Светланы Леоничевой и никакого свидетеля, который приходил бы к Леоничеву за несколько часов до убийства просить материальной компенсации затрат на лечение женщины, в этом ДТП пострадавшей. Что это, выдумка Артема Лесогорова? Или ДТП имело место и все было именно так, как написано в пьесе, а суд не разобрался? Надо срочно звонить Сергею Зарубину, пусть по линии ГИБДД выяснит, у кого из работников театра была подобная ситуация и, следовательно, мог быть подобный мотив для убийства Леоничева.

Ну-с, теперь посмотрим, чем нас порадовала защита в судебном заседании. Адвокат по имени Борис Аркадьевич Мец очень старался оправдать Светлану Леоничеву и нашел свидетелей, которые говорили о том, как она любила своего мужа и как дорожила этим браком и их с мужем нежными и доверительными отношениями. Мец предпринял также попытку доказать алиби Светланы, но ему это не удалось.

Ну что ж, будем встречаться с адвокатом, решила Настя, закрывая уголовное дело.

Борис Аркадьевич Мец долго не мог взять в толк, зачем приехавшей из Москвы Анастасии Павловне Каменской нужны подробности бесславно проигранного им в прошлом году процесса.

— У вас появились возможности доказать невиновность моей подзащитной? — допытывался он.

— Нет, — призналась Настя, — об этом речь не идет.

— А о чем тогда? И кто вообще вас нанял?

Обманывать адвоката, выдавая себя за полноправного сотрудника уголовного розыска, Настя не рискнула, у него ведь хватит ума и удостоверение проверить, так что пришлось сказать ему правду.

— Меня наняли помогать в расследовании покушения на одного жителя Москвы. Но у меня есть основания полагать, что в деле Светланы Леоничевой содержится важная информация. Пожалуйста, помогите мне.

Борис Аркадьевич торопился, у него было много дел и назначенных встреч. Когда Настя договаривалась с ним по телефону, он с трудом выкроил время между пятью и шестью часами вечера, сказав, что за этот период, кроме разговора с настырной москвичкой, должен будет еще перекусить и добраться из здания суда до следственного изолятора. Смягчился он только тогда, когда Настя вызвалась угостить его кофе в баре самого дорогого ресторана города.

— Я сам заплачу за себя, — сказал он насмешливо, — но ваш порыв выдает серьезность ваших намерений. Видно, у вас действительно острая нужда.

В ресторане он появился в четверть шестого, худощавый, подтянутый, невысокий и почти совсем лысый, с крупным носом и выразительными темными глазами. Быстро сделал заказ, быстро задавал вопросы, и по всему было видно, что этот человек не привык терять время. Поняв, что от Насти ему так просто все равно не отделаться, быстро и четко рассказал о деле Леоничевой.

Светлана Леоничева ни в чем не призналась ни на следствии, ни на суде, но адвокат Мец ей не поверил: улики были налицо — и флэшка с вариантами предсмертного письма, найденная у нее в офисе на столе, и свидетельские показания о том, насколько Светлана была возмущена поступком мужа в отношении его матери. Тактика, избранная защитником, состояла в том, чтобы постараться доказать суду, что Светлана очень любила своего мужа и не собиралась его терять. Борис Аркадьевич спросил у подзащитной, кто может дать показания в ее пользу, и она сказала, что есть один человек, который в принципе мог бы это сделать, только она, скорее всего, откажется давать показания в пользу Светланы. Адвокат настаивал, это был единственный реальный шанс поставить под сомнение показания свидетелей обвинения, и Светлана дала координаты своей бывшей одноклассницы Деминой.

— Только, прежде чем ехать к ней, пожалуйста, сходите ко мне домой, там сейчас находится сын мужа от первого брака, объясните ему, что вам нужно кое-что взять для меня. В большой комнате книжный стеллаж, там на одной полке не книги, а всякая мелочь, фигурки, сувениры. Вот на этой полке в самой глубине, за фигурками, лежит шкатулка, а в ней — подвеска на кожаном шнурке. Отдайте Деминой эту подвеску и скажите, что я раскаиваюсь и прошу прощения, тогда она, может быть, согласится дать нужные показания.

Борис Аркадьевич выполнил все, о чем просила Светлана, пошел к ней домой, выдержал весьма нелицеприятный разговор с сыном потерпевшего, который встретил адвоката в штыки и кричал, что тот пытается спасти от правосудия убийцу его родного отца, но до шкатулки на полке с сувенирами добрался. Однако шкатулка оказалась пуста. Никакой подвески на кожаном шнурке там не было.

Тем не менее Мец разыскал одноклассницу Светланы и приехал к ней домой. Демина пришла в ужас, услышав, что Леоничев погиб, а когда Борис Аркадьевич сказал, что Светлана просила передать ей подвеску, расплакалась и несколько раз переспросила:

— Она так и сказала, что раскаивается? Сказала, что просит прощения? Она хотела отдать мне пентакль?

Слово «пентакль» Борис Аркадьевич услышал тогда впервые, но сообразил, что, видимо, именно так называется та самая подвеска, вокруг которой разгорелся весь сыр-бор.

— Конечно, я приеду на суд, я обязательно

приеду, — заверила его Демина. — Я скажу все, что нужно. Бедная Светочка!

И она действительно приехала и выступила очень эмоционально. Подсудимая Леоничева плакала, слушая ее показания, и некоторые женщины в зале тоже не сумели сдержать слезы. Однако на суд это, к сожалению, впечатления не произвело, судья поверил тем свидетелям, которых представило обвинение и которые утверждали, что Светлана в последнее время очень негативно отзывалась о муже, ненавидела его, боялась, возмущалась его поступком и называла монстром и убийцей.

— Вы мне дадите координаты Деминой? — попросила Настя.

— Разумеется, дам. Но с собой у меня их, конечно, нет, вы мне позвоните сегодня вечером, попозже, когда я уже буду дома, я посмотрю в прошлогоднем ежедневнике.

— Спасибо. А что это за странная ситуация, когда Светлана Леоничева просит вас взять вещь из своего дома, а этой вещи там не оказывается? Вы не пытались разобраться?

— Да когда мне разбираться-то! — махнул рукой Борис Аркадьевич. — Но у Светланы я, конечно, спросил, надо же было поставить ее в известность, что не выполнил поручение. Я сказал ей об этом сразу же после того, как посетил квартиру, даже еще до поездки к Деминой, думал, может, она изменит поручение или даст мне в руки какие-нибудь другие аргументы, которые помогут уговорить Демину.

— И как Светлана отреагировала?

— Она была в полной растерянности и высказала предположение, что, наверное, кто-то из родственников взял, потому что были похороны мужа, поминки, потом сын его приехал и, может быть, тоже кого-то приводил в дом. Все-таки с момента ареста Светланы до момента обнаружения пропажи прошло много времени. А шкатулка эта была не бог весть как запрятана, просто засунута в глубь полки. На ней даже замочка не было, открывай и бери то, что внутри лежит.

— Светлана не говорила вам ничего о стоимости подвески? Может быть, она дорогая, ювелирная? Может, старинная?

— Насколько я понял, ничего особенного, — пожал плечами Мец. — Но, впрочем, я ничего подробно не выяснял. Вполне возможно, что и дорогая, и ювелирная, и старинная. Просто было бы странным хранить такую дорогую вещь столь небрежно, практически у всех на виду, поэтому я и сделал вывод, что подвеска копеечная. Возможно, я заблуждался. Но теперь это уже не имеет никакого значения.

— Это верно, — согласилась Настя.

Можно возвращаться в Москву. Интересно, как там дела у Антона, собирающего информацию о Маргарите Андреевне Торлакян? И почему молчит Сережка Зарубин, который обещал навести справки насчет ДТП? Настя задумчиво разглядывала телефон, размышляя, кого дернуть первым, Сташиса или Зарубина. Пока она раздумывала, мобильник проснулся самостоятельно и истошно заверещал. На дисплее высветилось: «Зарубин».

— Настя Пална, у меня ничего для тебя нет, — радостно отрапортовал Сергей. — Никаких серьезных ДТП с участием работников театра не зарегистрировано.

— Что, никаких-никаких? — не поверила Настя.

— Я же сказал: серьезных. Мелких-то навалом, но таких, чтобы человек пострадал, мне не нашли.

— Может, плохо искали? — осторожно предположила Настя.

— Слушай, уймись, а? — попросил Сергей.

Пришлось уняться. Она позвонила Сташису.

— Антон, как дела? Вы где сейчас?

— В Соснах.

— А где это? — удивилась она.

— В пятнадцати километрах от Шиловска.

Весь вторник, пока Настя читала дело в суде, и всю среду Антон Сташис носился по Шиловску в поисках родственников, друзей и знакомых Маргариты Андреевны Торлакян, скончавшейся летом 2009 года. Разыскивал он этих людей с одной-единственной целью: спросить, не рассказывала ли она, что к ней приходил следователь, какие вопросы он задавал и что она отвечала. Антону удалось найти немало людей, которых можно было бы спросить об этом, но ответы он получал примерно одинаковые. Во-первых, прошло уже очень много времени, полтора года, и кто теперь вспомнит, о чем рассказывала Маргарита Андреевна, если вообще о чем-то рассказывала, поскольку покойная болтушкой отнюдь не была.

— Строгая такая женщина, сдержанная, — характеризовали ее знакомые. — И сплетен не любила.

А во-вторых, их всех уже об этом спрашивали. Да-да, приходил молодой человек, показывал журналистские корочки и тоже пытался выяснить, о чем Маргарита Андреевна разговаривала со следователем. Но никто ничего толком не знал. Маргарита Андреевна жила не в том доме, где работала консьержкой, а в совершенно другом, и в этом другом доме никому не было интересно, кто там к кому приходил. Они и Леоничева-то не знали, так что рассказывать о его посетителях Маргарите Андреевне было некому.

И всех соседей Торлакян Антон обязательно спрашивал, бывали ли они в квартире Маргариты Андреевны. Вопрос был совершенно бессмысленным, но личный опыт Антона показывал, что из него частенько вырастали очень любопытные и нужные показания.

Так случилось и на этот раз. Одна из соседок вспомнила, что была как-то раз у покойницы Торлакян.

— Знаете, — восхищенно всплеснула руками

соседка, — у нее было огромное количество комнатных растений. Просто не квартира, а настоящий дендрарий. Я даже позавидовала. И все такие ухоженные, блестящие, видно, что здоровые.

— Неужели Маргарита Андреевна никогда никуда не уезжала? — осторожно спросил Антон, боясь спугнуть удачу.

— Почему вы так решили?

— Да куда ж тут уедешь, когда за цветами надо постоянно ухаживать, — пояснил он.

— Точно! — просияла соседка. — Я вспомнила! Я ведь тоже ее об этом спросила однажды, когда увидела Маргариту с большой дорожной сумкой. Она в сторону электрички шла. Я и удивилась, мол, как же цветы-то, ведь лето на дворе, жарко, их и поливать надо, и опрыскивать.

— И что она ответила?

— Сказала, что оставляет на такой случай ключи от своей квартиры Мадине.

— Мадине? А кто это? Ваша соседка?

— Нет, — рассмеялась женщина, — Мадина работает уборщицей в супермаркете рядом с нашим домом, ее все жильцы знают. У нее в Таджикистане семья большая, ей нужно много денег зарабатывать, поэтому она берется за любую работу. Она ко многим нашим убираться ходит или с детьми сидеть, в общем, кому что нужно. Безотказная девчонка и очень честная, ни у кого никогда ни пылинки не пропало, уж про деньги я не говорю. И берет недорого.

Мадину Антон нашел без труда, она мыла полы, сноровисто двигаясь между забитыми товаром стойками в супермаркете.

— У Маргариты Андреевны была подруга в Соснах, — охотно объяснила она, — у подруги там дом. Это километров пятнадцать от Шиловска, можно на электричке доехать, а можно на автобусе.

— Часто Маргарита Андреевна к ней ездила?

— Примерно раз в месяц. Она же работала сутки через трое, так что выходные дни у нее были. Отработает — и на три дня в Сосны уедет, а мне ключи оставляла, чтобы я за цветами ухаживала.

— Что еще вы знаете об этой подруге? Маргарита Андреевна что-нибудь рассказывала о ней?

— Ой, да ничего такого, говорила только, что она у нее самая близкая и что у нее вообще никого на этом свете не осталось, кроме той подруги. Да, вот еще: она в аптеке работает. Провизором. — Мадина отчего-то смутилась и отвела глаза.

— В аптеке? Откуда вы знаете?

— У меня мама болеет, и я как-то Маргарите Андреевне об этом сказала, а она и говорит: если тебе лекарство какое для мамы нужно, ты мне скажи, я тебе из Сосен привезу, у меня там подруга в аптеке провизором работает. В Соснах цены ниже, чем у нас в городе, и тем более в Москве. Хоть на пять рублей, да меньше платить. А для меня пять рублей — деньги.

Ну, вот и слава богу, нашлась-таки близкая подруга Маргариты Андреевны, а то все остальные просто знакомые, с которыми Торлакян не откровенничала.

На следующее утро Антон поехал прямо в Сосны и начал последовательно обходить все аптеки в поисках провизора, с которым дружила Торлакян. И конечно же, нашел.

Любовь Яковлевна, статная красивая дама лет семидесяти с высокой прической, рассказала, что Маргарита как-то позвонила ей и пригласила в театр «Новая Москва» на хороший спектакль с известными артистами.

— Я страшно удивилась, откуда у нее билеты, а Риточка ответила, что ей подарили. Вы представляете? Пришел посетитель в одну из квартир, поздравил с праздником, протянул билеты и говорит: «Это вам к Восьмому марта. Приходите обязательно к нам в театр, это очень хороший спектакль, в нем играют известные артисты. Если вы телевизор смотрите, то наверняка всех их знаете. Приходите, получите удовольствие. Так я пройду?» Ну как после таких слов Риточка могла его не пустить? Она, вообще-то, была строгой консьержкой, всегда допытывалась, к кому идут, ждут ли их, по телефону звонила в квартиру, спрашивала, можно ли пропустить. А тут сплоховала, растерялась, обрадовалась, полезла за очками, стала билеты рассматривать, а тот человек уже у лифта стоял. Она только успела спросить: «А вы артист?» А он в ответ: «Нет, что вы, я так...» Тут дверь лифта открылась, и он уехал.

— А когда этот человек шел обратно, Маргарита Андреевна с ним не заговорила? — спросил Антон.

— Вот не знаю, она не рассказывала, — покачала головой Любовь Яковлевна.

— Когда это было, не помните точно?

— Ну, я же говорю, он ей билеты дал как подарок к Восьмому марта. Значит, где-то около того. Может, седьмого, может, девятого или десятого.

Значит, начало марта. А Леоничева убили в апреле, следовательно, это был не убийца, но все равно странно, что это за знакомство у Леоничева в «Новой Москве». Или у его жены Светланы? Это тем более странно, потому что, если бы в театре действительно были знакомые семьи Леоничевых, они узнали бы историю, которую в виде пьесы принес в театр Лесогоров. А историю, судя по всему, никто не узнал. Во всяком случае, никто об этом не сказал. Значит, в театре все-таки действительно есть кто-то, кто скрывает свое знакомство с Леоничевым. Или этого человека уже нет в театре? Ведь прошло полтора года, мало ли что...

— Во время спектакля Маргарита Андреевна не узнала того гостя на сцене среди артистов? — спросил Сташис.

— Нет, — улыбнулась Любовь Яковлевна, — Риточка специально смотрела, надеялась, что он тогда просто поскромничал, а на самом деле окажется известным артистом, который пригласил ее на свой спектакль. Но его среди исполнителей не было.

Не было. Или Торлакян не узнала его в гриме. Или он и в самом деле не артист.

— А как назывался спектакль?

— «Двенадцать разгневанных мужчин».

— Погодите, а в театре в фойе висят фотографии всех артистов труппы, режиссеров, художников, вы их не смотрели? Маргарита Андреевна не пыталась найти того гостя на этих снимках?

— Нет, мы к началу чуть не опоздали, все-таки издалека ехали, так что из гардероба прямо в зал побежали, а в антракте в буфет пошли, я ведь прямо с работы, поесть не успела, проголодалась очень.

— А потом, после спектакля? — не отступал Антон.

— А уж после спектакля мы сразу поспешили в гардероб занять очередь за своими пальто.

Снова неудача. Но все-таки...

— Маргарита Андреевна не описывала вам его внешность? Молодой или в годах? Симпатичный или не очень? Видный, представительный? Какой?

— Нет, — с сожалением произнесла Любовь Яковлевна, — Рита не говорила. Как-то ни к чему было. Да я и не спрашивала.

— Маргарита Андреевна рассказывала вам, что к ней приходил следователь?

— Да, конечно. Он как раз интересовался, кто в ту квартиру наведывался, вот она ему про билеты и рассказала.

И рассказ этот почему-то очень заинтересовал следователя Тихомирова. Он сделал вывод, что ниточка ведет в театр «Новая Москва». Почему? На основании чего сделан такой вывод? Чутье? Интуиция? Или была еще какая-то информация, которая оказалась за рамками записок следователя?

Распрощавшись с Любовью Яковлевной, Антон Сташис сел в свою машину, достал мобильник, подключился к Интернету, вышел на сайт театра «Новая Москва», посмотрел репертуар и нашел перечень исполнителей в спектакле «Двенадцать разгневанных мужчин». Двенадцать артистов. Среди них — Иван Звягин и Михаил Арцеулов.

— Тебе придется взять меня с собой, — настойчиво убеждала Настя Сергея Зарубина.

— Да больно ты мне нужна, — вяло упирался подполковник. — Что я, маленький? Без тебя не справлюсь?

— Во-первых, ты действительно маленький, — зловредно констатировала Настя, — а во-вторых, я читала дело и владею материалом, а ты не читал.

— Но ты же мне все рассказала, — резонно возразил Зарубин.

— А ты наверняка не все запомнил, — отпарировала она. — Короче, едем к Деминой вместе. Ты мне еще потом спасибо скажешь. Я надеюсь, у тебя хватило ума не звонить ей и не договариваться о встрече?

— Обидеть хочешь, — не то спросил, не то утвердительно заявил он. — Ладно, поехали вместе. Встречаемся через час в адресе.

На звонок в дверь им никто не открыл, пришлось устраиваться на лестничной площадке, на подоконнике, и ждать. Вероника Демина появилась только часа через полтора, судя по пакетам, она ходила за продуктами.

— Вы ко мне? — удивленно и совершенно не испуганно спросила она, когда увидела, как Настя с Сергеем подходят к ее двери, пока она возится с замком.

— Мы из милиции, — отрекомендовался Зарубин, — по поводу Светланы Леоничевой.

— А что со Светой? — еще больше удивилась Демина. — Она же в тюрьме должна быть. Или ее выпустили?

— Можно нам войти? — спросила Настя вместо ответа.

Первое, что бросилось в глаза, едва они переступили порог квартиры Вероники Деминой, было огромное количество фотографий Никиты Колодного: любительские снимки, профессиональные портреты, кадры из фильмов.

— Вы поклонница Колодного? — задала вопрос Настя. Зарубин молчал, потому что в театре не был и Никиту Колодного ни разу не видел.

Демина недоуменно посмотрела на Настю и тонко улыбнулась:

— Можно и так сказать. Я — жена Никиты.

Вот это номер! Похоже, на этот раз они попали «в цвет».

— Но ведь ваша фамилия Демина, — уточнил пришедший в себя Зарубин. — Вы ее не меняли?

— Почему же? Я — Колодная, я сразу же поменяла паспорт, как только мы поженились.

— И давно вы поженились?

— В сентябре прошлого года.

Ну да, а суд над Леоничевой прошел в августе, тогда Вероника еще была Деминой, именно под этой фамилией она и фигурирует в материалах дела.

— Так что вы хотите, я не поняла? — спросила Демина-Колодная, чуть сдвинув тонкие, изящно очерченные брови. — Какие у вас ко мне вопросы?

Услышав, что гостей интересует история с судом и подвеской-пентаклем, Вероника тяжело вздохнула и вдруг расплакалась. Она оказалась из тех редких женщин, которых слезы не портили, не уродовали, Вероника оставалась все такой же нежной красавицей. Они даже не мешали ей говорить.

...Никто в их классе не понимал, что нашла умница, отличница и красавица Верочка Демина

236

в Светлане, которая была, конечно, очень и очень симпатичной, но троечницей и хулиганкой, имевшей по поведению постоянный непреходящий «неуд». Свету постоянно ловили с сигаретой в туалете, в старших классах ее выгоняли с уроков то за слишком яркую косметику, то за вызывающе короткие юбки или высокие каблуки. Светка была в школе «передовым отрядом взрослости» и уже в восьмом классе рассказывала Веронике не только про мальчиков — мальчиками-то в те годы трудно уже было кого-то удивить, но и про взрослых мужчин, с которыми у нее «было». Вероника же была девочкой экзальтированной и впечатлительной, и ее влюбленность в Светлану буквально зашкаливала, она ходила за ней по пятам, заглядывала в глаза и во всем слушалась.

Девочки выросли, закончили школу, но продолжали дружить. Вероника поступила на филфак, а Светлана совершенно неожиданно для всех стала учиться на дизайнера, почему-то ее эта профессия привлекала. Вокруг Вероники всегда было много достойных молодых людей, она не знала отбоя от кавалеров, а вот Света, несмотря на всю свою раскованность и яркость, как-то с личной жизнью притормозила. То есть кавалеры, само собой, были, но такие, что лучше бы их и вовсе не было, не то что у Верочки.

И вдруг на Светланином горизонте появился Дмитрий Леоничев, пятидесятилетний владелец пусть не огромного, но все-таки бизнеса, красивый, холеный, успешный и по Светланиным меркам жутко богатый. И, кстати, недавно разведенный. Ей, двадцатилетней девочке из малообеспеченной семьи, Дмитрий показался божеством, принцем на белом коне, которого нельзя было упустить ни за что на свете.

И вот тогда добрая и жалостливая Вероника отдала ей пентакль. Тот самый пентакль Королевы Высшей судьбы, который ей когда-то подарила бабушка, объяснив, что он приносит счастье в личной жизни и обеспечивает крепкий брак, построенный на чувствах, и наказав беречь как зеницу ока. Без пентакля никакого супружеского счастья не будет. И Вера свято в это верила. Но ей так хотелось, чтобы ее любимой подружке наконец повезло!

И ей повезло. Дмитрий Леоничев женился на Светлане, дождался, пока она получит профессию, помог создать свою, пусть крохотную, но фирму по дизайну, послал учиться за границу, а впоследствии привлекал жену к отделке того, что сам строил. Одним словом, получился крепкий дружеский семейный альянс.

А в жизни Вероники вскоре появился актер Никита Колодный, влюбленный в нее по уши. Они сперва долго встречались, потом стали жить вместе, а потом... Потом Никита поставил вопрос о свадьбе, браке и детях. Он очень хотел жениться на Веронике и очень хотел детей. Вероника тоже любила Никиту, и все могло бы быть хорошо, просто отлично, если бы не пентакль. Тот самый пентакль Королевы Высшей судьбы, который она отдала Светлане и без которого не может быть счастья в супружеской жизни.

После долгого перерыва Вероника позвонила Светлане и попросила вернуть подвеску. Она была совершенно уверена, что не встретит отказа, и каково же было ее изумление, когда Света высмеяла ее.

— Да брось ты верить во всякую чепуху, — весело сказала она. — Живешь со своим актером — вот и живи, и радуйся, а мне голову не морочь. Это был подарок, а подарки назад не возвращают. Из принципа не отдам тебе подвеску, не хватало еще, чтобы ты у меня свои подарки отбирала.

Вероника пыталась убедить подругу, но в ответ услышала короткое:

— Отвянь!

На какое-то время она смирилась. В конце концов, они с Никитой любят друг друга и все равно живут вместе, так какая разница? Но Никита Колодный был другого мнения, и ссоры, вызванные нежеланием Вероники регистрировать брак, становились все чаще и чаще.

— Не хочешь выходить за меня замуж — не выходи, но роди мне ребенка, — просил Никита.

— Дети могут быть только в браке, — твердо отвечала Вера. — Иначе будет неправильно.

— Хорошо, тогда давай поженимся. Ты ведь тоже хочешь детей, разве нет?

— Хочу, — признавалась Вероника. — Но для

этого нужен брак, а для брака нужен пентакль, иначе брак не будет прочным и скоро распадется.

Никита много сил положил на то, чтобы убедить любимую выкинуть из головы всякие бредни насчет пентакля и его якобы магической силы, но все было напрасно: Вероника никаким уговорам не поддавалась и твердо стояла на своем. Никита предлагал купить другой пентакль, точно такой же, их можно было заказать в интернет-магазине за совсем смешные деньги, хоть отечественные, хоть импортные, хоть латунные, хоть серебряные, хоть какие, на веревочках и без таковых.

— Нет, — твердила Вероника, — это все не то. Мой пентакль я получила от бабушки, а та — от своей мамы, которой его подарил ее дед, знаменитый путешественник. Он привез пентакль из дальней страны, где его сделал настоящий маг, сделал по всем правилам, с соблюдением всех обрядов, с учетом положения планет и звезд, именно поэтому он имеет такую силу. А то, что продают через Интернет, — дешевая подделка.

В конце концов после очередной ссоры с Никитой Вера решила поговорить со Светланой лично, а не по телефону. Она поехала в Шиловск, где жила после замужества Светлана. Она была дома, это Вероника знала точно, потому что перед подъездом стояла машина подруги, а окна в квартире были распахнуты. Вера нажала кнопку видеодомофона, но ей никто не открыл. Нажала еще несколько раз, но с тем же результатом. «Она меня видит и не хочет со мной разговаривать, — поняла наконец Вероника. — Ну что ж, попробую прорваться».

Она позвонила к консьержке, которая оказалась ужасно злой и придирчивой, не пускала ее, звонила по телефону Светлане и спрашивала, можно ли пропустить гостью. Светлана, судя по всему, пропускать не велела. Тогда Вероника вырвала у сердитой консьержки трубку и стала, рыдая, умолять Свету принять ее. Рыдания подействовали, Светлана, хоть и с явной неохотой, согласилась встретиться и поговорить. Веронику пропустили.

Но толку от этого разговора все равно не было. Светлана стала еще более жесткой и циничной, а ее отказ — еще более грубым и хамским.

— Не отдам, — с холодной улыбкой заявила она. — Пентакль теперь мой. И перестань меня доставать своими глупостями. Если у тебя с Никитой все серьезно, то выходи за него замуж, рожай детей и делай все, что хочешь. И вообще, Верка, хватит уже! Ты всегда была и отличницей, и красавицей, и все лучшее было у тебя, даже с родителями тебе повезло, и одета была как картинка, и цацки у тебя были еще в детстве, а я что? Что у меня было? Отец-алкоголик и мамка-уборщица? Я всего сама добилась, своим горбом, и никому ни грамма не уступлю. У меня хороший муж, крепкий стабильный брак, я обеспечена и уверенно стою на ногах, а ты хочешь отобрать у меня пентакль, чтобы я всего этого лишилась? Не выйдет! Как говорится, талантам надо помогать, бездарности пробьются сами. Вот ты сама и пробивайся, а меня не трогай.

— Значит, ты все-таки веришь в силу пентакля? — спросила Вероника. — Значит, ты понимаешь, что это не ерунда?

— Верю не верю, какая разница? Все равно я его тебе не отдам. Он мне самой нужен. Хотя бы для самоутверждения. Ты мне надоела своим превосходством, надоела тем, что у тебя всегда все было самым лучшим, поняла? Пусть, наконец, у меня будет то, чего у тебя нет и что тебе позарез нужно.

Слова Светланы были вздорными и какими-то детскими, в них не было ни логики, ни ума, ни четкой последовательной позиции, и Вероника ничего не смогла с этим сделать. Она еще какое-то время плакала и уговаривала, но в итоге покинула квартиру Леоничевых ни с чем.

Дома она пересказала Никите в подробностях свой разговор с бывшей подругой.

— Наверное, мне нужно самому поговорить с ней, — решил Колодный. — Не расстраивайся, я решу проблему.

— Только имей в виду, если попадешь в дежурство этой церберши, она тебя не пропустит, — предупредила Вера.

— Меня? — усмехнулся Никита. — Пусть только попробует.

Он запасся билетами, которые купил за собственные деньги в кассе, и поехал в Шиловск.

В домофон звонить не стал, понимал, что Светлана ему тоже не откроет, как не открыла Веронике. Оказалось, его предусмотрительность была не напрасной, в подъезде действительно сидела суровая Маргарита Андреевна, но фокус с билетами «к празднику» сработал безотказно. Никита поднялся на нужный этаж, позвонил в дверь, а когда его спросили «кто это?», нахально ответил, что он — сосед и пришел попросить соль. Ему открыли. Видно, Светлана не очень-то общалась с жильцами своего дома и почти никого не знала, ей и в голову не пришло уточнять через дверь, какой именно сосед к ней пожаловал.

Однако все эти хитрости и усилия ни к чему не привели, Светлана страшно возмущалась тем, что ее никак не оставят в покое, говорила все те же циничные и грубые слова, суть которых сводилась к одному: пентакль она не отдаст, он ей самой нужен, потому что своим браком она дорожит и ни за что не станет рисковать. И вообще, теперь для нее это стало делом принципа.

И тогда Никита Колодный решил поговорить с мужем Светланы, Дмитрием Леоничевым. Поговорить по-мужски, попросить повлиять на жену, уговорить ее. Все-таки мужики всегда поймут друг друга. Во всяком случае, Никита очень на это надеялся. Но для этого нужно было улучить момент, когда Дмитрий будет дома один. Ехать с таким разговором к нему в офис Никита не хотел, вести беседы о магическом пентакле в служебной обстановке смешно, атмосфера не та,

Леоничев будет занят делом и постоянно отвлекаться, да и посторонние все время будут крутиться рядом. Никита выбрал время, когда в течение нескольких дней у него не было ни репетиций, ни спектаклей, и стал каждое утро уезжать в Шиловск. Наконец ему удалось застать Леоничева дома одного.

Вернулся в Москву Никита с пентаклем. Дмитрий оказался разумным спокойным мужиком, правда, нетрезвым, но вполне вменяемым, который выслушал Колодного, отдал ему подвеску и пообещал, что все вопросы со Светланой решит сам. В конце концов, сказал на прощание Дмитрий, Света хоть и вздорная, но в целом очень неглупая женщина, она должна понять, что муж поступил правильно, и не станет упираться по пустякам.

— Когда это было? — спросила Настя. — Припомните как можно точнее.

— В апреле прошлого года. Где-то в середине, точнее не скажу.

В середине апреля. Примерно тогда же, когда погиб Дмитрий Леоничев. Судя по всему, он так и не успел сказать своей жене, что отдал пентакль, не собрался, видно, откладывал на потом, ждал благоприятного момента, когда у Светланы будет подходящее настроение. Но не дождался. Если верить материалам дела, в этот период Леоничев уже сильно пил, так что мог и вовсе забыть о неожиданном госте и отданной ему подвеске. Как бы там ни было, но Светлана Леоничева не знала о том, что пенктакля у нее уже нет, когда посылала своего адвоката к Веронике Деминой.

Ворон несся над верхушками деревьев, предвкушая, какой фурор произведет его рассказ о страстной любви актера Никиты Колодного и Вероники и о таинственном пентакле. Обычно он смотрел за один заход большие куски, но тут не смог удержаться и сразу же рванул назад, чтобы поделиться новостями. Каково же было его отчаяние, когда, подлетев к поляне, он застал ужасающую, на его взгляд, картину: вокруг Камня собрались Белочка с бельчатами, Зайцы, Ежики всем семейством, Змей тут же валяется, раскинул кольца, как у себя дома, а Кот Гамлет расхаживает взад-вперед, поставив вертикально хвост, и вещает. И все слушают, раскрыв рты, его театральные байки.

— Папенька постоянно брал меня с собой в театр, и на репетиции, и на спектакли, меня в театре любили и баловали. Особенно мне нравилось одно место, оно называется «буфет». Сейчас-то я понимаю, как там все устроено, а когда я был совсем маленьким, то буфет мне казался таким специальным заведением, в котором сидела специальная тетя, и она из специального шкафчика доставала сосиски или колбаску.

— А разве вам можно? — удивился Камень. — Вы же говорили, что вам мяса нельзя.

— Так это было до того, как меня изуродовали. И потом, когда я стал взрослым, мне вареное-то все равно было можно, хоть и понемножку. Ну, если по большому счету, то, конечно, нельзя, но уж до того вкусно, что можно, — замысловато объяснил Кот. — А вот когда я был еще ребенком, то никак не мог понять, почему папенька не заведет себе дома такую же специальную тетю, которая будет из холодильника доставать сосиски и колбаску. Это же очень удобно, можно в магазин не ходить, а вкусное всегда в доме есть. И представляете, я решил, что таких теть очень мало, на всех не хватает. Бог мой, каким я был умильным ребенком! — И Кот расхохотался, весьма довольный собой.

— Неужели ваша маменька ничего не объясняла вам про человеческую жизнь? — спросил Камень. — Она что же, отдала вас папеньке совершенно неподготовленным?

— Да маменьку-то кто спрашивал? — горестно вздохнул Кот. — Она, может, и рада была бы меня еще попестовать и повоспитывать, а вот бабушка решила, что пора меня отдать, — и отдала. Вообще-то, я на бабушку обижен, должен вам признаться. Других котят из моего помета отдали в богатые дома, а меня — нищему пьющему папеньке. Теперь этих других котов по заграницам возят и в загородных домах гулять выпускают, а я, кроме тесной квартирки и театра, ничего в жизни не видел. Нет, я не хочу сказать ничего плохого про папеньку, он меня любил, и я его тоже любил, и переживал за него, жалел, горевал вместе с ним, что ролей не дают, а во время спектаклей сидел за кулисами, смотрел на папеньку и волновался, как бы он слова не забыл, он ведь выпивал, а это на памяти сказывается. Но все равно моя судьба могла бы быть куда ярче и значительнее.

Змей собрал кольца, подтянулся и выпрямился во весь свой немалый рост.

— Вы просто не понимаете, как вам повезло, уважаемый Гамлет, — загремел он. Ворон даже вздрогнул от неожиданности, он не думал, что у его заклятого врага бывает такой громкий и сердитый голос. — В богатом доме вы бы ничего не увидели, валялись бы в своей шелковой корзинке, и вас считали бы вещью, которой можно хвастаться перед гостями, но с которой можно не считаться ни в чем. А папенька сделал вас своим другом, родственником даже, вы были его семьей, его близким существом, он вам про Гамлета рассказывал, про дядю Ваню, в театр носил, вы смотрели репетиции, спектакли, вы слушали разговоры умных людей и имели возможность развиваться интеллектуально и духовно. За все это вы, дорогой Гамлет, должны быть благодарны судьбе и в первую очередь — своей бабушке. Хочу вам заметить, что я разочарован. Я от вас такой тухлой жизненной позиции никак не ожидал.

Произнеся свою гневную тираду, Змей мягко опустился вниз и обмотался вокруг Камня, отвернув овальную голову от Кота, словно выражая свое презрение. Ворон остался очень доволен! Так ему и надо, этому бездомному выскочке, получил по заслугам. Ну что ж, теперь пора и самому выступить, самое время.

Он появился перед присутствующими и подробнейшим образом доложил историю Никиты Колодного, Вероники и супругов Леоничевых.

— Ах, какая любовь, какая любовь, — трагически вздыхал Камень. — Подумать только!

— А у меня тоже была любовь, — тут же нарисовался Кот с очередным выступлением, — и, между прочим, несчастная. У моего дядюшки кошечка...

— У дядюшки? — переспросил Змей. — Это что, какая-то новая фигура? Про дядюшек вроде базара не было.

— Дядюшка — это дядя Илларион, наш с папенькой сосед по дому, этажом выше жил. И у него кошечка, зовут Нефертити, для близких — просто Нифа. Ах, как я ее любил! Как я страдал! — Кот картинно выгнул хвост и принял позу убитого горем Ромео. — Бог мой, как она была хороша! Сфинкс называется.

— Это еще что за явление? — спросил Камень. — Которые в Египте, что ли? Так они каменные. А чтобы кошка — я про таких не слыхал.

Ну, Камень-то, может, и не слыхал, зато Ворон своими глазами видел.

— Она лысая, — злорадно заявил он.

— Господи! — ахнул Камень. — Она больная, что ли?

— И морщинистая, — добавил Ворон радостно.

— Так она еще и старая? — не поверил своим ушам Камень.

— И вся трясется, — продолжал Ворон описание далекой возлюбленной Кота Гамлета.

— Может, у нее падучая? — предположила Белочка.

— И еще она горячая, как будто у нее высокая температура, — с глубоким удовлетворением закончил Ворон.

— Так у нее, наверное, лихорадка, — догадалась Белочка. — Ее надо срочно лечить.

Кот обиделся окончательно, дернул хвостом и скрылся за ближайшим кустом.

— Нехорошо вышло, — огорченно протянул Камень. — Получается, будто мы его высмеяли. У него настоящее чувство, а мы... Надо как-то извиниться, что ли.

— Еще чего! — каркнул Ворон. — С чего это мы будем перед ним извиняться? Больно надо. Я правду сказал, евонная Нефертити такая и есть, страшная, лысая и морщинистая, а на правду не обижаются.

— Это для тебя она страшная, а для тех, кто ее любит, она самая красивая кошка на свете, — укоризненно проговорил Камень. — И вообще, у красоты нет эталонов. Тебе, я так понимаю, и Гамлет наш не нравится, а по-моему, он очень симпатичный.

— Да красивый он, а не симпатичный, — прошипел ехидно Змей. — Самый что ни есть красавец писаный. А кому не нравится, тот пусть не любуется. Ты, Ворон, полетел бы да посмотрел, как там Нифа эта поживает, глядишь, Гамлет смягчится и простит нас.

Куст зашевелился, сперва показались длинные усы, потом половина Кота.

— Нечего там смотреть, — горестно изрек он. — Как любит говорить бабушка: не в этой жизни. Нифе для любви принесли совсем другого котика, правильной породы.

— А у вас что, порода неправильная? — изумился Камень. — Вы же такой красавчик — глаз не оторвать.

— Я — помесь мэнской и шиншиллы, я для Нифы не гожусь, — всхлипнул Кот. — Дядюшка разрешает ей только с такими же лысыми водиться. — Из его разноцветных глаз потекли слезы.

— Ну, и что там дальше было? — спросил Змей, чтобы понизить эмоциональный накал момента. — Или ты, кроме истории любви, ничего нам не принес?

Ну конечно, не принес он! Ворон просто не все рассказал, но он в последнее время стал предусмотрительным, с этим Котом дурацким еще и не таким станешь. Всегда надо иметь в запасе нерассказанный момент, лучше — два, чтобы сбивать спесь с Гамлета, который начинает выступать, только ослабь хватку.

Оказалось, что в четверг, второго декабря,

было оформлено разрешение на получение детализации телефонных звонков Никиты Колодного.

— Почему? — не понял Камень. — Он же не убивал.

— Но он молчал, — возразил Ворон. — Он не мог не узнать в пьесе Лесогорова семью Леоничевых, но почему-то промолчал. И это подозрительно. Поэтому сыщики решили посмотреть, с кем он общался в течение последнего месяца.

— И что удалось выяснить? — поинтересовался Змей.

— Ну, там всякие его контакты, в том числе некая Ольга Попова из Шиловска.

— А это кто ж такая будет? — удивленно спросил Камень.

— Ну, сие мне неведомо, — многозначительно изрек Ворон. — Это мне надо лететь дальше смотреть.

У Змея, видимо, возникло желание попридираться.

— А чего ж сразу не посмотрел?

— К вам, дуракам, спешил, — буркнул Ворон. — Хотел поскорее про пентакль рассказать. Да только вы моих усилий не цените, и вообще, вы меня ни в чем не цените и не уважаете, я от вас никакой благодарности не вижу, одни только придирки и попреки. Вот перестану летать и смотреть — поплачете тогда.

— Ой, нет, — испуганно пискнул Кот Гамлет, — только не это! Я вас умоляю, уважаемый

Ворон, не бросайте историю, досмотрите до конца и нам расскажите. Не знаю, как остальные, а я лопну от любопытства, если не узнаю, чем дело кончилось.

— А тебе вообще пора домой возвращаться, — огрызнулся Ворон. — Расселся тут, хвост распушил и командует, понимаешь. Я не для тебя стараюсь, а для Камня.

— Как — домой? — опешил Кот. — Куда это — домой? У меня теперь дома нет, там чужие люди живут. Куда же мне деваться?

— А в театр, — мгновенно нашелся Ворон. — Там тебя все знают, все любят, сам говорил.

— Точно! — Кот аж присел на задних лапах. — Как же это я сам не догадался? Надо было мне сразу в театр идти, как только папеньку в больницу свезли. Какой же я идиот, ну какой же идиот!

— Ничего, — принялся утешать Кота Змей, — зато вы провалились в дыру и познакомились с нами. Вон какую интересную историю слушаете, а так и не узнали бы ничего.

— Как это не узнал бы? — возмутился Кот. — Я сейчас был бы в театре, в самой гуще событий, я, может, узнал бы побольше вашего.

Нет, такой наглости Ворон стерпеть уже никак не мог.

— Во-первых, — начал он, приосанившись, — ты бы видел только то, что происходит в самом театре, а я вижу во всех местах, и в этом принципиальная разница между тобой и мной. А во-вторых, если тебе не нравится, как я рассказываю, то катись в свой театр и сиди там, мышей лови. Тебе на нашей поляне Вечных делать нечего, ты нам не компания.

Камень, однако, неожиданно встал в оппозицию.

— Кота нельзя отправлять обратно, это нарушение, — строго сказал он, пошевелив бровями. — Если уж он попал сюда, то, стало быть, исчез оттуда, верно?

— Ну, — кивнул блестящей черной головой Ворон. — И чего?

— А если Гамлета в той реальности нет, то его там уже нет. То есть та реальность существует уже без него, и менять мы ничего не можем. Права не имеем.

— Да ты просто признайся, что влюбился в своего Кота, — заверещал Ворон, словно Гамлета и рядом не было, — и не хочешь с ним расставаться. Ты предатель! Ты предал нашу вечную дружбу, наши вечные принципы!

Камень пристыженно замолчал. В словах Ворона была своя правда, он действительно очень привязался к Коту Гамлету. Но и правила обращения с «той» реальностью тоже были незыблемыми, и с этим приходилось считаться.

Ворон между тем слетел с ветки, уселся Камню на макушку и наклонился к самому уху.

— Ты только представь, — зашептал он, стараясь, чтобы Кот его не услышал, — Гамлет рано или поздно помрет, потому что он смертный.

И тебе придется его хоронить. А так мы его отправим подобру-поздорову и никогда не узнаем, что с ним случится. И можно будет всегда думать, что он живой и с ним все в порядке. Ведь здорово же, а?

С этим трудно было спорить. Но все-таки нарушение серьезное...

— А ты что думаешь, Змей? — обратился Камень к другу, покосившись на Гамлета, который, замерев, сидел в сторонке и с трепетом ждал, как решится его судьба.

— Я думаю, — неторопливо зашипел Змей, — что уважаемого Гамлета можно вернуть назад. В конце концов, когда он провалился в пространственно-временную дыру, он был без сознания, тяжело болел, то есть находился не в активной фазе своего существования. И пребывал он в этой фазе весьма долго даже с учетом того, что мы изо всех сил его лечили. А если бы его не лечили?

— Он бы сдох, — доброжелательно выступил Ворон.

— Он бы пролежал больным и неактивным еще дольше, — высказал предположение Камень. — Я понимаю, что ты хочешь сказать.

— А я — нет, — жалобно мяукнул Кот.

— Змей хочет нам сказать, что, поскольку ты все равно ничего не смог бы сделать, то ты никак не мог бы изменить реальность своим присутствием. Какая разница, где ты валялся бы как колода, там, возле бензоколонки, или здесь? Тебя все равно никто не взял бы к себе домой, уж больно ты страшный был и грязный, таких в дома не берут, — начал объяснять Ворон. — И ни одну мышь ты бы не поймал. Одним словом, той реальности совершенно по барабану, был ты в ней или нет, толку от тебя все равно никакого. А коль ей по барабану, то тебя вполне можно вернуть, как будто ты повалялся-повалялся — да и поправился. И тут я со Змеем полностью солидарен.

— Но я не хочу, — плаксиво заявил Гамлет. — Мне еще рано обратно, я хочу дослушать историю.

— Ладно, — великодушно согласился Ворон, — так и быть, поживи с нами, пока мы до конца не досмотрим, а потом отправляйся.

— Но я не знаю как... Я не умею... — растерялся Кот.

— А я тебе помогу, — пообещал Ворон. — И до места доведу, не потеряешься. Или Змея попросим, он тоже место знает.

Змей согласно кивнул и принялся укладываться кольцами, что означало его стремление к покою, свободному от споров и конфликтов.

В Шиловск к Ольге Поповой Антон Сташис поехал один, Настя сказала, что ее спина еще одной поездки просто не выдержит.

Жила Попова, насколько удалось выяснить, одна и работала системным администратором в какой-то конторе. Антон решил навестить ее вечером и не прогадал — Ольга была дома. Она открыла дверь в халатике, из-под которого виднелись голые не очень-то стройные ноги.

— Слушаю вас, — спокойно произнесла она, глядя на Антона ясными глазами.

— Я из уголовного розыска, моя фамилия Сташис, — представился Антон, доставая удостоверение.

Ольга переполошилась и принялась запахивать на себе халат, и без того туго подвязанный пояском.

— А что случилось? Ой, нет, погодите, вы проходите, проходите в комнату, мне надо переодеться.

— Да не надо переодеваться, не беспокойтесь, — попытался остановить ее Антон, но девушку уже как ветром сдуло.

Она скрылась в другой комнате и появилась через некоторое время вполне одетая, в джинсах и блузке навыпуск. Распущенные волосы оказались собранными на затылке и сколотыми в замысловатый узел. Даже глаза, насколько Антон успел заметить, стали ярче и выразительнее, видно, она обновила макияж.

— Вот теперь я готова с вами беседовать, — улыбнулась Ольга. — Что вас интересует?

— Меня интересует Никита Колодный. Вы с ним знакомы?

Ольга чуть заметно дернула губами.

— Знакома, но не близко. А что случилось? У него какие-то проблемы? Неприятности?

— С ним все в порядке, не волнуйтесь. Мы занимаемся покушением на художественного руководителя...

— А, ну да, Богомолов, — перебила его Ольга. — Никита рассказывал, какое несчастье с ним случилось. Но я не понимаю, какое отношение...

— Ольга, поверьте мне, я бы не поехал к вам в такую даль, если бы это не было важно, — мягко проговорил Антон. — Пожалуйста, ответьте на мои вопросы, и чем скорее вы это сделаете, тем скорее я уйду и оставлю вас в покое. Так какие у вас отношения с Колодным?

— Я же говорю: не близкие.

— Поконкретнее можно?

— Я его поклонница, хожу на его спектакли. Поскольку мы знакомы, то иногда он мне звонит.

— Вы с ним встречаетесь?

— А вы чаю хотите? — ответила она вопросом на вопрос и рассмеялась.

— Нет, спасибо, — отказался Антон. — Так вы встречаетесь с Колодным?

— А я выпью чайку. Знаете, только что с работы пришла, поужинать не успела, есть очень хочется. Одну минутку подождите.

Ольга скрылась в кухне, но Антон последовал за ней, встал в дверях и молча наблюдал, как девушка в один чайник наливает воду, а в другой насыпает заварку.

— Ольга, вы не ответили на мой вопрос, — настойчиво произнес он, внимательно глядя на ее руки, порхающие над чашкой, блюдцем и сахарницей.

— Вы хотите знать, не встречаемся ли мы с Никитой в романтическом, так сказать, плане? — наконец заговорила она. — Вынуждена вас разочаровать. Конечно, не стану скрывать, я бы хотела, чтобы наши отношения были более близкими, но Никита женат и очень любит свою жену. Мне не на что рассчитывать. Поэтому наши отношения ограничиваются только разговорами.

— И о чем же вы разговариваете?

— О театре, о спектаклях, о его ролях, о разных пьесах.

— То есть вы — театралка? — уточнил Антон.

— Ну... — смущенно улыбнулась Ольга. — Вообще-то, не очень. Просто мне нравится Никита, и я стараюсь быть для него интересной.

— Скажите, Ольга, а о той пьесе, которую он сейчас репетирует, вам Колодный что-нибудь рассказывал?

Она подхватила поднос, на котором стояли чашка с горячим чаем, сахарница и молочник, и пошла в комнату. Антону пришлось посторониться, чтобы пропустить ее. Ольга уселась на диван, положила в чашку сахар, налила молоко, все это неторопливо размешала ложечкой и, вопросительно посмотрев на Антона, предложила:

— Не соблазнитесь? Давайте я вам тоже налью, пока горячий. У меня очень хороший чай.

Но он снова отказался. Ему не хотелось отрываться от наблюдения за Ольгой, за движениями ее густых темно-рыжих бровей, ее пухлых губ, покрытых ярко-розовой помадой.

— Так что насчет пьесы? — напомнил он.

— Никита говорил о ней, но не в подробностях. Я поняла только, что пьеса ему не нравится, но он счастлив, что ему дали одну из двух главных ролей, он так долго ждал этого. Раз вы спрашиваете про Никиту, то, наверное, уже знаете, что ему долго не давали играть, поэтому для него важен этот спектакль. Он очень хочет, чтобы пьеса стала лучше и чтобы спектакль не списали после трех-четырех представлений, а давали несколько сезонов. Вот, собственно, и все, что я знаю.

— А чем именно ему не нравится пьеса, он не говорил?

— Никита сказал, что она совсем сырая и вообще малоинтересная, в характерах нет изюминки, нет драматургии образов.

— Расскажите, пожалуйста, когда и как вы познакомились?

Ольга отпила из чашки, поморщилась и добавила еще немного молока.

— Горячо, — сказала она, виновато улыбнувшись. — Мы познакомились с Никитой два года назад. Я была на спектакле, увидела его и влюбилась. Смешно, правда? Взрослая девица, разумная, самостоятельная, с высшим образованием, а влюбилась как дура. После спектакля побежала в киоск, купила цветы и ждала его у служебного входа, все боялась, что пропустила, что он уже успел уйти, пока я за цветами бегала. Но не пропустила. Он вышел, я подарила цветы, начала лепетать что-то про его талант, а он подхватил меня под руку, улыбнулся так приветливо и пригласил выпить кофе рядом в кафе. Представляете, как я была счастлива? Никита взял мой номер телефона и сказал, что, когда будет спектакль, в котором у него небольшая, но очень яркая роль, он обязательно мне позвонит и пригласит.

— Позвонил?

— Господи, ну конечно же нет! — Ольга рассмеялась легко и почему-то радостно. — Прошло время, он не позвонил, хотя спектакль прошел уже несколько раз, я специально следила по афишам, и я поняла, что все его слова — пустая болтовня. Он был так мил тогда в кафе, и мне показалось... Ну, вы понимаете. А тут я поняла, что совершенно ему не нужна. Прошло больше года, и я снова попала в этот театр, и снова увидела его, и снова купила цветы и ждала у служебного входа. Он так обрадовался, когда увидел меня! Я даже не ожидала, честное слово. Никита сказал, что потерял мой телефон, и долго извинялся, что так получилось и он мне не позвонил. Мы снова пошли пить кофе, я высказала какие-то соображения о спектакле и об игре артистов, а Никита сказал, что у меня удивительное чутье на театральное искусство и мое мнение может оказаться для него полезным. С тех пор он звонит мне, когда чаще, когда реже, мы подолгу разговариваем. На этом наши отношения заканчиваются. Увы, — с улыбкой добавила Ольга.

— А вам хотелось бы продолжения? — спросил Антон. — Простите, если лезу не в свое дело, вы можете не отвечать.

— Ну, почему же, я отвечу. Да, мне хотелось бы более близких отношений, потому что Никита мне очень нравится и как мужчина, и как личность. Но поскольку я знаю, что это невозможно, то и не мечтаю об этом. А теперь объясните мне, пожалуйста, почему вы обо всем этом спрашиваете и какое отношение мои разговоры с Никитой имеют к покушению на Богомолова.

— Ольга, мы проделываем массу рутинной работы, собираем информацию всюду, где только можем, а потом для дела оказывается нужной всего одна капля из целого океана сведений. Но мы никогда не знаем, какая именно капля понадобится, поэтому собираем их все и беспомощно барахтаемся в волнах. Так понятно?

Она резко встала и очень серьезно посмотрела на Антона.

— Понятно, что ничего не понятно. Но другого ответа я, видимо, не дождусь. Пойдемте, я провожу вас.

Антон отъехал от Шиловска, прижался к обочине, выключил двигатель и достал диктофон. Голос Ольги Поповой заполнил салон автомобиля, Антон слушал с закрытыми глазами и вспоминал то, что видел. Девушка в коротком махровом халатике. Распущенные длинные, чуть волнистые волосы, кривоватые ноги, но щиколотки хорошие, сухие, тонкие, а вот коленки угловатые, какие-то мосластые. Вот она скрывается в комнате и появляется в... драных джинсах и однотонной изумрудно-зеленой блузке с рюшами. Такую блузку надевают только под строгий черный костюм, а никак не к модным джинсам блекло-голубого цвета. Волосы забраны в узел и сколоты голубой пластмассовой дешевенькой заколкой. На губах ярко-розовая помада, а глаза... глаза подведены тонкими стрелками, на веках тени... какого же они были цвета? Да, правильно, светло-коричневые. Антон представил себе руку Ольги, держащую чашку, и усмехнулся: аккуратный маникюр, явно свежий, с сиреневым лаком. Странная девушка. Зачем она стала переодеваться, причесываться и краситься? Хотела понравиться молодому человеку из милиции? Вполне возможно, но если это так, она не стала бы пить чай одна. Ни за что не стала бы. Если она действительно была так уж сильно голодна, она бы терпела. Потому что хотела понравиться. Или проявила бы настойчивость и заставила гостя выпить хоть чашечку. Нет, не хотела она Антону понравиться. Тогда что? Зачем этот цирк с переодеваниями и макияжем? Зеленая блузка, голубая заколка, коричневые тени, розовая помада и сиреневый лак. Что-то немыслимое! А ведь квартира производит вполне нормальное впечатление, обставлена со вкусом, без аляповатостей в отделке. Или квартиру Ольге Поповой отделывал кто-то другой? А ее личный вкус проявился как раз в том, в каком виде она предстала перед Антоном? Неужели такая девушка могла хоть чем-то привлечь Никиту Колодного, который усмотрел в ней тонкое чутье к театральному искусству? Не вяжется одно с другим, никак не вяжется.

Антон дослушал запись до конца и начал сначала. Вот идут первые вопросы... вот Ольга непроизвольно дергает губами... вот тут она пошла на кухню, Антон последовал за ней... заваривает чай... ставит на поднос посуду... пьет чай одна в присутствии постороннего человека...

Вот оно. Она не просто не хотела понравиться, ей вообще было все равно, какое впечатление она произведет. Ей было даже все равно, как она выглядит. И одевалась она в первое, что подвернулось под руку, и волосы сколола первой же попавшейся заколкой, и помаду вынимала из сумочки, не глядя и не обращая внимания на ее цвет, и глаза красила точно так же. Ей нужно было время, а чтобы оправдать длительное отсутствие, Ольга меняла одежду, прическу и делала макияж совершенно механически, потому что в это время судорожно обдумывала ситуацию, к которой оказалась не готова.

«— ...Так какие у вас отношения с Колодным?

— Я же говорю: не близкие».

И тут она не лжет, Антон это отчетливо чувствует, он хорошо помнит взгляд Ольги и движения ее лицевых мышц, когда она произносила эти слова. Отношения не близкие. Тогда что ей скрывать? Чего стесняться?

Он выключил диктофон и позвонил Зарубину.

— Нужно получить детализацию телефонных разговоров Колодного за два года, — сказал он, когда Сергей ответил. — Месяца оказалось мало.

— За два года? Ты не опупел ли часом, деточка? — почти заорал подполковник. — Ты хоть представляешь, какой это массив? И кто будет с ним разбираться?

— Мне кажется, вы сами знаете кто, — осторожно заметил Сташис.

— Кажется ему, — проворчал Зарубин. — И что я должен Блинову говорить?

— Вы — начальник, вам виднее. Но запрос-то на номер Колодного у нас есть, второй можно не брать, просто подъедем и попросим сбросить нам информацию по его сим-карте. Хотите, я сам завтра с утра поеду?

— Ага, сам поедешь, сам возьмешь и отвезешь это сам знаешь кому, — заключил Сергей. — Все, отбой.

В глазах рябило, мелкие буквы и цифры сливались в монолитные серые строчки. Настя потрясла головой и зажмурилась, чтобы дать отдых глазам. Кто сказал, что проработать перечень телефонных звонков одного человека за два года — легкий труд? Убить бы того, кто так думает. И почему по запросу следователя нельзя было получить электронную базу данных? Тогда работа была бы сделана легко и быстро.

Она приоткрыла дверь, ведущую из кухни в коридор, и на цыпочках прокралась к комнате, из которой доносилось ровное сопение: на диване спал Чистяков, а на разложенном кресле-кровати — Сережа Зарубин.

— Тебе придется пустить меня ночевать, — заявил он накануне вечером. — Сейчас Сташис привезет тебе детализацию звонков Колодного за два года, и я не могу допустить, чтобы ты изучала доказательство в отсутствие процессуального лица.

— Ты — не процессуальное лицо, — тут же отпарировала Настя, — процессуальное лицо — это следователь, а ты всего лишь опер. Хотя и с полномочиями, спорить не буду. Признайся лучше, что тебе ночевать негде, ты опять со своей погавкался.

— Ну и признаюсь, — проворчал Сергей. — Не пустишь, что ли?

— Куда же тебя девать, — засмеялась Настя, — приезжай.

Сергей явился, когда перед ней на кухонном столе уже лежала стопка распечаток.

— На королевский ужин не рассчитывай, — предупредила Настя, — стол на кухне занят, будешь есть в комнате, поставив тарелку на коленки. Это в том случае, если Чистяков тебя покормит. А меня не трогай, я занята.

Чистяков, конечно, проявил гостеприимство

и накормил усталого сыщика, но, как и предупреждала Настя, «на коленках», ибо стол в комнате был давно и прочно занят компьютером и Лешиными бумагами.

Сейчас уже третий час ночи, мужчины давно спят, а Настя все сидит и проверяет сама себя, боясь что-нибудь упустить. Так что же получается с этими телефонными переговорами? А получалось странное.

Звонки между Колодным и Поповой начались полтора года назад, в апреле две тысячи девятого года. И начались они в тот день, когда погиб Дмитрий Леоничев. Именно в тот самый день. В течение полугода до этого ни одного звонка с телефона Колодного на телефон Поповой не было. Но это ни о чем не говорит, вполне возможно, что у Поповой раньше был другой номер, и они активно общались, а Настя обращает внимание только на тот номер, которым Ольга пользуется теперь.

Она сделала пометку в блокноте: узнать, не меняла ли Попова номер. Завтра прямо с утра она скажет об этом Антону.

Итак, день, когда был убит Дмитрий Леоничев. Сперва неотвеченный вызов с телефона Колодного на телефон Поповой. Спустя два часа пятьдесят минут Ольга позвонила Никите, еще через полтора часа он сам позвонил ей. Оба разговора длились минут по десять.

На следующий день Ольга опять звонила Никите и разговаривала с ним четырнадцать минут.

Спустя два дня Никита Колодный позвонил Поповой, разговор длился девять минут.

И еще несколько звонков в течение недели, последовавшей после смерти Леоничева. Разговоры между Никитой и Ольгой становились все короче, последний — всего две с половиной минуты.

И все. Через неделю звонки прекратились, и их не было шестнадцать месяцев. То есть ни одного звонка с апреля 2009 года по сентябрь 2010-го. И это было самым трудным в Настиной сегодняшней работе, потому что она все время боялась, что пропустила строчку в многостраничной распечатке и не увидела, а звонки все-таки были. Она несколько раз, то подряд, то вразбивку, просматривала листы за эти шестнадцать месяцев, чтобы быть полностью уверенной, и остановилась только тогда, когда поняла, что уже все равно ничего не соображает и не видит.

Получалось, что контакты между Колодным и Поповой возобновились в сентябре... Настя полистала свой рабочий блокнот. Да, через два дня после того, как в театре прошла первая читка пьесы «Правосудие» и было объявлено распределение ролей. Ну, что ж, это вполне укладывается в объяснения Поповой о том, что Никита обсуждал с ней свою работу в театре. Ему дали новую роль, большую, главную, теперь есть о чем поговорить с девушкой, у которой, по его собственному выражению, «необыкновенное чутье к театральному искусству». Однако длительность разговоров очень маленькая, и это совсем не похоже на то, что Колодный подолгу обсуждает с Ольгой текст пьесы и проблемы работы над ролью, скорее смахивает на «созвон, чтобы договориться», когда и где встречаемся.

Выходит, девушка Ольга сказала неправду. Перечень звонков не совпадает с ее историей ни по содержанию, о чем говорит длительность переговоров, ни по срокам, ведь Попова утверждает, что начала регулярно перезваниваться с Никитой чуть больше года назад. Ну, ладно, «чуть больше года» можно, хоть и с натяжкой, трактовать как «полтора года», когда зафиксирован их первый разговор, но о какой регулярности может идти речь, если в течение шестнадцати месяцев они вообще не общались? Об этой паузе Ольга ни слова не сказала. Вообще-то, она мало чем рисковала, выдавая свою версию знакомства с Колодным, потому что понимала, что проверять звонки за два года никто не станет, слишком трудоемко. Проверят детализацию за последний месяц, максимум — за два, а за два месяца у них все в порядке, начиная с сентября звонки стали регулярными, хоть и краткими.

Настя подошла к раковине, включила воду и промыла глаза. Стало чуть-чуть полегче. Она собрала кипу бумаг, посмотрела на нее с отвращением и уткнулась в собственные записи. Мелькнула у нее какая-то мысль... Но где ее теперь искать? Мысль появилась, когда она записывала на свой листок данные о первых звонках между Колодным и Поповой... Ах да, вспомнила! Неотвеченный вызов с телефона Колодного на телефон Ольги, самый первый звонок в истории их телефонного общения. Это ужасно похоже на ситуацию знакомства, когда люди обмениваются номерами своих телефонов. Есть простой и широко применяемый способ, который используют те, кто не привык диктовать свой номер и не любит записывать номера на клочках случайных бумажек: берешь телефон собеседника и звонишь на свой мобильник, у тебя высвечивается номер вызывающего, и тебе остается только внести его в телефонную книгу, а у твоего собеседника в телефоне остается набранный тобой номер — твой собственный. Но этот странный звонок имел место отнюдь не поздним вечером, как должно было бы быть, если бы Колодный и Попова встретились после спектакля. Может быть, это был выходной и в театре давали утренник? Конечно, странновато взрослой девушке ходить на утренники, но чего не бывает в этой жизни... Может, Ольга пришла специально посмотреть на своего любимого артиста.

Она достала ноутбук, вышла в Интернете на сайт театра «Новая Москва», но, как и предполагала, репертуар за прошлый год там не сохранился. Ну и ладно, наступит утро, и можно будет позвонить директору театра Бережному. А теперь хорошо бы поспать хоть немножко.

Утро наступило почему-то слишком быстро...

Во всяком случае, выспаться Настя Каменская не успела. Сквозь сон она слышала, как тихонько переговаривались Алексей и Сережка Зарубин, торгуясь, кто первым пойдет в ванную, а кому готовить в это время завтрак. Победил, естественно, Чистяков, потому что его выверенной математикой логике противостоять не могла даже Настя, что уж говорить про Зарубина. Она с наслаждением вытягивала ноги и куталась в одеяло, надеясь, что мужчины будут принимать душ и бриться подольше, но все равно настал момент, когда пришлось вставать.

Поскольку вечерний незапланированный визит Зарубина потребовал приготовления дополнительной порции ужина, продуктов, из которых можно было сделать вкусный и сытный завтрак, почти совсем не осталось, и на столе стояла только тарелка с горкой глазированных сырков. Даже хлеба не было.

— А из-за чего вы у меня над ухом базарили, если завтрак готовить все равно не из чего? — удивилась Настя, оглядывая накрытый по всем правилам, но бедноватый угощением кухонный стол.

— А красиво сделать? — возразил Алексей. — А кофе сварить не абы как? Хорошая посуда, салфетки и запах настоящего кофе — вот и все, что нужно, чтобы человек ощутил атмосферу полноценного завтрака, раз уж жрать все равно нечего. И потом, сырки — это достаточно сытно.

Он быстро поел и умчался на работу, а Настя

принялась излагать Сергею результаты своих ночных бдений.

— Значит, Попова все наврала, — констатировал оперативник. — И уже, конечно, сообщила своему дружку Колодному, что к ней приходили и спрашивали про историю их знакомства. Так что теперь он ждет, когда мы с этими же вопросами придем к нему. А толку-то? Он во всеоружии, он нам слово в слово подтвердит все, что говорила Ольга.

— Не все так мрачно, — улыбнулась Настя. — Есть одно соображение, только придется подождать часов до одиннадцати, пока директор театра на работу не явится.

Зарубин посмотрел на часы.

— До одиннадцати? Да ты с ума сошла! Мне в контору надо. И я не смогу столько ждать, у меня информационный зуд. Скажи, что ты надумала, а я за это придумаю тебе, как это узнать раньше одиннадцати.

— Точно придумаешь? — прищурилась Настя.

— Гадом буду! — поклялся Сергей.

— Мне нужно узнать, какой спектакль давали днем в «Новой Москве» в день убийства Леоничева. И играл ли в нем Колодный. Сумеешь?

— Да как не фиг делать! — рассмеялся Зарубин. — Сейчас дождемся девяти часов и позвоним в бухгалтерию театра. Уж бухгалтерия-то наверняка с девяти работает, не то что руководство, которое приходит попозже.

271

— Ты думаешь, в бухгалтерии есть такие сведения? — засомневалась Настя.

— В бухгалтерии, Пална, всегда все есть, можешь быть уверена, — твердо пообещал он. — Вообще, бухгалтерия любой организации — это золотое дно информации, уж тебе ли не знать. Там есть все и даже больше. Надо только уметь попросить, чтобы достали с полочки нужную папочку и открыли в компьютере нужный файлик.

— А ты умеешь? — недоверчиво спросила она.

— Вот если бы мне пришлось туда идти, мне, конечно, отказали бы, — самокритично признался Зарубин, — уж больно я неказист и телом не вышел. А по телефону у меня голос — будь здоров, ни одна баба отказать не сможет.

Они дождались девяти часов и позвонили в театр. Зарубин не хвастался, он действительно умел обольщать женщин по телефону, и уже через десять минут стало известно, что в день смерти Дмитрия Леоничева в театре шел спектакль, в котором Никита Колодный не играл. День был будний, поэтому спектакль давали только вечером, никакого утренника не было.

— Выходит, этот неотвеченный звонок не означает знакомства и обмена номерами телефонов, — сказала Настя. — Или они вообще в этот день не знакомились. Попова сказала, что они обменялись телефонами в тот день, когда она пришла в театр, увидела на сцене Колодного и дождалась его с цветами у служебного входа. Не получается.

— Правильно, — согласно кивнул Сергей, — не получается. А что получается?

— Что они знакомились не в этот день, а в другой. А неотвеченный звонок имел место просто потому, что Никита пытался дозвониться Ольге, но с первого раза не получилось. А потом они созвонились и разговаривали, даже два раза.

— И чего?

— И ничего, — вздохнула Настя. — Если только предположить, что Ольга и про знакомство наврала. Они могли познакомиться действительно в этот день, но только не в связи с театром.

— А в связи с чем? — не понял Сергей. — Ты что, хочешь сказать...

— Вот именно это я и хочу сказать. А теперь ты вместе с Блиновым должен запланировать беседы с Поповой и Колодным, отдельно, но одновременно. Пусть каждый из них изложит свою историю их знакомства, а вы посмотрите, как она будет укладываться в историю их телефонных контактов. Это ничего, что Колодный уже предупрежден, они же не знают, что у тебя есть детализация, которая все это опровергает. И не узнают. Им такое даже в голову не придет. Детализация за два года! Только такая дура, как я, могла взяться за подобную работу.

Антону Сташису было поручено собрать сведения об Ольге Поповой и в первую очередь выяснить, не меняла ли она примерно полтора года назад номер телефона. Оказалось, что номер у нее корпоративный, и пользовалась она им с того самого дня, как пришла на работу в свою фирму, то есть больше трех лет. А вот место жительства она поменяла, в ту квартиру, где ее навещал Антон, Ольга переехала примерно год назад или чуть больше, предварительно продав куда более просторную квартиру, где проживала вместе с родителями.

И Антон снова поехал в Шиловск. За два дня ему удалось разыскать множество людей, из рассказов которых составилась более или менее внятная история Ольги.

Ее отец работал на стройке на одном из объектов, которые возводила фирма Дмитрия Леоничева. Рабочий Попов был не дурак выпить и частенько позволял себе появляться на работе в нетрезвом состоянии, однако в тот день, когда с ним случилось несчастье, он был трезв. И в том, что он упал с высоты, виноват был тот, кто отвечал за технику безопасности, то есть представитель фирмы Леоничева. Если бы судом была признана вина строительной организации, Леоничеву пришлось бы платить большие деньги вдове Попова. И дело, подключив административный ресурс, повернули так, что виноват оказался сам рабочий, тем более что нашлось немало свидетелей, подтвердивших его пристрастие к спиртному. Вдова и дочь Попова оказались в бедственном положении, потому что дочь зарабатывала не так уж много, а жена была очень нездоровой и работать не могла. Семья существовала только на зарплату мужа-кормильца, а теперь кормильца не стало, и компенсация им полагалась минимальная.

И вдова рабочего Попова отправилась к Дмитрию Леоничеву на поклон, просила материальной помощи. Леоничев отказал. Попова слегла, на лечение ушло много денег, Ольге пришлось влезать в долги, чтобы поставить мать на ноги. Мать поправилась и снова обратилась к Леоничеву за помощью, но он снова отказал. А долги надо было отдавать. И тогда приняли решение, что мать уедет в деревню к какой-то дальней родне, а Ольга продаст квартиру, купит себе жилье поскромнее и разницей погасит задолженность. Вот так и получилось, что год назад Ольга Попова переехала.

Все это было очень интересно, но ни к Никите Колодному, ни ко Льву Алексеевичу Богомолову отношения не имело. Однако это могло иметь самое прямое отношение к ситуации, в которой познакомились Ольга Попова и артист театра «Новая Москва». Совершенно невероятной казалась история, как поклонница знакомится с любимым артистом, и вдруг оба оказываются, тем или иным манером, связаны с семьей Дмитрия Леоничева, проживающего в подмосковном Шиловске. Конечно, каких только совпадений не бывает, уж сыщикам ли не знать! Но если это не чистое стечение обстоятельств, то напрашивается вывод, что Попова и Колодный познакомились вообще не в связи с театром, а в связи с семьей Леоничевых. Например, оба они пришли к Леоничеву одновременно, у него и познакомились.

Ну, допустим, все так. И что? Почему нужно скрывать этот факт? Что в нем порочного? К чему такая громоздкая, неуклюжая и легко проверяемая ложь о театре?

Антон подробно пересказал Насте Каменской все, что узнал, и поделился своими сомнениями. Сомнения эти Настя вполне разделяла: в самом деле, какой смысл врать о том, где и когда два человека познакомились? Но причина же должна быть.

И она снова обратилась к материалам уголовного дела об убийстве Дмитрия Леоничева, вернее, не к самим материалам, которые находились в Шиловске, а к своим подробным записям. Антон работал по собственному графику, а Настя сидела дома, читала записи и искала хоть что-нибудь. Хоть что-нибудь, что позволит мысли зацепиться за неправильность, несуразность, несостыковку и вытащить то, что так тщательно прячется и не дается в руки. В первый раз она прочла материалы подряд, с начала и до конца, и ничего не нашла. Тогда Настя решила применить старый проверенный метод: составлять график. Это всегда помогало уловить последовательность поступления информации и, таким образом, понять логику тех, кто вел расследование. Жаль, что нет под рукой записок Тихомирова, но их забрал себе Блинов в качестве вещдока по делу о смерти Лесогорова.

График разрастался, и вдруг Настя обратила внимание на некую странность: в уголовном деле появился протокол обыска в офисе у Светланы Леоничевой. С чего вдруг? С какого перепугу следствие решило провести обыск на рабочем месте жены потерпевшего? Ее стали подозревать в убийстве? Настя полистала записи: нет, сбор сведений об отношении Светланы к мужу начался позже, уже после обыска, а до этого момента в деле ни разу не мелькнул даже намек на то, что она плохо относилась к Дмитрию и собиралась его убить. Тогда откуда взялся обыск?

Она схватила телефон и позвонила следователю Блинову.

— И чего ты от меня хочешь, Каменская? — недовольно спросил он. — Чтобы я выяснил, почему они провели обыск полтора года назад? И после этого ты скажешь мне, кто тюкнул по голове Богомолова и Лесогорова? Ведь знал же я, что от тебя одни проблемы.

— Но ведь это совсем несложно, — принялась уговаривать его Настя. — Есть два пути: или вы снимаете телефонную трубку и звоните в Шиловск следователю Яцуку, или открываете папку с записками Тихомирова и читаете все, что там написано по делу Леоничева. Видите, вы даже можете выбрать.

— Твой Яцук, не будь он тем помянут, в следствии больше не работает, после переподчинения он в прокуроры подался. Чтобы его теперь найти, у меня уйдет намного больше времени. Ладно, почитаю записки следователя. Но не сейчас.

— Сейчас!

— И не проси. У меня через пять минут очная ставка, потом выезд на следственный эксперимент. Только вечером, часов в девять, не раньше.

— А можно, я сама приеду и почитаю? — попросила она. — Я тихонечко посижу, не буду вам мешать.

— Ты во время очняка сидеть собралась, что ли? — рассердился Блинов. — Только тебя тут не хватало. Вечером в девять. Поняла, сыночка?

— Поняла, батюшка, — вздохнула Настя.

На часах было всего три пополудни, ну не ждать же целых шесть часов? В конце концов, есть Антон Сташис, и есть Сергей Зарубин, и им нужно раскрыть два преступления ничуть не меньше, чем ей, Насте Каменской. И вообще, есть Тимонин по прозвищу Тим, который легко может узнать, где теперь работает следователь Яцук и как с ним связаться.

Тимонин, к счастью, оказался не таким несговорчивым и занятым, как следователь Блинов, во всяком случае, телефон Яцука он раздобыл за пять минут. Теперь пришла очередь Зарубина, поскольку частному сыщику Каменской никто никаких сведений давать не обязан. Сергей созвонился с бывшим следователем и спросил его о деле Леоничева.

— Почему было принято решение о проведении обыска у Светланы Леоничевой в офисе?

— Это было, когда дело вел еще Тихомиров, — ответил Яцук, — то есть до меня, так что точно я вам не скажу. Но вроде бы был какой-то телефонный звонок.

— Звонок? От кого?

— Анонимный. Позвонили и сказали что-то типа: «Поищите доказательства в офисе у Светланы Леоничевой». Поехали, поискали и нашли флэшку с текстами предсмертного письма Леоничева. Но, повторяю, это было до меня, еще при Тихомирове.

Значит, все равно придется ждать до вечера, когда Николай Николаевич Блинов соизволит посмотреть записки следователя. Может быть, там будут хоть какие-то подробности. Но и сейчас понятно, что не все так просто в деле Леоничева. Анонимный звонок. Обыск. Обнаружение флэшки с текстами. Поиск доказательств того, что Светлана ненавидела мужа и боялась его. Суд. Приговор. Срок. Гладко и быстро.

Настя довела составление графика до конца и окинула его взглядом. А ведь в деле-то дыра на дыре! Например, сильнодействующий препарат, которым Светлана Леоничева отравила своего мужа. Откуда она его взяла? Кто выписал ей рецепт? Где она его купила? В каком количестве? Это, казалось, ни следствие, ни суд вообще не заинтересовало. Кто позвонил насчет флэшки в офисе? А ведь этот аноним, выходит, был в курсе

Светланиных затей с отравлением мужа и подделкой предсмертного письма, иначе откуда бы он узнал о флэшке. Почему не было предпринято никаких усилий по его установлению? Или усилия были, но они ни к чему не привели, поэтому в деле нет ни одного процессуального документа на этот счет, все осталось в бумажках у оперов. А ведь этот аноним вполне мог оказаться пособником или даже организатором убийства Леоничева, который просто использовал в своих целях Светлану при помощи убеждения, запугивания, обмана или еще каким-то способом, а потом сдал ее, а сам остался в стороне. И Светлана по каким-то причинам его не выдала. Может, страстная любовь? Или тайна, разглашения которой Светлана Леоничева боялась больше, чем тюремного срока?

Вопросов у Насти накапливалось все больше и больше, и она даже не заметила, как прошло время. Спохватилась только в половине десятого вечера и тут же кинулась звонить Блинову. Николай Николаевич слово сдержал и записки Тихомирова посмотрел.

— Там был анонимный звонок, — сообщил он то, что Настя уже и так знала.

— Кому? Следователю Тихомирову?

— Нет, Тихомиров пишет, что его вызвал начальник, орал и ругался, что никто ничего не делает, а между тем сознательные граждане выполняют работу следствия. И велел провести обыск в офисе у Леоничевой, якобы у него появились данные. Тихомиров пытался возражать, потому что у него против Леоничевой на тот момент ничего не было, и хотел выяснить, откуда появились эти «данные», но, кроме слов об анонимном звонке, ничего не услышал.

— А что еще есть в записках? Тихомирова ничего не смутило? — спросила она.

— Ну, ты дурака-то из меня не делай, — недовольно буркнул Блинов. — И Тихомирова смутило, и меня тоже, когда я вчитался. В общем, вопросов больше, чем ответов. Но очевидно одно: покойник Тихомиров в виновность Светланы Леоничевой не больно-то поверил, грызли его сомнения, грызли. И пока опера нарывали свидетелей, которые в один голос рассказывали, как она ненавидела своего мужа, Тихомиров копал совсем в другом направлении. Вот только не успел докопаться. Жаль мужика.

После разговора с Блиновым Настя подумала несколько минут и позвонила Зарубину:

— Ты где?

— Болтаюсь в городе, сыщика ноги кормят, — ответил Сергей.

— Слушай, вызови меня к себе на Петровку, — попросила она.

— С ума сбрендила? Время — почти десять. Какая тебе Петровка? И вообще, что стряслось?

— Сережа, нам надо сесть и подумать, как и чем прижать Колодного. Надо собраться всем троим — тебе, Антону и мне.

— Так давай я к тебе домой приеду и Антоху

вызову, — с готовностью отозвался Зарубин. — Заодно и переночую у тебя, все равно совещаться до середины ночи придется.

— Сереж, так не пойдет. Нужно, чтобы все материалы по делу были под рукой, все-все-все, до единой бумажки, просто так, из головы, мы ничего не надумаем.

— Нет, в конторе я заседать отказываюсь, — решительно произнес он. — Давай так: я вызываю Антона, пусть едет к тебе, а я смотаюсь на работу, возьму из сейфа все бумажки и приеду. Ну, Пална, будь человеком, мне домой ехать — кранты, не могу я пока.

— Черт с тобой, — сдалась Настя. — Только с Антоном неудобно выйдет, он, наверное, уже няню отпустил, как же он детей одних оставит?

— А он нам и не нужен, мы как-нибудь без него посовещаемся, — весело проговорил Сергей. — Так я поехал?

— Ужина нет! — напоследок крикнула Настя в трубку, но поздно: Сергей уже отключился.

Приехал Зарубин через час с небольшим, неся в одной руке пакет с папками и документами, а в другой — сумку с продуктами.

— Я не нахлебник какой-нибудь, — гордо объявил он, переступая порог Настиной квартиры. — Сегодня я вас с Чистяковым угощаю.

Угощение было по-настоящему холостяцким и состояло из купленных в кулинарии салатов и закусок, а также изрядного количества слоеных плюшек с разными начинками. Настя с мужем попытались отказаться от еды.

— Да мы уже поужинали, — говорили они, глядя, как Сергей хозяйничает на кухне. — Мы не голодны.

— Ничего, вы не ешьте, вы только попробуйте, — приговаривал он, расставляя по всему столу прозрачные магазинные контейнеры с едой. — И потом, совещание у нас надолго, глядишь, и проголодаетесь.

Чистяков критическим взглядом осмотрел это кулинарное безумство, хмыкнул и ушел в комнату, а Настя, несмотря на то что была сыта, тут же впилась зубами в свежайшую хрустящую плюшку с творогом. Сергей накинулся на еду, быстро насытился, вымыл за собой посуду, убрал остатки продуктов в холодильник, протер стол и выложил на него пакет с документами.

— Ну, — торжественно объявил он, — совещание начинается. Говори, Пална. Уверен, ты уже чего-то надумала, пока меня ждала.

— Сережа, насколько добросовестно был сделан поквартирный обход по месту покушения на Богомолова? — спросила она.

— А Бог его знает, — пожал плечами Зарубин. — На место выезжали опера с территории, нас-то подключили только через два дня. Как они сделали — так и сделали, ни я сам, ни Антон к этому больше не возвращались.

— И фотографий с места у тебя, конечно, нет, — уныло предположила Настя.

— Сейчас посмотрим, чего у меня тут есть. — Зарубин полез в папки. — По-моему, фотки мне давали, если я не путаю. Вот, есть. А чего ты хотела?

Он положил перед Настей плотный конверт с фотографиями, сделанными на месте покушения на Льва Алексеевича Богомолова. Настя разложила снимки на столе.

— Давай глянем панорамные, может быть, там есть рядом стоящие дома, из окон которых хорошо просматривается место происшествия, или круглосуточные магазины, а в них же и продавцы, и охранники. Вдруг кто-то что-то видел, а ребята упустили и не опросили их.

Снимков было много, видно, фотограф старался на славу, то ли скучно ему было, то ли действительно добросовестный попался. Настя обратила внимание на попавшую в кадр витрину магазина. За стеклом виднелись кальяны, кожаные сумки, подушки и прочая красота, над витриной красовалось название «Восточный фонарь», а на расположенной рядом двери белым пятном выделялся обыкновенный листок формата А-4 с написанным от руки текстом.

— Смотри, какая лавка, — Настя ткнула пальцем в фотографию, — и совсем рядом с подъездом, около которого произошло нападение. А вдруг она круглосуточная?

Зарубин, прищурившись, рассматривал изображение.

— Пална, есть такой закон, называется он законом подлости. Листок на двери видишь?

— Ну, вижу.

— Вот сто пудов — на нем написано, что магазин закрыт и работать не будет.

— А точно, что именно это написано? — огорчилась Настя. — Ты уверен?

Сергей сперва поднес снимок поближе к глазам, потом отодвинул подальше, на расстояние вытянутой руки.

— Не знаю, я не вижу, — признался он. — Дюже мелко, не разобрать.

Настя надела очки и тоже попыталась прочесть надпись, но не преуспела.

— Леш! — закричала она. — У нас лупа есть?

— Вшей искать будешь? — донесся из комнаты голос Чистякова. — Посмотри в прихожей в верхнем ящике тумбочки, должна быть там.

Лупа действительно оказалась именно там. Теперь надпись на двери «Восточного фонаря» можно было прочитать.

«Всегда в продаже кожголонтирея и окссысуары из Индии».

Вот это номер!

— Сереж, — она медленно подняла голову, — а ты сам на место выезжал? Ты этот магазин видел?

— Выезжал. И магазин видел. Только объявы этой на двери не было, точно не было, потому что я все объявления всегда читаю. Если бы листок висел, я бы эти «окссысуары» запомнил.

— Стало быть, в момент покушения на Богомолова объявление еще висело, а на следующий день, когда осматривали место, его уже сняли.

Наверное, оно недолго провисело, — задумчиво проговорила Настя. — И в этот недолгий период наш маленький дружок Никита Колодный успел его увидеть и прочитать. И настолько впечатлился, что запомнил и даже на репетиции об этом рассказал. Ай да Никита! И при каких же обстоятельствах он мог увидеть это объявление, если, по его словам, он никогда не бывал у Богомолова дома?

— Нет, Пална, тут ты перемудрила, — покачал головой Сергей. — Сама говорила, что Богомолов никогда никого не приглашал к себе домой, и именно это тебе все в театре и подтвердили. А разве ты спрашивала Колодного, был ли он дома у худрука? Напрямую спрашивала?

— Нет.

— Ну, вот видишь. А ведь после несчастья работники театра вполне могли приезжать к жене пострадавшего, помочь там или сочувствие выразить. И Колодный мог приезжать, ведь в больницу-то он ездил, ты сама мне рассказывала.

— Мог, мог, — медленно повторила Настя следом за Зарубиным. — На следующий день после покушения, в воскресенье, место осматривали и фотографировали, и объявление еще висело. А в понедельник ты приехал на место. И объявления уже не было.

— Я приезжал днем, — упрямо возразил Сергей, — а Колодный мог навестить Елену или в воскресенье, или в понедельник прямо с утра, пока листок еще висел.

Настя решительно тряхнула головой.

— Ладно, чего гадать, надо ехать и выяснять все точно.

Потом включила компьютер и с удивлением обнаружила, что у безграмотных владельцев магазина хватило знаний на то, чтобы иметь собственный сайт, из которого она и узнала, что рабочий день начинается в 8.30.

— Кто поедет? — спросила Настя, грозно глядя на Сергея. — На меня не рассчитывай, я буду спать.

— А у нас есть молодое поколение, — тут же нашелся Зарубин. — Антоху пошлем.

За пять минут до открытия Антон Сташис уже стоял у дверей магазина «Восточный фонарь». Кто-то уже был внутри, ходил по помещению, а за две минуты до 8.30 мимо Антона промчалась и ворвалась в дверь смуглая черноволосая девушка восточного типа, совсем молоденькая. Наверное, продавщица. Ровно в половине девятого Антон толкнул дверь, но она оказалась заперта изнутри. Он постучал, через некоторое время ему открыл мужчина, национальность которого Антону определить «на глазок» не удалось, не то пакистанец, не то и в самом деле индус. Говорил мужчина довольно грамотно, но с очень сильным акцентом, таким сильным, что некоторые слова распознавать не удавалось.

— Объявление? — удивился он. — Какое?

— Насчет кожгалантереи и аксессуаров из Индии, — пояснил Антон.

— Ах, вот какое! — Мужчина улыбнулся, сверкнув белоснежными зубами, которые на фоне коричневого лица казались еще белее. — Мы написали, а через два дня пришла старая женщина и очень кричала. Мы сняли.

— А что она кричала? — полюбопытствовал Сташис.

— Трудно говорить... — замялся мужчина.

Тут из подсобки выскочила та самая черноволосая девушка, которая, судя по всему, оказалась хоть и с Востока, но с бывшего советского, а не с полуострова Индостан. Во всяком случае, речь «старой женщины» она поняла отлично и дословно пересказала, причем без всякого акцента.

— Она орала, что всю Москву заполонили черные, которые порядков не соблюдают и язык коверкают, — сообщила продавщица. — Требовала, чтобы мы переписали объявление без ошибок. Обзывалась по-всякому.

— Ну, и как, переписали?

— Да ну, — махнула рукой девушка, — мы его просто сняли. Потом закажем, чтобы красиво сделали, по-настоящему. Мы только недавно открылись, поэтому у нас много еще временного, просто не успели пока.

— А объявление это не сохранилось? — на всякий случай спросил Антон. — Вы его выбросили?

— Где-то валяется, — девушка оглянулась. — Кажется, я его в пустую коробку засунула, сейчас в подсобке посмотрю.

Она скрылась за расписанной драконами занавеской и через минуту вернулась со сложенным пополам листком, на котором красовалось то самое чудесное объявление про «окссысуары».

— Можете припомнить точно, когда вы его повесили и когда сняли?

Девушка и мужчина переглянулись.

— Точно? — переспросил мужчина. — Я помню, что снимали в понедельник. Только открылись — и сразу эта старая женщина. Кричала сильно. Я подумал, что неделя будет плохая, если так плохо начинается.

— Почему вы помните, что был именно понедельник?

Вопрос оказался сформулирован слишком сложно для иностранца.

— Я помню, — последовал краткий ответ.

— Да точно, точно, в понедельник, — вмешалась восточная красавица. — Он еще сокрушался, что неделя плохо начинается, со скандала, у них там примета такая есть. Он каждый понедельник из меня душу вынимает.

— А в какой именно понедельник?

— На праздники. Бывшие ноябрьские.

— Значит, восьмого ноября?

— Ну да.

— А когда повесили?

— Дня за два до этого. Я же говорю, недолго оно провисело, объявление-то.

— Мне нужно поточнее, — попросил Антон.

Девушка задумалась и вдруг просияла:

— Я вспомнила! Когда мы объявление вешали, мы еще не были уверены, работать нам в выходные или нет. Я говорила, что покупателей в этой дыре все равно не будет, так что можно в воскресенье не работать, а он, — она кивком указала на хозяина, — говорил, что у них на родине трудолюбие — главное достоинство, как мы начнем свое дело вести, так оно и пойдет, и что лениться нельзя, и ни в коем случае нельзя думать, что покупателей не будет, наоборот, надо верить, что их будет много. Какая-то у них такая философия. В общем, чуть не поссорились. А я на завтра уже со своим парнем договорилась...

— А при чем тут парень? — не понял оперативник.

— Ну как же, я же говорю, что следующим днем было воскресенье, и я была уверена, что мы работать не будем. Значит, объявление вешали в субботу.

Уже выходя из магазина, Антон все-таки не удержался и спросил:

— Скажите, а кто писал объявление?

Девушка потупилась:

— Я. И что?

— Ничего, — улыбнулся он. — Спасибо за помощь. До свидания.

Антон сел в машину и позвонил Каменской.

— У меня есть идея, — сказала Настя, — но одна я не смогу ее воплотить. Мне нужны вы и Зарубин. Давайте встретимся с вами прямо сейчас, а Сергею Кузьмичу я сама позвоню.

Настя с трудом нашла место для парковки возле дома, где жили Вероника и Никита Колодные. Она приехала сюда сразу же после разговора с Антоном, позвонила по домашнему телефону Веронике, убедилась, что та никуда не ушла, сказала, что ошиблась номером, и повесила трубку. Хорошо, если Вероника никуда не соберется, пока не подъедет Антон. В принципе Настя могла бы и сама поговорить с женой Никиты, но ей хотелось, чтобы рядом был Сташис со своим изучающим взглядом. Теперь, после стольких дней тесного общения с актерами, Настя Каменская стала сомневаться в собственных способностях распознавать человеческие эмоции, ей все время казалось, что собеседник играет, притворяется, обманывает. Актерствует. Даже если он вовсе не артист.

Когда показалась машина Антона, Настя с беспокойством стала озираться в поисках места, куда он мог бы поставить автомобиль. Места в обозримом пространстве не было. Ни одного. И вдруг прямо перед носом у Антона какой-то «Шевроле» начал выезжать с невероятно удобного места прямо перед подъездом дома, где жили Колодные. Вот бывает же везенье! И почему ей, Насте Каменской, все время приходится притыкаться и пролезать чуть ли не вплотную, рискуя ободрать двери и крылья, а некоторым парковочное место преподносят на блюдечке!

Прежде чем подниматься в квартиру, они постояли несколько минут на улице под моросящим дождем.

— Кто у нас Вероника по профессии? — спросила Настя.

— По образованию — филолог, по профессии — редактор. Но сейчас работает на какое-то английское литературное агентство, пишет синопсисы и рецензии на произведения российских авторов.

— То есть не актриса? — на всякий случай уточнила она.

— Никаким боком, — заверил ее Антон. — А в чем вы сомневаетесь?

— В том, обманет она нас с вами или нет, — призналась Настя. — Я как-то уже свыклась с мыслью, что меня в последнее время все за нос водят. Поэтому попрошу вас сделать вот что: я сяду рядом с Вероникой и буду следить за текстом, а вы сядьте напротив и следите за ее реакциями. Как только что-то заметите — дайте мне знать, а я посмотрю, на каком месте пьесы она читает. Конечно, все это может и не пригодиться, Вероника окажется чистым и открытым человеком, и все ее реакции будут искренними и понятными. Но вдруг она такая же, как все, с кем мы с вами имели дело? Умеет притворяться, скрывать истинные чувства, держать себя в руках и все такое. Договорились?

Замысел Насти состоял в том, чтобы дать Веронике Колодной прочесть пьесу «Правосудие». Ей отчего-то казалось, что это должно принести определенные результаты. И еще Настя была на сто процентов уверена, что содержания этой пьесы супруга Никиты Колодного не знает.

И оказалась права. Вероника действительно пьесу не читала и содержания ее не знала.

— А зачем нужно, чтобы я читала при вас? — удивилась молодая женщина. — Вы оставьте, я прочту потом. Сейчас у меня много работы и совсем нет времени...

— Вероника, вы сейчас сядете и прочитаете пьесу, а мы подождем, пока вы закончите, и после этого поговорим, — жестко произнес Сташис. — Если вы откажетесь, нам придется вызывать вас повесткой к следователю, и вы будете читать у него в кабинете. Но все равно в нашем присутствии.

Вероника пожала плечами:

— Ну ладно, если вы настаиваете...

Она уселась за стол, положила перед собой принесенную Настей папку и приступила к чтению. Настя села рядом, Сташис — напротив. Сначала реакции не было никакой, и Настя даже начала сомневаться в успехе своей затеи. Но потом Вероника вдруг нахмурилась и занервничала. Настя поймала взгляд Антона и посмотрела в текст: шла сцена показаний в суде, которые давала подруга подсудимой Зиновьевой.

— Что-то не так? — как можно равнодушнее спросила Настя. — Вам что-то не нравится в пьесе?

— Нет-нет, — откликнулась Вероника как-то излишне торопливо, — все в порядке. Просто опечатка. Меня это всегда нервирует.

Настя еще раз скосила глаза на текст, пробежала всю страницу. Да нет там никакой опечатки, все слова написаны без ошибок, и запятые все на месте. Значит, она угадала правильно. Не зря они приехали.

Вероника читала быстро, сказывался навык к постоянному чтению больших произведений, когда речь идет не о получении удовольствия от прочитанного, а о работе. Она нервничала все сильнее, а когда дело дошло до финального монолога Юрия, в котором он рассказывает, как совершил убийство, Вероника вскочила и отшвырнула пьесу на середину стола.

— Этого не может быть! Я не верю! Что это вообще такое? Вы хотите сказать, что мой муж — убийца?

Настя дотронулась до ее руки и усадила на место.

— Вы не верите, что Никита мог убить. Это понятно. А во что вы могли бы поверить? Что он мог сделать? — быстро и негромко спросила она.

Вероника снова вскочила и сделала несколько шагов, теперь она стояла возле окна, повернувшись лицом к Насте и Антону. Глаза ее были полны ужаса и отчаяния.

— Он украл. Да, это плохо, это стыдно, но ведь он всего лишь украл, а не убил!

— Что он украл? У кого? — спросил Антон.

— Он украл пентакль у Леоничева. Но это был мой пентакль, я имела право...

Настя сделала Антону знак, дескать, ведите разговор, задавайте вопросы сами, а я помолчу.

— Когда Никита совершил эту кражу? При каких обстоятельствах?

— Это было в апреле прошлого года.

— Какого числа?

— Я не помню, где-то в середине месяца. Никита поехал к Леоничеву поговорить и попросить, чтобы он воздействовал на Свету и убедил ее отдать мне пентакль. Когда вернулся, то сказал, что Дмитрий прислушался к уговорам и сам отдал подвеску. Я тогда поверила Никите, у меня не было оснований ему не поверить.

— А что произошло потом?

— Приехал адвокат Светы, Борис Аркадьевич. Сказал, что Свету арестовали по подозрению в убийстве мужа. До этого я даже не знала, что Дмитрий убит... Адвокат сказал, что Свете могут помочь мои свидетельские показания, и она очень просит меня не отказывать. И еще она просила вернуть мне пентакль. А пентакль-то уже давно был у меня! И я поняла, что Света ничего не знает о том, что я его себе вернула. Я начала подозревать неладное, а вечером, когда Никита вернулся домой, я его прямо спросила об этом.

— И он?..

— Он признался, что украл пентакль. Воспользовался тем, что Дмитрий вышел из комнаты, и стащил. Он знал, где пентакль лежит, и я знала, потому что, когда я приезжала к Свете, она его доставала и показывала мне, специально дразнила. Света была злая... — И Вероника заплакала, тихо и как-то безнадежно.

— Почему же вы ничего не сказали адвокату о том, что пентакль у вас?

— Потому что начала подозревать, что дело

нечисто, и боялась своим признанием навредить Никите. Я тогда очень напугалась, потому что адвокат назвал дату смерти Леоничева, это тоже было в середине апреля, и я побоялась, что это мог быть один и тот же день, понимаете? Я подумала: а вдруг Никита был у Леоничева как раз в тот день, когда его убили? И теперь Никиту обязательно потащат к следователю и в суд. Его репутация пострадает, его тогда вообще никуда приглашать не будут, ни на съемки, никуда... Поверьте, я и мысли не допускала и сейчас не допускаю, что Никита может быть причастен к смерти Леоничева. Просто так совпало, что он украл пентакль, а Дмитрия убили.

Верная жена. Любящая жена. Жена, которая полностью доверяет своему мужу. Хорошо это или плохо?

— Вероника, можно посмотреть на этот пентакль? — тихо попросила Настя.

Вероника молча расстегнула верхнюю пуговицу на блузке и вытащила подвеску на шелковом черном шнурке. Круглый медальон, по краям каббалистические знаки, в центре — чаша, над ней — знак Венеры.

— И что все это означает? — спросил Антон. — В этом есть какой-то смысл?

Вероника вздохнула.

— Чаша соотносится с мастью Чаш в картах Таро, — пояснила она так, как будто знание оперативниками мастей Таро было чем-то само собой разумеющимся. — Это стихия Воды, она символизирует явления, имеющие чувственную основу. Над чашей поднимается знак Венеры, а Венера — покровительница чувств. Это амулет любви и свадьбы, он помогает удачно вступить в законный брак и сохранить супружескую любовь и верность.

Ну что ж, каждый сам выбирает, во что ему верить, а во что — нет. Можно верить в силу магического амулета и не верить в то, что твой муж — убийца.

Настя и Антон вышли из квартиры Вероники и направились к своим машинам.

— Куда теперь?

— В театр, и как можно быстрее, — ответила Настя. — Только сперва позвоним Сергею Кузьмичу.

— Так вы же его в Шиловск послали, — удивился Антон.

— Ничего, он нам и из Шиловска поможет, если захочет, — загадочно усмехнулась Настя.

Она набрала номер Зарубина. Сергей долго не отвечал, и она уже собралась начать нервничать, когда он наконец взял трубку.

— Сережа, мы едем в театр, будем отлавливать Колодного сразу после репетиции.

— А что, все получилось? — недоверчиво спросил он.

— Вполне. Слушай, надо сделать так, чтобы жена ему не дозвонилась. Сможешь?

— Эк махнула! — крякнул Зарубин. — Не дозвонилась... А где у него телефон? С собой?

— Я видела, что он его не оставляет в гримерке, носит с собой в кармане, но выключает звук, потому что во время репетиции звонки запрещены.

— Плохо, — вздохнул подполковник. — Если бы он его в гримерке оставлял, было бы легче, я бы подослал шустрого паренька, он бы ему аппаратик вмиг испортил. А так... Ладно, постараюсь. Ты не забыла, что я тут прозябаю и жду твоего сигнала?

— Не забыла, — улыбнулась Настя. — Жди.

После ухода Каменской и Антона Вероника Колодная некоторое время пребывала в смятении, которое совершенно лишило ее воли к какому-либо действию. Она ходила взад и вперед по комнате и все пыталась осознать случившееся. Если верить тому, что написано в пьесе, получается, что Никита, ее Никита, ее любимый, единственный, ненаглядный Никитушка, — хладнокровный жестокий убийца. Но этого же не может быть! Не может! Не может оказаться убийцей человек, способный на такую преданную, такую нежную и горячую любовь. А в том, что Никита ее действительно любит, Вероника ни минуты не сомневалась. Он столько лет добивался ее, столько лет ждал, пока она согласится выйти за него замуж, терпел ее капризы, отказы, слезы, мирился с тем, что она не хотела выходить замуж без пентакля. Сам вызвался поехать поговорить со Светой, а когда ничего не получилось, решил встретиться с ее мужем. Он так много сделал во имя своей любви, так старался, чтобы ей, Веронике, было хорошо! Разве может такой человек убить? Нет, нет и нет! Украсть может, но не убить же.

Но почему же тогда в пьесе написано, что убийца — Юрий, в котором сама Вероника так явственно видит своего Никиту? Никакой Никита не Юрий, ничего общего, ну ни капельки! И никакого дорожно-транспортного происшествия не было, и никакого лечения, и никаких разговоров о компенсации. Нет, Юрий — это не Никита, и нечего об этом даже думать. Хотя, с другой стороны, все остальное в пьесе — правда, и ее собственные свидетельские показания на суде приведены почти дословно, и то, что говорила Света, тоже передано очень близко к тому, что было на самом деле, и слова прокурора, и речи адвоката, и показания других свидетелей. Если все это правда, а это правда, потому что Вероника отлично все помнит, значит, и про Юрия тоже... Или не значит?

Она никак не могла привести в порядок мысли, они путались, сбивались, налезали одна на другую и не хотели выстраиваться в четкую, логически последовательную цепочку. Надо поговорить с Никитой. Вот это будет правильным. Надо просто поговорить, рассказать ему...

Что рассказать? Про пьесу, которую он репетирует уже два месяца и знает наизусть? Только сейчас Вероника вдруг осознала, что за эти два месяца Никита ни разу не пересказал ей содержание пьесы и не показал текст роли, как всегда бывало раньше. Да, он много говорил о том, что роль большая и очень важная для него, что пьеса сырая и требует больших переделок, что автор пьесы по имени Артем сидит на каждой репетиции и прислушивается к замечаниям и поправкам, которые делают актеры и режиссер. Он говорил о покушении на Льва Алексеевича, горевал, когда убили Артема, не скрывал своего страха, когда ему объявили, что он может стать следующей жертвой. Да, это все было. А вот обсуждения пьесы как таковой и роли Юрия в этой пьесе не было.

Не было. Говорит это о чем-нибудь? Или не говорит ни о чем? Никита не мог не узнать в пьесе ситуацию из жизни Светланы и Дмитрия Леоничевых, но он даже словом не обмолвился о том, что автору стали известны подробности о подруге Вероники. Почему? Может быть, он думал, что ей это неинтересно и что Вероника желает забыть злую и жестокую Свету как можно быстрее и не захочет о ней говорить? Или он боялся разволновать и испугать жену? Надо обязательно спросить самого Никиту и про пьесу, и про Леоничева. Надо спросить. И пусть он скажет, как все было на самом деле, и выяснится, что не было ничего страшного, простое совпадение. И еще свободная фантазия автора «Правосудия».

Вероника схватила телефон и набрала номер мужа. Надо сказать ему, чтобы он сразу после репетиции немедленно вернулся домой, она не сможет ждать до вечера, когда он придет уставший и, как обычно в последнее время, нетрезвый.

«Абонент временно недоступен», — сообщил ей противный механический голос.

Ну, и что это означает? Телефон выключен? Нет, не может быть, муж никогда не выключает телефон, во время репетиции просто ставит режим «без звука», чтобы всегда точно знать, кто ему звонил. Ни один актер не позволит себе пропустить звонок, который может оказаться приглашением на пробы. Наверняка у Никиты просто разрядилась батарея телефона, он никогда за этим не следит и вовремя не ставит аппарат на зарядку, поэтому такое случается довольно часто. Но сегодня это так некстати! Надо найти мужа во что бы то ни стало, найти и уговорить приехать домой. Не потом, не вечером, не после посиделок в «Киномании» или у кого-то в гостях, а теперь же. Немедленно!

Она снова набрала номер. На всякий случай. «Абонент временно недоступен».

Как же связаться с Никитой? Вероника полистала записную книжку и нашла номер приемной Богомолова. Там сидит такая хорошенькая глупенькая Ева, ума небольшого, но исполнительная, ничего не забывает. Вероника постаралась как можно убедительнее донести до Евы необходимость срочно разыскать Никиту и попросить его сразу же после окончания репетиции позвонить жене. Обязательно и сразу же.

— Хорошо, — беззаботно пропела в трубку Ева, — я все сделаю, вы не беспокойтесь. Во время репетиции заходить в репзал строжайше запрещено, но после репетиции я найду Никиту.

— Вы можете не успеть, — настойчиво проговорила Вероника. — После репетиции он сразу же оденется и уйдет, вы его не поймаете.

— Хорошо, — покладисто повторила девушка, — к часу дня я подойду к репзалу и буду ждать. Вы не волнуйтесь, все будет в порядке.

Вероника немного успокоилась. До часу дня оставалось еще двадцать пять минут. Через сорок минут репетиция закончится, еще через пять минут позвонит Никита, еще час пройдет, прежде чем он доберется домой, а потом Вероника задаст ему все вопросы, получит на них внятные и такие простые и удобные ответы, и снова все будет хорошо.

В театре они сразу прошли к репетиционному залу, даже раздеваться в кабинете Богомолова, как обычно, не стали, боялись пропустить окончание репетиции. Возле репзала, переминаясь с ноги на ногу, стояла красавица Ева и нетерпеливо поглядывала на часики.

— Ждете кого-нибудь? — осведомился Антон.

— Колодного. Звонила его жена, у Никиты телефон заблокирован, а ей нужно срочно с ним связаться, вот она и попросила меня поймать его после репетиции, — охотно объяснила девушка.

Было видно, что ей скучно просто так стоять, и она с удовольствием поболтает с гостями.

— Ева, вы идите, мы Колодному все передадим, — строго произнес Сташис. — Идите, идите, у нас тут свои дела, вы нам будете мешать.

Глаза Евы округлились, длинные накрашенные ресницы хлопотливо заметались вверх-вниз.

— А что случилось? Вы пришли кого-то арестовывать?

— Да Бог с вами! — засмеялась Настя. — Ну кого можно арестовать в вашем театре? Разве что буфетчицу за несвежие продукты, но это не по нашей части. Нам нужно кое с кем поговорить, так что мы все равно будем здесь дожидаться. А слушать наши служебные разговоры вам совсем не обязательно. Вы ведь все понимаете, правда?

Ева с облегчением вздохнула и распрощалась с ними. Она не была любопытной, во всяком случае, не стала приставать и просить разрешения остаться, вероятно, потому, что на рабочем столе у нее лежал новый, еще не прочитанный глянцевый журнал, который, конечно же, куда интереснее каких-то там служебных разговоров каких-то там сыщиков с какой-то Петровки.

Дверь репзала распахнулась, начали выходить актеры. Антон заглянул внутрь и увидел, как Никита Колодный о чем-то горячо спорит с помрежем Федотовым. Поймав взгляд актера, Антон сделал ему знак выйти. Настя тут же, отойдя в сторонку, набрала номер Зарубина и негромко произнесла: «Начинаем». После этого звонка Сергей должен зайти в контору, где работает Ольга Попова, найти ее и начать свою часть беседы.

— Никита, я попрошу вас проехать с нами, — сказал Сташис.

Колодный нахмурился, посмотрел на часы.

— Куда? Я сейчас не могу, я занят. Давайте в другой раз, ладно?

Он повернулся и сделал попытку пройти мимо, но Антон крепко ухватил его за предплечье.

— Если у вас нет времени проехать к нам, то мы можем побеседовать в кабинете Льва Алексеевича, — твердо произнес оперативник. — Это не займет много времени, буквально несколько вопросов.

— Ну, ладно, — недовольно ответил Никита. — Только быстро.

В кабинете Богомолова Колодный сразу уселся на стул перед приставным столиком, закинул ногу на ногу и достал из кармана телефон.

— Мне нужно позвонить жене, — объявил он брюзгливым тоном, всячески давая понять, насколько неуместны сейчас какие бы то ни было беседы с представителями закона.

— Конечно, конечно, — кивнул Антон.

Никита попытался воспользоваться телефоном, но безуспешно.

— Наверное, деньги кончились, — растерянно пробормотал он, как-то моментально забыв о своем намерении быть высокомерным и спесивым. — Я позвоню с городского.

— Потом позвоните. — Теперь в голосе Сташиса звучал железобетон. — У нас разговор ненадолго. Итак...

— Не получается, Ольга Александровна, — покачал головой Зарубин. — Не сходится. Давайте-ка попробуем еще разочек. Так какие отношения у вас с Никитой Колодным?

Ольга насупилась, подумала немного, потом внезапно улыбнулась и картинно махнула рукой:

— А, ладно, была не была, признаюсь. Да, у нас роман. Но вы должны меня понять, Сергей Кузьмич, у Никиты такая жена...

— Какая — такая? Склочная, что ли? — прикинулся дурачком Зарубин. — Вы боитесь, что она явится расцарапывать вам личико и выдирать волосы?

— Нет, вы не понимаете... Она очень нервная. Нежная. Трепетная. Она не переживет, если узнает, что Никита ей изменяет. И Никита ни в коем случае не может допустить, чтобы она узнала о нашем романе. Вы правы насчет телефонных звонков, мы действительно только договаривались о встречах, а все остальные разговоры вели с глазу на глаз.

Ну вот, это уже что-то. Но далеко не все. Потому что пока Сергей обратил внимание Ольги Поповой только на длительность телефонных разговоров. И она тут же дала объяснение. А ведь есть еще сроки, есть периоды активного общения и длительный период молчания, и это тоже требует обоснования. Посмотрим, что она скажет дальше. И главное — что скажет на все это Никита Колодный, которого ребята сейчас трясут в театре.

— Когда и при каких обстоятельствах вы познакомились с Ольгой Поповой? Когда она дала вам номер своего телефона? Куда вы его записали? Зачем вы его вообще брали? У вас было намерение вступить с ней в романтические отношения? Кто первым позвонил — вы ей или она вам? О чем вы разговаривали? Как часто вы встречались? Где встречались? Когда? Для чего?

Вопросы ровным скучным голосом задавала Настя и каждый ответ старательно записывала в блокнот. В этом, конечно, никакой нужды не было, потому что работал, как обычно, диктофон, но ей хотелось создать у Колодного ощущение обычности и обыденности. Дескать, мы задаем самые простые вопросы и даже внимания не обращаем на то, что вы нервничаете и паникуете, я, например, этого просто не вижу, потому что пишу, склонившись над столом. Антон же внимательно наблюдал за актером и отчетливо видел, как тот растерянно мнется, судорожно ищет ответы на вопросы, к которым не был готов, блеет что-то невнятное. Разумеется, он уже знал, что к Ольге приходили и спрашивали о ее отношениях с Колодным, и он считал, что у него будут спрашивать то же самое. К этим вопросам он и подготовился, собираясь говорить в точности то же, что и Попова. А тут спрашивают совсем другое:

— Почему в ваших отношениях возникла пауза длиной в шестнадцать месяцев? Вы поссорились? А как вы помирились? Кто первым позвонил? И что сказал? И что услышал в ответ?

Никита пытался фантазировать, но увязал в собственных выдумках все глубже и глубже. И вдруг Настя совершенно другим тоном сказала:

— Ваша жена Вероника сегодня прочитала первоначальный вариант пьесы «Правосудие».

Колодный помертвел, но все-таки нашел в себе силы, скорее по инерции, спросить:

— Ну, и что?

— И ничего, — пожала плечами Настя. — Она все поняла.

— Что — все? — ему едва удалось пошевелить губами.

— То, что вы так пытались от нее скрыть. Да и от всех других тоже.

— Что именно она поняла? — настойчиво повторил Колодный уже чуть более уверенно.

— Ну, — Настя слегка улыбнулась, — до сегодняшнего дня Вероника думала, что вы всего лишь украли пентакль. С сегодняшнего дня она думает иначе.

— Иначе — это как?

— Она думает, что вы убийца.

— Я?! — Колодный уже кричал в полный голос. — Я — убийца?! Нет!!! Это не я!

— А кто же? — спокойно спросил Сташис.

Колодный опустил плечи, словно из него внезапно выпустили воздух.

— Это она, это все она, — пробормотал он.

— Она — это кто? Леоничева?

— Это Оля. Ольга Попова.

Антон бросил на Настю вопросительный взгляд, она помотала головой, потом кивнула, что должно было означать: здесь больше не давим, есть признание, этого достаточно, спрашиваем про Богомолова, пока он не очухался.

— Следующий вопрос, — ровным голосом проговорил Антон. — Где вы видели надпись «КОЖГОЛОНТИРЕЯ И ОКССЫСУАРЫ»?

Никита вздрогнул и непонимающе уставился на него. Переход от смерти Леоничева к какой-то странной надписи был резким и необъяснимым. Он очень хорошо помнил, где видел эту надпись, но откуда... Как они узнали?

— Мы ознакомились со стенограммами ваших репетиций, — все тем же скучным, каким-то пресным голосом сказала Настя. — Вы приводили эту надпись как пример неграмотности, которая, и в этом я с вами полностью согласна, стала, к сожалению, нормой нашей повседневной жизни. Так где вы ее видели?

— А какое отношение?.. Какая связь?

— Отвечайте на вопрос.

— Я не помню.

— А вы вспомните.

— Ну, я не знаю... Не могу вспомнить. Наверное, кто-то рассказал, а я запомнил.

— На репетиции вы сказали, что видели надпись своими глазами.

— Ну, приврал, с кем не бывает. Для убедительности.

— Вспомните, кто вам рассказал про надпись.

Настя и Антон вцепились в «ОКССЫСУАРЫ», как будто ничего важнее в их жизни на данный момент не было. Колодного хватило ненадолго.

Он какое-то время старательно изображал недоумение невинно заподозренного, который искренне не понимает, почему ему задают те или иные вопросы и в чем вообще его, такого чудесного и честного, можно обвинять. Он словно забыл о своем признании касательно Ольги Поповой, сосредоточившись полностью на том, где и когда видел эту треклятую надпись. Но очень скоро Никита выдохся. Глядя на Антона, наблюдающего за актером, Настя четко уловила момент, когда можно было перестать играть в игры и переходить к жестким вариантам.

— Господин Колодный, я сейчас скажу одну вещь, которая покажется вам банальной. Но вы ее все-таки выслушайте. Готовы? Так вот, идеальных преступлений не бывает, следы остаются всегда. Проблема только в образцах для сравнения. На бите, которой вы ударили Богомолова, остались следы одежды, такие, знаете, малю-ю-юсенькие микрочастицы, микроволокна ткани. Вы же несли биту не в вытянутой руке, правда? Она касалась ваших брюк и вашей куртки. И эти частицы эксперты обнаружили, несмотря на то, что биту вы весьма остроумно засунули в мусорный контейнер. Там, конечно, грязи полно, но выделение нужных частиц — это вопрос терпения и умения, а этого нашим экспертам не занимать. Так вот, для того, чтобы узнать, с чьей именно одеждой соприкасалась бита, нужно проверить одежду всего населения нашей страны, что, как вы сами понимаете, невозможно. Все так, но только пока у нас не было подозреваемого. Но теперь он есть, и этот подозреваемый — вы. И ничто не может помешать нам немедленно поехать к вам домой и изъять всю вашу одежду, среди которой, я уверена, найдется и та, в которой вы были в ночь покушения на Богомолова. Опять же алиби, ваше алиби, которое никто не проверял, потому что вас не подозревали. Но теперь мы его проверим. Понимаете, чем дело кончится? И ваш сценический костюм, в котором вы, играя в «Макбете», поднимались в квартиру Лесогорова и били его каминными щипцами по голове. Вы уверены, что на костюме не осталось следов крови? Вы точно помните, что кровь не брызнула на вас, что даже самая маленькая капелька не попала на костюм? Потому что если она туда попала, то уже сегодня вечером я об этом узнаю.

Краем глаза Настя видела, как с трудом сдерживается от улыбки Антон Сташис, потому что она блефовала так нагло и напористо, что сама себе удивлялась. Половина того, что она говорила, было ложью, и Настя совершенно не была уверена во всемогуществе экспертов-криминалистов, но какое это имеет значение?

— Нет, дальше я отказываюсь слушать, — заявил Камень, как только дело дошло до микрочастиц. — Пора переходить к финальному этапу, а то мы так до скончания века не управимся.

— Я тоже так считаю, — прошипел Змей. — Как только начинается стадия активных допросов, сразу возникает такая мешанина из поступающей информации, что практически невозможно восстановить ход событий.

— Ну и хорошо, — с видимым облегчением выдохнул Ворон. — А то я уж всю голову сломал, как вам пересказывать, что Попова говорит, да что Колодный отвечает, и кто о чем их спрашивает. Вот посплю чуток и полечу в две тысячи девятый смотреть, как там все было на самом деле. А пазлы из информации складывать — это меня увольте, я под такое дело не заточен.

— Позвольте спросить, уважаемый Ворон, а почему вы сразу не полетели туда, куда надо, и не посмотрели, как все было? — удивленно спросил Кот. — Это же гораздо проще и эффективнее. Я-то думал, что вы только в одно место умеете летать, а вы, оказывается, в разные можете...

— Я тебе уже объяснял, тупая твоя башка, что для просмотра детективов у нас есть правила, понимаешь ты? Веками выверенные и утвержденные правила: мы следим за работой сыщиков и в своих познаниях следуем за ними. А вот когда считается, что сыщики уже все узнали, только тогда я могу себе позволить тоже все узнать и получить целостную картину. И вообще...

— Тише, тише, — успокоил Камень друга, который в запале начал повышать голос, — не возмущайся, мы в первый раз объясняли Гамлету наши правила, когда он еще был сильно болен и находился в помутненном сознании. Он просто забыл. Правда же, уважаемый Гамлет?

Кот гордо промолчал, сделав вид, что ему

срочно надо вылизать какой-то посторонний клочок из задней ноги.

— А ты его не защищай, — огрызнулся Ворон. — Нечего болезнью спекулировать, он уже давно здоров, на нем пахать можно. В общем, вы как хотите, а я полетел спать.

Ворон исчез, Кот Гамлет отправился гулять в ожидании продолжения истории, а Камень и Змей остались вдвоем.

— Наш Гамлет и в самом деле совсем поправился, — радостно произнес Камень, глядя вслед удаляющемуся Коту. — Не зря мы так над ним колотились, не зря лечение организовывали.

— Н-да, — задумчиво прошелестел Змей. — А я вот тут знаешь о чем подумал? Что шекспировский «Гамлет» — это пьеса о бессмысленности мести.

— Разве? — удивился Камень. — А я-то всегда думал, что он писал о невозможности единичному добру победить всеобщее зло.

— А вот и нет! Потому что принц Гамлет никакой не носитель единичного добра, и нам это наш уважаемый Кот отлично объяснил. В его рассуждениях, при всей их кажущейся бредовости, есть рациональное зерно. Ведь смотри, что получается: Гамлет просто попался на провокацию. Явился какой-то дух, причем явился неизвестно откуда, то ли из рая, то ли из ада, а ежели из ада, то он — посланник сатаны и прочих злых сил. Явился и требует: отомсти. Гамлету-то нет чтоб разобраться, кто таков этот призрак и от кого он прибыл, а вдруг это дьявол искушает человека? А на мой взгляд, это именно так и получилось, призрак был посланником дьявола и явился именно для того, чтобы искушать. Ты же знаешь, Камешек, добрые поступки совершать куда труднее, чем злые, и простить намного сложнее, чем отомстить. Отомстить-то просто, дал волю злобе — и мсти себе на здоровье. Очень соблазнительно. И Гамлет поддался. А что получилось? Кучу невинных людей положил, включая всю семью Офелии и собственную мамашу. Вот в чем трагизм-то! Если бы принц, несмотря на заклинания призрака, нашел в себе душевные силы всех простить, вот тогда мы могли бы говорить о величии его духа. А так никакого такого особого величия не получилось. Так что от нашего непрошеного гостя Кота нам с тобой польза вышла, мы на старые истины новыми глазами посмотрели. Согласен?

— Согласен, — ответил Камень. — Жаль его отпускать. Жил бы он тут с нами, глядишь — мы от него всяких неожиданных мыслей набрались бы. Зря ты Ворона поддержал, не надо нам Кота отправлять назад.

— Не упрекай меня, — усмехнулся Змей. — Я — существо вольное, сегодня я с вами, а завтра отбуду в дальние края. А тебе здесь лежать, и для тебя жизненно важно, чтобы с Вороном у вас все было хорошо. Не надо его сердить. А Кота он не любит, это даже слепому видно, и терпит его только ради тебя. Пусть Гамлет уходит в свою реальность, так вам с Вороном будет спокойнее.

— Значит, ты нас покинешь, когда мы досмотрим историю? — уныло спросил Камень.

— Обязательно. Иначе наш крылатый товарищ мне глаза выклюет. Но я непременно вернусь, — пообещал Змей. — Ты и соскучиться не успеешь.

Когда Дмитрию Леоничеву было сорок шесть лет, он развелся со своей первой женой, а когда ему стукнуло пятьдесят, встретил двадцатилетнюю Светлану. Светлана была яркой, жизнерадостной, энергичной, активной и очень сексуальной, а то, что ума девушка была явно небогатого, для Дмитрия не имело ровно никакого значения. Тем более что отсутствие ума он как-то сразу и не заметил, ибо в Свете была настоящая профессиональная хватка, которая интеллекта не заменяет, но очень часто принимается за него. Светлана мечтала стать дизайнером и старательно училась. Леоничев влюбился до смерти, начал ухаживать, женился и послал молодую жену учиться за границу. Потом дал ей денег на создание собственной фирмы. Дела у Светы пошли успешно, она была не только привлекательной внешне, но и талантливой в своем деле, умела продвигать клиентам новые идеи и элегантно воплощать их, умела подавать и продавать, и заказы ей делали охотно. Сам же Леоничев был в городе Шиловске фигурой заметной, и кроме того, что его строительная фирма тесно сотрудничала с дизайнерской фирмой супруги, авторитета Дмитрия Юрьевича хватало и на то, чтобы добиваться для Светланы муниципальных заказов. Одним словом, фирма Светланы процветала. Леоничев свою молодую жену обожал, денег не жалел, баловал ее подарками и всяческими поездками в разные далекие интересные и красивые места.

Отношение же Светланы к мужу было сложным. Она, конечно, его любила, как умела, и любовь эта была круто замешана на благодарности за то, что Дмитрий явился прекрасным принцем и забрал ее из трудной беспросветной жизни в жизнь новую, успешную и радостную. Светлана отлично понимала, кому обязана всем, что у нее есть. И страшно боялась все это потерять. Ей даже в голову не приходило, что она сама в своей профессии что-то значит и что-то может и вполне в состоянии устоять на ногах и без помощи мужа. Как-то так получилось в ее жизни, что до встречи с Дмитрием у нее не было ничего, а вместе с ним появилось все, и Света мыслила строго в русле латинской поговорки «после этого значит вследствие этого». Могла ли она и в самом деле удержать занятые позиции без поддержки Леоничева — вопрос открытый, но важно то, что Светлана была абсолютно убеждена: не сможет. И вывод из этого следовал совершенно однозначный: удержать мужа любой ценой.

А вот вопрос цены и средств решался просто именно в силу небольшого ума и небогатого жизненного опыта. Когда-то давно, еще в детстве, Света услышала, как мать кому-то говорила, имея в виду сильно пьющего мужа:

— Да куда он денется, он и так передо мной кругом виноват.

Фраза запомнилась, легла на дно сознания и пустила корни, устроилась уютненько и ждала своего часа, чтобы дать цветоносы. Вот час и настал. Чтобы удержать рядом с собой Дмитрия, надо, чтобы он испытывал чувство вины. Так решила Светлана. И принялась за работу. Правда, сначала не очень получалось, потому что упрекнуть мужа было не в чем: и денег дает, и вниманием не обделяет, и сексуально более чем состоятелен, и в работе изо всех сил помогает. Но постепенно поводы появлялись. То не так сказал, то не так посмотрел, то не так сделал... Все это были мелочи, но Света довольно быстро сообразила, что из мелочи тоже можно раздуть целую историю, если привлечь сторонние силы, например, друзей и знакомых, которым можно пожаловаться на нерадивого супруга и которые потом обязательно дадут ему понять, что «в курсе и разделяют». Это срабатывало хорошо, потому что от мнения окружающих Дмитрий был очень зависим, он совершенно не переносил, когда о нем думали плохо. Светлана интуитивно уловила эту его слабость и с азартом на ней играла. Но ей нужен был настоящий повод, другой, большой, чтобы морально окончательно сломить мужа и быть уверенной, что никуда он не денется с подводной лодки.

И вот повод сам пришел в руки: умерла мать Леоничева. Свекровь Светланы была женщиной очень пожилой, и, как это часто бывает со стариками, одно вполне излечимое заболевание вдруг обернулось целой лавиной тяжких осложнений. Разумеется, Дмитрий положил мать в хорошую коммерческую клинику в Москве и, не считая денег, платил за все, включая дорогостоящие лекарства и сиделку в палате. Дело дошло до реанимации, это стоило еще дороже, но он платил исправно. Матери становилось все хуже и хуже, ее подключали к аппаратам, она впала в сопор и лежала без сознания.

И вдруг свободные деньги закончились. Чтобы не вынимать средства из дела, Дмитрий взял большую сумму в долг, собирался отдавать по мере возможности, но тут грянул кризис, который ударил в первую очередь именно по строительному бизнесу. Чтобы отдать этот долг, пришлось влезать в другой, с еще более кабальными условиями, и Дмитрий понял, что так он долго не протянет. Счета из больницы выставлялись каждую неделю и были устрашающими, и, чтобы продолжать их оплачивать, Леоничеву пришлось бы закладывать здания, сооружения и механизмы. То есть, проще говоря, расстаться с бизнесом, потому что кризис все углублялся, и не было никаких шансов спасти впоследствии заложенное имущество. Он поднапрягся, продал все, что еще мог продать без ущерба для основного дела, выплатил долги и принял решение перевести мать в бюджетную больницу по месту жительства, в Шиловске, потому что платить за коммерческую клинику был больше не в состоянии. Мать могла пролежать в сопоре еще не один месяц, а врачи говорили, что порой такая ситуация длится годами. Сколько средств могло еще понадобиться? Этого никто не знал.

Перевозка в другую больницу подразумевала отключение от аппаратов, и Леоничев понимал всю опасность мероприятия, но другого выхода для себя не видел. Ну, продаст он бизнес, и этого хватит на то, чтобы платить еще какое-то время, пусть даже длительное, но что будет, если мать не поправится? А о том, что она поправится и встанет на ноги, даже речь не шла, разговор был только о том, чтобы выжить и остаться до конца дней лежачей больной, не имеющей возможности самостоятельно себя обслуживать и не ориентирующейся в реальности. Так вот, что будет, когда и эти деньги закончатся? Все равно встанет вопрос о бесплатной медицине, и его все равно придется решать. Только к тому времени Дмитрий останется без гроша и без дела, которое любил и которому посвятил многие годы. И тогда он все равно ничем не сможет матери помочь.

Было бы ложью сказать, что решение далось Леоничеву легко. Он мучился, переживал, не спал, не ел. И все-таки решился. Перевозить мать из Москвы в дальнее Подмосковье пришлось днем, почему-то никому не пришло в голову сделать это ночью, когда мало машин, и дорога заняла бы не так много времени. Днем переезд занял больше четырех часов даже на машине «Скорой помощи». Отключенная от аппаратов, старая женщина этого переезда не перенесла и скончалась в пути.

Светланы в это время не было, она отдыхала на Мальдивах, Леоничев отправил ее туда на целый месяц. О смерти матери он ей ничего не сообщил. Зачем? Пусть девочка отдохнет, наберется сил, с похоронами он прекрасно управится и без нее. Печальную новость Дмитрий сообщил жене только в аэропорту, когда встречал ее. И о своем неоднозначном и таком трудном решении тоже промолчал, сказал лишь, что мама умерла. Светлане даже в голову не пришло спросить, где и при каких обстоятельствах умерла свекровь. Разумеется, в больнице. А где же еще?

Она погоревала вместе с мужем, а то, что он начал попивать, списала на вполне естественные причины: все-таки человек мать похоронил. У нее даже мыслей не было о том, что Дмитрий себя в чем-то винит. По ее представлениям, он сделал все, что мог, и вообще сделал намного больше, чем делают другие.

Но однажды в Москве, совершенно случайно, Светлана встретила врача, которого хорошо знала по визитам к свекрови. Первый шок от услышанного довольно быстро прошел и сменился уверенностью: вот он, тот самый повод сделать Дмитрия «кругом виноватым», который позволит привязать его к себе накрепко. И Светлана взялась за дело.

В ход пошли сперва скандалы, обвинения и упреки, потом общественное мнение. Светлана не жалела красок, расписывая их общим знакомым, какое Дмитрий чудовище, какой он бессовестный и безжалостный убийца, как она его боится, потому что убивший единожды может убить еще раз. Она никогда не смирится с тем, что он сделал, никогда не простит ему смерть матери. Более того, он начал пить, и с каждым днем все больше и больше, а в опьянении он страшен, уж она-то знает. Вдруг он и ее убьет? Он становится совершенно невыносим, он агрессивен, он злобен. И как только Светлана, бедная невинная овечка, все это терпит? Ведь это очень опасно — находиться рядом с таким человеком.

А Дмитрий страдал, и не только от чувства вины за смерть матери, но и оттого, что жена его не понимает. Да, он подвергся благодаря усилиям Светланы остракизму со стороны своего окружения, но больше всего его ранило то, что она не осознавала, насколько ему самому тяжело. Он не мог рассказать ей правду о причинах своего такого непростого, такого тяжелого решения, потому что не хотел признаваться в денежных затруднениях. Для него это было унизительно, ведь рядом с молоденькой женой он всегда играл роль доброго волшебника, для которого нет ничего невозможного, и с этой ролью Дмитрий Леоничев расстаться никак не мог. Светлане и в голову не приходило, что у мужа просто-напросто нет денег, она считала, что он пожадничал. И в силу достаточно молодого возраста она, конечно же, не могла понять, как трудно в шестьдесят лет добровольно расстаться с собственным делом, понимая, что другое дело уже не начнешь — силы не те. Одним словом, Леоничев признавал, что в глазах жены он действительно выглядит чудовищем, но так как исправить этого не мог, то и пил все сильнее и сильнее.

Теперь он уже не расставался с фляжкой, в которую наливал что-нибудь покрепче, и постоянно делал глоток-другой, прямо с утра начинал. Жизнь становилась все невыносимее, и спасала только работа.

В тот день, в тот самый последний день своей жизни, Дмитрий Леоничев сидел дома и работал над очередным контрактом, который подготовил его юрист и который ему категорически не нравился. Он недавно сменил юриста, прежнего уволил, а на его место взял, по рекомендации знакомых, совсем молодого парня, еще ничего не понимавшего в строительном бизнесе. За его работой нужен был глаз да глаз.

Дмитрий сидел за компьютером, читал договор, вносил исправления и дополнения, сердился, делал глоток из фляжки и ни на что не отвлекался. Он слышал, как поет звонок домофона, но не вставал из-за стола: он никого не ждал и открывать никому не собирался. Он и с телефоном обходился точно так же, постоянно повторяя жене:

— Я у себя дома имею право решать, что мне делать и чего не делать. Я сам имею право выбирать, с кем мне общаться, а с кем не общаться. И если я не хочу подходить к телефону, то меня никто не может обязать. Если я не хочу открывать дверь, то не открою.

Дмитрий Леоничев работал и пил, не обращая внимания ни на звонки домофона, ни на телефонные трели.

Когда мать Леоничева лежала в реанимации, у него на стройке произошел несчастный случай: рабочий по фамилии Попов упал с высоты девятого этажа и разбился насмерть. Имело место нарушение техники безопасности со стороны прораба, и, по-хорошему, фирме Леоничева пришлось бы выплачивать семье погибшего рабочего немаленькую компенсацию, но Попов был склонен к злоупотреблению спиртным, и Дмитрию Юрьевичу удалось, используя административный ресурс, уклониться от выплаты, добившись признания вины самого пострадавшего. Спустя какое-то время вдова Попова пришла к Леоничеву и попросила оказать материальную помощь.

— Вы же прекрасно знаете, что муж не виноват, — говорила она. — Виноват ваш прораб, которого вы покрываете. Я совсем больна, мне нужны деньги на лечение, а единственный кормилец умер.

В принципе Дмитрий был мужиком не злым и не жадным, и, приди Попова хотя бы на год раньше, даже на полгода, он бы, конечно, дал ей денег. Но в тот момент он был полностью погружен в проблемы оплаты лечения матери и стоял перед своим тяжким, мучительным выбором, который все никак не мог сделать. И он ответил грубо, не выбирая выражений:

— Ну, умер — и умер, все умирают. У меня вон мать умирает. Никто вечно не живет. А при том, сколько ваш муж пил, он бы еще максимум три года протянул и все равно умер бы. Сам виноват.

После визита к Леоничеву вдова Попова снова слегла. И примерно через пару месяцев, когда мать немного пришла в себя, еще раз сходила к Леоничеву и еще раз получила отказ, за дело взялась ее дочь Ольга, которая не простила Дмитрию Юрьевичу ни судебного решения, ни отказа в материальной помощи, ни оскорбления матери. К этому времени Леоничев уже похоронил свою мать.

Ольга начала собирать сведения о Леоничеве и его образе жизни и очень скоро узнала то, что и так уже знало полгорода: он постоянно пьет. Она долго наблюдала за ним и знаменитую серебряную фляжку видела своими глазами. Леоничев в депрессии, и вполне можно отравить его, инсценировав самоубийство.

Воплотить замысел не удалось сразу, не такое это простое дело — пойти и убить. Решиться — это одно, а вот сделать... Ольга долго собиралась с силами. Наконец принялась за осуществление задуманного и выбрала день, когда Леоничев остался дома один. Впрочем, такие дни в последнее время выпадали все чаще. Ольга пришла, позвонила в домофон, но ей никто не открыл. Может быть, Дмитрий Юрьевич все-таки ушел? Она позвонила в квартиру по телефону, но никто не ответил. Нет, он обязательно должен быть дома, ведь она своими глазами видела, как уезжала на своей машине Светлана и как Дмитрий Юрьевич стоял на балконе и смотрел ей вслед. После этого Ольга отлучилась лишь ненадолго, всего на несколько минут забежала в магазин, чтобы купить и выпить бутылку воды: она нервничала, и ей все время хотелось пить. И магазин-то совсем недалеко, в торце того же дома, где жили Леоничевы. И машина Леоничева на месте стоит... Конечно, она позвонила в домофон не сразу после отъезда Светланы, долго собиралась с мыслями, сидела в сквере напротив дома, но при этом не спускала глаз с подъезда и готова была поклясться: Дмитрий Юрьевич не выходил.

Ольга снова позвонила в домофон, а когда ей и на этот раз не ответили, села на скамейку возле подъезда и стала ждать. Она была в растерянности, в ее так тщательно продуманный план совершенно не вписывалось обыкновенное нежелание хозяина квартиры открыть дверь и впустить незнакомого человека. Этого она не предусмотрела, поэтому не понимала, что делать, но надеялась, что какое-нибудь решение все-таки придет.

И оно пришло. Дверь подъезда распахнулась, и вышел Леоничев, в спортивном костюме и в домашних шлепанцах. Ольга поняла, что он уже «принял на грудь» и даже не обращает внимания на то, в какой обуви выходит. Дмитрий Юрьевич двинулся в сторону магазина и очень скоро снова появился, неся в руках пакет с продуктами. Продуктов было немного. Ольга поднялась ему навстречу:

— Дмитрий Юрьевич, я к вам. Можно войти? Мне нужно с вами поговорить.

— О чем? — равнодушно спросил Леоничев.

— Это очень важно, честное слово. Я не займу много времени. Пожалуйста, я очень вас прошу.

Видно, столько мольбы и отчаяния было в ее лице, что Леоничев сдался. Они вместе вошли в подъезд и поднялись в квартиру. В квартире Дмитрий Юрьевич небрежно швырнул пакет с продуктами на пол, прошел в комнату, где рядом с включенным компьютером стояла та самая фляжка, и сразу же взял ее в руки. Ольга думала, что они поговорят здесь же, но Леоничев пригласил ее в другую комнату, побольше, и предложил ей сесть в кресло рядом с низким столиком. Сам уселся в кресле напротив и тут же сделал глоток из фляжки.

— Ну, слушаю. Только покороче, у меня много работы.

Ольга, как и планировала, представилась и завела разговор о материальной помощи. Для себя она решила, что, если Леоничев согласится заплатить, она не станет его убивать. Пусть живет. В конце концов, местью можно и пожертвовать, если будет на что лечить мать. Но он платить не собирался. То, что пришлось ей выслушать, было еще хуже, еще грубее, чем то, что он в свое время сказал ее матери.

— Я понимаю, — согласно кивала Ольга, —

325

вы, конечно же, правы. Поверьте, я ни за что не пришла бы, если бы не мама... Она очень настаивала, чтобы я пришла к вам и попросила, а я говорила ей в точности то же самое, что вы сейчас говорите мне. Не сердитесь на меня.

Но сердиться он и не думал.

— Можно мне воды? — попросила она.

Леоничев встал и пошел на кухню за водой. Этого времени Ольге Поповой вполне хватило на то, чтобы высыпать во фляжку принесенные с собой таблетки. Теперь оставалось только ждать, когда Леоничев выпьет достаточное количество отравленного спиртного.

— Хотите, я вам поесть приготовлю? — предложила она, выпив одним махом воду из высокого стакана. — Я видела, вы продукты покупали. Вы, наверное, голодны. Работайте, работайте, я вам не помешаю. Просто мне так неловко, что я вас побеспокоила, и мне хочется как-то загладить...

Леоничев согласился. Ему вообще многое стало безразлично в последнее время. Если эта девочка ему не помешает, пусть приготовит поесть, хоть какая-то польза будет от того, что он ее впустил.

Ольга забрала из прихожей пакет с продуктами и отправилась на кухню. Что-то резала, что-то жарила, плохо понимая, что делает, прислушиваясь к звукам, доносящимся из комнаты, и прикидывая, скоро ли... Она боялась выйти и посмотреть и все придумывала себе занятие на кухне: вот это можно помыть, вот это еще чуть-

чуть потушить. Наконец она поняла, что никакие звуки из комнаты больше не доносятся, робко заглянула в комнату и увидела, что Леоничев с закрытыми глазами полулежит на диване. Ольга даже не смогла понять, дышит он или нет, подойти поближе не осмелилась, стало страшно, страшно просто до ужаса, она вдруг поняла, что натворила... Но нужно было довести дело до конца. Она подошла к работающему компьютеру, открыла новый файл и набрала текст, который придумывала на всякий случай, пока находилась на кухне. Ведь она видела, что Леоничев работает, и задумала это использовать. Это был текст его предсмертного письма, в котором Дмитрий Юрьевич признавался в том, что «больше не может жить с чувством вины», его «никто не понимает», ему «все надоело», и он устал. Письмо было коротким, но Ольге казалось, что это был самый длинный и сложный текст, который ей приходилось когда-либо набирать.

Она пулей вылетела из квартиры, схватив сумочку и не захлопнув за собой дверь. Скорее вниз, скорее выйти из дома, отойти подальше от того места, где случилось такое. Выбежала, мимоходом бросив взгляд на кабинку консьержки. Сегодня дежурил пожилой мужчина, который увлеченно смотрел по телевизору футбол, отвернувшись от лестницы, и ни на что не реагировал. Ольгу он не заметил. На улице она метнулась через дорогу, там был сквер, в котором Ольга провела немало часов, наблюдая за домом Леоничева. Села на скамейку, вытащила сигареты из сумочки, закурила. По лицу текли слезы, которых она не замечала.

— Вам плохо? — раздался чей-то незнакомый голос. — У вас что-то случилось?

Она подняла глаза и увидела симпатичное участливое лицо молодого мужчины.

— Я человека убила, — вырвалось у нее.

Никита Колодный не просто любил Веронику Демину. Он был одержим ею. Он не мог дышать, говорить, спать, не мог жить без нее. Если бы Никиту спросили, что такого необыкновенного в этой девушке, да, красивой, хрупкой, нежной, да, умненькой и образованной, но все-таки достаточно заурядной, такой, каких сотни и тысячи, он бы не ответил. Никита пытался бороться с собой, несколько раз бросал Веронику, не звонил ей, не встречался, ухаживал за другими женщинами и близко сходился с ними, но ничего не получалось. Без Вероники он не мог существовать.

— Может, она тебя приворожила? — предположила одна его подружка-актриса, в очередной раз выслушав стенания Колодного о том, как ему плохо, потому что Вера не выходит за него замуж. — Ты бы к бабке сходил, на каждый приворот есть свой отворот.

И Никита ходил к бабкам, ненавидел сам себя — и все-таки ходил, просил сделать так, чтобы она согласилась стать его женой. На самом деле он уже знал, что причина в пресловутом пентакле, на котором Вера просто помешалась, но надеялся, что можно будет как-нибудь обойтись и без него. Бабки с приворотами-отворотами не помогли, одержимость Никиты становилась все сильнее, а Вера упорно стояла на своем: без пентакля брака не будет. А пентакль она когда-то отдала Свете Леоничевой, и его нужно во что бы то ни стало вернуть. Светлана же возвращать подвеску, якобы обладающую магической силой, отказывалась.

Он ездил поговорить со Светланой Леоничевой и вышел от нее в ужасе: если она нежной тонкой Верочке сказала то же самое, что говорила только что ему, то какое же унижение и оскорбление пришлось вынести его ненаглядной! В эту минуту он готов был растерзать Светлану. Если бы мог, он бы ее убил.

И Никита решил поговорить с мужем Светланы, с которым был знаком и который всегда производил впечатление человека рассудительного, спокойного и доброжелательного. Разговаривать с Леоничевым нужно дома и обязательно в отсутствие жены. Несколько дней постоянных наблюдений принесли свои плоды: Светланы дома не было, на звонок домофона никто не ответил, видимо, Леоничева нет, и нужно просто набраться терпения и дождаться, когда он придет. Прорываться в квартиру мимо консьержки Никите в тот раз и в голову не пришло, ведь это именно Светлана может не захотеть с ним разговаривать и не открыть дверь, увидев на экране монитора лицо Колодного, а Дмитрий-то нормальный мужик, он бы непременно открыл, если бы был дома.

Никита сидел в своей машине и наблюдал за подъездом, поджидая Дмитрия Юрьевича Леоничева. Он видел девушку, сидевшую на скамейке, и подумал, что она, наверное, тоже кого-то ждет. Когда из подъезда вышел Леоничев, Никита изрядно удивился: надо же, он, оказывается, был дома, а дверь не открыл. Может быть, Светлана его предупредила о настырной подруге и ее женихе, настроила мужа против них, и теперь он тоже будет уклоняться от разговора?

Пока Никита обдумывал эти неожиданные соображения, Леоничев ушел. Никита расстроился было, но потом решил, что, раз Дмитрий одет явно по-домашнему, стало быть, ушел недалеко и скоро вернется. Так и вышло, Леоничев появился минут через десять с продуктовым пакетом в руках. Когда он подошел к подъезду, Никита собрался выйти из машины и перехватить его, но тут со скамейки поднялась девушка, та самая, которая сидела тут уже давно. Она о чем-то поговорила с Леоничевым, и они вместе вошли внутрь. Никита решил переждать, пока девушка уйдет, кто ее знает, какие у нее отношения с Леоничевым, вполне возможно, что уж теперь-то визит Колодного окажется совершенно некстати. А «некстати» Никите не надо, ему нужно, чтобы Дмитрий был расположен к беседе и к собеседнику, ему нужен результат. Потому что без пентакля Никита Колодный возвращаться в Москву не собирался.

Он ждал спокойно и терпеливо, и наконец та девушка показалась в дверях подъезда. Выскочила на улицу как ошпаренная, перебежала через дорогу, не глядя по сторонам и едва не попав под машину, села в скверике на лавочку, закурила. И заплакала. Никита немедленно вышел из машины и подошел к ней.

— Вам плохо? — участливо спросил он. — У вас что-то случилось?

Девушка посмотрела на него безумными глазами, казалось, она вообще не ориентируется в окружающей действительности.

— Я человека убила, — вдруг выпалила она.

И разрыдалась на плече у Никиты. А потом, путаясь в словах и захлебываясь, рассказала о том, что сделала.

Решение пришло мгновенно и неожиданно. Никита сам от себя не ожидал такого хладнокровия и сообразительности. Ненависть к Светлане Леоничевой, посмевшей обидеть его любимую, снова вспыхнула в нем и разгорелась еще сильнее.

— Тебя кто-нибудь видел? — спросил он девушку. — Там консьержка в подъезде сидит, она тебя видела?

— Там сегодня мужчина дежурит, он футбол смотрит и всех впускает, не глядя и ничего не спрашивая, — ответила та.

— И когда ты с Дмитрием входила, он тебя тоже не видел?

— Даже не обернулся.

— А дверь? Ты ее захлопнула?

— Я... не помню. Кажется, нет.

— Как тебя зовут?

— Ольга.

— Вот что, Ольга. Мы сейчас сядем в мою машину, отъедем за перекресток, ты посидишь, а я вернусь в квартиру и посмотрю, что можно сделать.

— А что... что можно сделать? — спросила Ольга дрожащим голосом.

— Ну, может, Дмитрий жив еще, тогда я «Скорую» вызову, — солгал Никита, чтобы успокоить ее.

На самом деле он уже принял решение. Если Леоничев жив, надо уничтожить письмо и действительно вызвать врачей. Ведь если Дмитрий выживет, то обязательно вспомнит, что никакого письма не писал, и тогда станет ясно, что это было покушением на инсценировку самоубийства. А так, без письма, будут думать, что человек спьяну наглотался чего-то не того, а то, что он сам не помнит про таблетки, говорит только о том, что он давно и сильно пьет. И все будет шито-крыто. Но если Леоничев все равно уже умер, то есть шанс повернуть все так, что этой сучке Светке небо с овчинку покажется. Она на своей собственной шкуре прочувствует в полный рост, что такое унижение и оскорбление. Конечно, хорошо бы, чтобы дверь в квартиру была открыта, но тут уж как повезет. Надо пробовать.

Оставив Ольгу в своей машине, припаркованной в квартале от дома Леоничевых, Колодный вернулся и нажал кнопку консьержки. Дверь подъезда немедленно открылась, дежурный действительно сидел спиной к входящим, уткнувшись в телевизор, и отчаянно болел за «наших». Квартира Леоничевых была не заперта, и Никита беспрепятственно вошел внутрь. У него не хватило смелости подойти поближе к лежащему на диване мужчине, это только там, внизу, ему казалось, что он войдет и сразу же проверит, жив ли Дмитрий, пульс пощупает, зеркальце к губам приложит, а теперь он не находил в себе сил. «Ну и пусть, — тупо думал Никита, — если еще не умер, то умрет через полчаса, через час, через два. Пока Светка вернется, он так или иначе умрет, потому что Ольга подсыпала ему такой препарат, который в сочетании со спиртным приводит к смерти, если врачи вовремя не вмешаются».

Он быстро обошел квартиру и обнаружил еще один стол с компьютером. «Это Светкин», — сообразил Никита и принялся шарить в ящиках в поисках какой-нибудь приметной флэшки. Флэшка нашлась довольно быстро, изящная, в плоском корпусе, украшенном разноцветными камнями, похоже, от Сваровски. Сунув находку в карман, Колодный подошел к книжным полкам. Он хорошо помнил, как Вероника рассказывала ему, откуда Светлана доставала пентакль, чтобы лишний раз подразнить бывшую подругу и сделать ей больно. Вот и шкатулка. Вынув подвеску, Никита на секунду замер: что он делает? Он собирается замести следы чужого преступления и одновременно совершить еще одно, свое собственное. Он что, с ума сошел? Может быть, остановиться, пока не стало слишком поздно, положить на место флэшку и подвеску и вызвать «Скорую»? Перед глазами встало лицо Вероники, такое любимое, лицо, без которого он не может спокойно жить, которое снится ему каждую ночь. Вероника не будет с ним, пока не получит этот проклятый пентакль, будь он трижды неладен. Она одержима своей идеей точно так же, как он сам одержим ею. И обида на Светлану грызет Веру и не дает ей жить с высоко поднятой головой. Нет, нужно довести дело до конца, и тогда Вероника выйдет за него замуж и забудет об оскорблениях, нанесенных бывшей задушевной подружкой. Настанет другая жизнь, новая, яркая и в то же время спокойная, наполненная любовью и близостью. И у них с Верой наконец появятся дети, которых Никита так давно хочет...

Он аккуратно притворил входную дверь квартиры до щелчка, возвестившего о том, что замок закрылся. Спустился вниз, неторопливо, едва сдерживаясь, чтобы не побежать, проследовал мимо консьержа, который теперь следил не за футбольными баталиями, а за велогонкой, видно, был большим поклонником спорта. Вышел на улицу и, почти ничего не видя вокруг, добрался до машины.

— Ты живешь одна? — спросил он у Ольги.

— С мамой. А что?

— Мама сейчас дома?

— Она в больнице. Почему ты спрашиваешь?

— Поехали к тебе, нам нужен компьютер. Показывай дорогу, — скомандовал Никита.

Она ничего не спросила, только говорила, куда повернуть и как проехать. Дома у Поповых они сразу сели к компьютеру, Никита вставил украденную флэшку, и они принялись сочинять варианты предсмертного письма. Самое трудное было восстановить по памяти то письмо, которое написала Ольга в квартире Леоничева. Никита клял себя за то, что не догадался прямо там же, на месте, скопировать это письмо на флэшку. Но упущенного не воротишь, пришлось вспоминать. Слава богу, то письмо было достаточно коротким, и Ольге все-таки удалось восстановить его полностью.

— Зачем мы это делаем?

— Мы подбросим флэшку Светлане, милиция ее найдет, обнаружит не только окончательный вариант, но и другие, предыдущие варианты предсмертного письма и поймет, что Света заранее готовилась убить мужа. Поняла? На тебя вообще никто никогда не подумает.

— На меня и так никто не подумает, — отозвалась уже пришедшая в себя Ольга. — Зачем все это?

— Я хочу, чтобы Светка села, — коротко и просто объяснил Колодный. — Она слишком много боли причинила мне и моей девушке, слишком много крови из нас попила. Пускай расплатится.

— А как милиция узнает, что надо искать флэшку?

— Мы ей поможем. Только тебе придется, в свою очередь, тоже мне помочь.

Но Ольга внезапно заупрямилась.

— Почему я должна тебе помогать? Мне ничего не угрожает, меня никто не видел, никто не знает, что я была у Леоничева.

Никита очень серьезно посмотрел на нее и медленно произнес:

— Я знаю. Я обо всем знаю. И ты теперь от меня зависишь. Тебе придется мне помочь. И прямо сегодня же, пока Светка еще ни о чем не узнала. Ты пойдешь к ней на работу, под любым предлогом зайдешь в ее кабинет и оставишь флэшку на столе. Засунь куда-нибудь поглубже, спрячь среди бумаг. Или в какую-нибудь коробку сунь, чтобы она Светке на глаза не попалась. А звонок в милицию я через пару дней организую сам.

— И как я войду к ней в кабинет? Что я скажу?

— Послушай, ну придумай же что-нибудь! — сердито воскликнул Никита. — Почему я сам обо всем должен думать? Скажи, что собираешься отделывать квартиру и хотела бы посмотреть портфолио фирмы и лично познакомиться с хозяйкой, чтобы принять решение. Что ты, маленькая? Тебя всему учить нужно?

Глаза Ольги загорелись недобрым огнем, и он понял, что переборщил. Никита сразу же отыграл назад, заговорил мягко, ласково, просительно. В конце концов они обо всем договорились.

— Обменяемся телефонами, — сказал он. —

Держи мой мобильник, позвони с него на свою трубку. И ничего не бойся. Действуй по моему плану, и все будет хорошо. Нас с тобой никто не тронет.

Он подвез Ольгу до улицы, где располагалась дизайнерская фирма Светланы Леоничевой, и остался ждать ее в машине. Светлана была занята и не смогла принять Ольгу сразу, девушка очень волновалась и вышла из приемной на крыльцо, чтобы покурить и позвонить Никите. Она видела его машину, видела самого Никиту внутри, в салоне, но на всякий случай решила не подходить к нему. Так они и разговаривали, глядя друг на друга с расстояния пятнадцати метров. Говорил в основном Колодный: успокаивал, уговаривал, утешал до тех пор, пока на крыльце не появилась секретарша, пригласившая Ольгу в кабинет хозяйки фирмы.

Когда Ольга вернулась, Никита уже окончательно успокоился. Кажется, все идет гладко и без сбоев. Он отвез девушку домой и минут через десять перезвонил ей. Просто чтобы убедиться, что она не начала нервничать и паниковать еще больше и не собирается наделать глупостей. По телефону голос Ольги звучал устало, был измученным, но ровным.

Осталась малость: анонимный телефонный звонок о том, что Светлана Леоничева убила своего мужа и доказательства ее преступления находятся на флэшке с разноцветными стразами, лежащей у нее на рабочем столе.

Позвонил он через два дня, как и собирался.

Почему именно через два — он не смог бы объяснить. Но до этого он вручил пентакль Веронике, сказав, что Дмитрий Леоничев сам отдал его, и наступил один из самых светлых и радостных дней в его жизни. Потому что была счастлива его любимая. И она в тот день согласилась стать его женой и родить ему детей.

Он еще несколько раз разговаривал с Ольгой по телефону, а потом, примерно через неделю после убийства, всему городу стало известно, что Светлана Леоничева арестована по подозрению в убийстве мужа. Ольга успокоилась, Никита тоже. Больше они друг другу не звонили, не хотелось напоминать себе о том, что они сделали.

Через несколько месяцев Вероника рассказала ему, что к ней приходил адвокат Светланы. Вера задавала очень неудобные вопросы, и Никите пришлось признаться, что пентакль он украл. Но, разумеется, Леоничев в этот момент был жив и здоров, просто он вышел из комнаты.

— Ты меня презираешь? — тоскливо спросил он Веру. — Я — вор. И я тебя обманул, сказал, что Дима сам отдал подвеску.

— Ты — мой любимый, — грустно ответила она. — Ты пошел на это ради меня. Ты не хотел меня расстраивать. Я это ценю. Конечно, ты поступил плохо, но я, наверное, сама во всем виновата, я слишком настаивала...

Прошло шестнадцать месяцев, и вдруг в театре «Новая Москва» появился Артем Лесогоров со своей пьесой «Правосудие». И Никита Колодный был назначен на одну из двух главных мужских ролей.

Его охватил ужас. Откуда у Артема информация, положенная в основу сюжета? Что именно он знает? Насколько подробно? Никита сделал все, чтобы сблизиться с Артемом и выяснить, что ему известно, он открыто набивался ему в друзья, поил журналиста водкой, соблазнял возможностями тусоваться в бомонде, водил в «Киноманию», знакомил с разными известными людьми, а сам постоянно, и на репетициях, и вне их, пытался повлиять на Лесогорова и уговорить внести изменения, которые сделали бы сюжет пьесы менее узнаваемым. Да, пока, до поры до времени, ему удается не рассказывать Вере о «Правосудии», но ведь настанет день прогона, а потом день премьеры, и она все равно увидит спектакль и все поймет. Конечно, история абстрактного Юрия — это вовсе не история Никиты Колодного, но вот разворот с флэшкой и последующим обвинением жены Зиновьева — это в самую точку. Вера была на суде, она слышала про флэшку и предсмертное письмо и знает, что Светку Леоничеву посадили из-за этой самой флэшки. Вера нежна и доверчива, но она отнюдь не дура. Отнюдь. И она бросит Никиту, который совершил такую подлость. Нет, ни в коем случае нельзя допустить, чтобы пьеса была поставлена в том виде, в каком ее принес в театр молодой драматург-журналист Артем Лесогоров. Лучше всего, конечно, чтобы пьесу вообще отказались ставить.

И Никита начал мешать. Он мешал исступленно, самозабвенно, постоянно нарываясь на сердитые окрики режиссера, он делал все, чтобы затормозить работу над спектаклем, надеясь на то, что Богомолову надоест биться над сырой и бесперспективной пьесой и он отступится. Или Лесогорову станут невыносимы постоянные замечания и советы, и он заберет пьесу, поняв, что как драматург не состоялся и с мечтой о постановке придется расстаться. Но Артем был податлив и терпелив, а главное — не обидчив, он понимал, что пьес писать не умеет, и с готовностью шел почти на любые изменения, но тут неожиданным препятствием стал, как ни странно, Лев Алексеевич Богомолов, который категорически отказывался признавать, что история с матерью Зиновьева надуманная и мотивация героя неубедительна. Напротив, Богомолову эта история ужасно нравилась, и он делал на ней основной акцент. Никита много раз обсуждал пьесу с очередным режиссером Семеном Борисовичем Дудником, который соглашался и говорил:

— Конечно, старик, если бы ставил я, то сделал бы именно так, как ты советуешь, ты совершенно прав. И история с матерью дурацкая и совершенно неправдоподобная, и история с флэшкой не лучше. Нет, это все никуда не годится. Если бы ставил я, я бы оставил саму идею трех вариантов одной и той же истории, но все остальное решительно переделал бы. В конце концов, я бы сам переписал пьесу, пусть даже моей фамилии как соавтора на афише не будет. Только кто мне даст ставить!

Такое развитие событий Никиту более чем устраивало: если будет ставить Дудник, то и сюжет пьесы станет совершенно неузнаваемым, и главная роль будет. Дело за малым — устроить так, чтобы Дуднику дали поставить «Правосудие», а для этого требовалось ни много ни мало — устранить Богомолова, временно, но надолго.

Подкараулить ведущего светский образ жизни худрука, который частенько возвращался домой далеко за полночь, труда не составило, тем более что Лев Алексеевич никогда не подъезжал на машине прямо к дому и возле подъезда всегда оказывался один. Никита не хотел его убивать, ему нужно было только сделать так, чтобы Богомолов какое-то время, желательно длительное, не мог работать.

С того дня он начал попивать, нервы не выдерживали осознания содеянного, а тут еще ежедневные репетиции, напоминающие о прошлом. За работу взялся Дудник, и Никита на некоторое время расслабился, полностью сосредоточившись на задаче выяснить, как много известно Артему. Когда Лесогоров уехал на целый день к себе в Шиловск, Никита украл на вахте ключ от служебной квартиры, сбегал за угол в мастерскую и сделал копию, потом влез в квартиру и попытался порыться в бумагах Артема, но не нашел ничего, ни единого листочка, имеющего отношение к делу Леоничева. Тогда он позвонил Ольге и снова попросил ее о помощи, все-таки она системный администратор, для нее компьютер — детские игрушки, пусть приедет и покопается в компе Лесогорова, пока Никита будет развлекать его в клубе «Киномания».

— Купи билет на спектакль, перед первым актом пройди из зрительного фойе через вот эту дверь, — он говорил и попутно рисовал на листке бумаги план, — в коридор, а оттуда на дальнюю служебную лестницу, поднимешься на самый верх, там квартира. Вот тебе ключ. Все посмотришь, если надо — скопируешь, и возвращайся тем же путем. Зайди в туалет для зрителей и посиди там до антракта, во время антракта сольешься с толпой и на второй акт пойдешь в зал как обыкновенный зритель.

Ольга послушно сделала все, как он велел, но это ни к чему не привело: в компьютере Лесогорова никаких материалов не обнаружилось.

И тут возникло еще одно препятствие: режиссер Семен Борисович Дудник резко поменял позицию. Теперь он не соглашался с Колодным и всячески защищал автора пьесы. Никита терялся в догадках, он не понимал, почему Дудник внезапно изменил свою точку зрения. И он задал режиссеру вопрос прямо в лоб. Ответ его ошарашил: оказывается, было указание руководства не сердить автора, потому что если он разозлится и уйдет, то уйдет вместе с деньгами, на которые в «Новой Москве» уже запланировано поставить три новых спектакля.

— Так что мне велено пылинки с него сдувать, вот так-то, друг Никита, — заключил Дудник. — И зря ты ерепенишься, зря стараешься, больше никаких переделок не будет. Всякие мелочи мы, конечно, подчистим, но ничего кардинального.

Колодный был в полном отчаянии. Он чувствовал себя крысой, загнанной в угол, и понимал, что зашел уже слишком далеко, и пути назад у него нет. Только вперед. Он готов на все, что угодно, лишь бы Вера не разочаровалась в нем и не ушла. Оставалось последнее средство, которое позволяло переделывать пьесу без риска потерять деньги.

Убить автора.

— Но это же глупо, — недоуменно протянул Камень. — И вообще, все, что делал Колодный, ужасно глупо. Да взять хоть историю с Арцеуловым: наврал сыщикам про его таинственные отношения с Артемом Лесогоровым, сочинил эпизод в гримерке, которого на самом деле никогда не было, навел тень на плетень, а ведь эта ложь проверяется в три секунды. Зачем он это сделал? На что рассчитывал? Глупость невероятная! У меня возникло страшное подозрение, что сыщики на этот раз столкнулись с неумным преступником.

— А что, преступники обязательно должны быть умными? — ехидно прищурился Змей. — Это только в книжках и в кино они умные, хитрые, коварные и жутко предусмотрительные, уничтожают все следы. А в жизни-то... — Он пренебрежительно махнул хвостом. — Мы с вами тут не книжки читаем, а про жизнь смотрим, так что надо быть готовым ко всему, в том числе и к непростительным ошибкам, и к обыкновенной глупости.

— А я не понял, — встрял Кот Гамлет, — это он из-за своей любви так убивался?

— Из-за нее, а то как же, — ответил всезнающий Змей.

— То есть вы хотите сказать, что люди из-за любви способны на такие чудовищные и глупые поступки? — не верил Кот.

— Они из-за любви еще и не на такое способны, — заверил его Ворон. — Ты мало прожил и мало видел, а мы Вечные, мы много чего повидали. Так что я тебе ответственно заявляю: и не такое бывает.

— Бывает, — поддакнул Камень.

И Змей согласно покивал овальной головой.

— А вот еще про Лесогорова я не все понял, — продолжал допытываться Кот. — Для чего он все это затеял-то? Славы захотел?

— Ее, родимой, — подтвердил Ворон. — Тщеславие его одолело и честолюбие, хотя я не уверен, что между этими понятиями есть разница. Он парень-то ведь неглупый был, очень даже неглупый, записки следователя прочитал, потом само дело в архиве посмотрел и увидел, что там, как выразилась наша героиня Анастасия Павловна, дыра на дыре, следы в квартире Леоничева никто не фиксировал и даже не искал, потому что сперва все были уверены, что это суицид, а потом в одну секунду стали уверены, что виновна Светлана, так чего надрываться? Флэшку эту, у Светланы найденную, тоже никто на предмет следов чужих рук не исследовал, в общем, по делу много чего не было сделано, потому что очень хотелось его поскорее в суд отправить. А Артем за флэшку зацепился и придумал свою историю, которая по чистой случайности оказалась довольно близкой к правде, хотя и не совсем. Например, про Ольгу он не знал и догадаться не мог, но про то, что смерть Леоничева и флэшка — дело рук постороннего, он допер. Вернее, сообразил, нафантазировал, но почти попал. И решил, что этот посторонний имеет отношение к театру «Новая Москва», не зря же следователь Тихомиров об этом упоминает. В общем, чистый вымысел, но, как это часто случается, попавший в точку. Артему Лесогорову очень хотелось самому выявить и разоблачить убийцу, он уже мысленно видел заголовки, публикации, премии, вплоть до Пулитцеровской. Ну как же, потрясающий результат журналистского расследования! Журналист сумел то, чего не сумели или не захотели суметь профессиональные служители закона! Он ведь именно для этого и стенограммы репетиций писал: попишет-попишет, а потом у себя в квартирке под крышей театра анализирует каждое слово, каждый жест, каждый взгляд. А вдруг кто-то прокололся невзначай! И поэтому же он никому не говорил о том, что к нему в квартиру залезали посторонние. Он же видел, что кто-то был, но молчал. Сам хотел всех выследить и на чистую воду вывести.

Змей укоризненно покачал головой, дескать, вот до чего молодой азарт доводит.

— Ну, здесь все более или менее понятно. Вы нам лучше вот что объясните, уважаемый Гамлет, — обратился он к Коту. — Для чего ваши театральные друзья туману напускали? Ведь никто из них действительно ничего не знал, а волновались-то! И вели себя так, как будто что-то скрывают. Зачем?

— Дети, — коротко ответил Кот. — Театр — это вообще высшее проявление детства, когда притворяешься и искренне сам веришь. Каким бы сложным и высокодуховным ни был театр, все равно он родом из детства. И служить ему могут только те, кто сохранил детскость в собственной душе. Кстати, в театрах потому и кошек любят.

— Почему это — потому? — не понял Ворон.

— Потому что все дети любят животных, особенно кошек, — авторитетно пояснил Гамлет. — А вы не посмотрели, что там с Львом Алексеевичем?

Ворон грустно вздохнул и опустил голову.

— Скончался, не приходя в сознание, — сообщил он.

Все помолчали, отмерив скорбную минуту.

Первым прервал молчание Кот. Он поднялся, выгнул спину и поставил хвост вертикально.

— Я так понимаю, вы сейчас начнете меня выпроваживать. Историю мы закончили, так что пора мне собираться.

— Подождите, куда же вы, — заволновался Камень, но Змей укоризненно глянул на него, и Камень стушевался.

— Действительно, пора, — каркнул Ворон. — Давай прощайся, и пойдем, я тебя провожу, покажу, где место.

— Не беспокойся, я сам провожу Гамлета, — сказал Змей, медленно разворачивая кольца. — Я все равно собрался в дорогу, мне по пути.

Кот медленно обошел вокруг Камня, потерся щечками о каждый выступ, подошел к лицу и лизнул каменный нос, встав на задние лапы. Потом задрал голову и посмотрел вверх.

— Уважаемый Ворон, я не смею просить вас спуститься вниз, но никаким другим способом я с вами проститься не смогу, — вежливо проговорил он.

Ворон отвернулся и проворчал в сторону:

— Да ладно, чего уж там, спущусь.

Спускался он почему-то медленно, не взлетая, а перепрыгивая с ветки на ветку все ниже и ниже, и пристальный взгляд Камня уловил подозрительный блеск круглых глаз старого друга. Вот и Ворон расчувствовался, а ведь как хотел поскорее избавиться от Кота! Наконец Ворон приземлился, растопырил крылья, и Кот пролез между этими крыльями, покрутился и лизнул птицу в голову.

— Ну что ж, прощайте, спасибо вам за все, век буду с благодарностью вспоминать, как вы меня выхаживали, — произнес он с достоинством. — А с вами, уважаемый Змей, мы простимся позже, уже на месте.

«Вот и все, — с грустью думал Камень, глядя вслед удаляющимся Змею и Коту. — Только что они были здесь, со мной, и вот их уже нет. Змей когда-нибудь вернется, а вот Кот — никогда. Никогда больше я его не увижу. Для меня он теперь все равно что умер. Его больше не будет в моей жизни».

— Ладно, ты не плачь, — донесся до него голос Ворона, — а то я сам тоже вот-вот... Ты меня заражаешь. Кстати, о слезах. Я хотел с тобой поговорить, да все откладывал, ждал, пока эта кишка позорная уметется, при нем не хотелось... Знаешь, я, кажется, понял, почему я на «Дяде Ване» всегда слезу пускаю.

— И почему же? — всхлипнул Камень.

— Потому что эта пьеса про меня.

Слезы на глазах Камня мгновенно высохли от удивления.

— Что значит — про тебя? Что у тебя может быть общего с героями Чехова?

— А вот и может! Это... вот... насчет рабского бунта, — Ворон явно не подготовил четких формулировок и пытался выразить словами то, что только смутно ощущал. — Ну, вот эти все мои закидоны, угрозы, ультиматумы, обиды и всякое прочее. Это ведь и есть жалкая попытка рабского бунта.

— Господи! — переполошился Камень. — И против чего же ты бунтуешь? Или против кого? Против меня, что ли?

— Против себя самого. И против тебя тоже. Я... — И Ворон смущенно опустил голову.

— Ну-ну, говори, — подбодрил друга Камень. — Я тебя слушаю. Говори, не стесняйся. Я тебя чем-то обидел? Я тебя угнетаю? Помыкаю тобой? Использую тебя? Против чего ты бунтуешь?

Ворон набрал в грудь побольше воздуха и выпалил:

— Против своей зависимости от тебя. Против своей любви к тебе, старый ты пень! Я так к тебе привязан, так тебя люблю, старого дурака, что ревную ко всем подряд и страшно боюсь, что ты сможешь обходиться без меня. Вот. Я стал рабом собственных чувств. И сам себя стыжусь. Поэтому и пытаюсь бунтовать, только безуспешно. Теперь можешь смеяться.

Камень пошевелил бровями и моргнул.

— Ты сошел с ума, — тихо и ласково проговорил он. — Как же можно стесняться любви? Как можно стыдиться? Да у меня никого на свете нет ближе тебя. Я без тебя пропаду. И я очень ценю твою откровенность и искренность. И вовсе не собираюсь над тобой смеяться, наоборот, я благодарен тебе за то, что ты мне все это сказал. Твои слова — это высшее проявление доверия ко мне, именно так я к ним и отношусь. И давай больше не будем о грустном. Расскажи лучше что-нибудь веселое, а то у меня на душе как-то смутно.

— Из-за Кота? — набычился Ворон. — Не успел он уйти, а ты уже по нему скучаешь?

И тут же, услышав сам себя, опомнился и раскатисто расхохотался. Вслед за ним улыбнулся и Камень.

Театр крепко спал, утомленный и успокоенный. Все вернулось на круги своя, люди из милиции больше не приходили, актеры играли спектакли, зрители радовались, удивлялись, восхищались и аплодировали, и по-прежнему между кулисами и падугами собирались облака восторга, смеха, слез и страданий, к которым Театр так привык и которыми дышал и питался.

Люди из милиции ушли, разоблачив преступника, раскрыв два преступления, но так ничего и не поняв в этом великом, прекрасном, невероятно сложном, таком простом и в то же время непостижимом явлении под названием Театр.

По коридорам мерно звучали тяжелые шаги дежурного пожарного, делавшего обход, возле служебного входа бормотал телевизор и весело выдувал пар электрический чайник, обещая вахтерше и охраннику приятное чаепитие с булочками из театрального буфета, в одной из гримерок тихонько капала вода из не до конца закрученного крана в умывальнике.

На крыльце перед служебным входом сидел белоснежный кот с разноцветными глазами. Он сидел спокойно и терпеливо, ожидая, когда настанет утро и откроют двери. И начнется новый Театральный день.

Сентябрь 2010 — апрель 2011 г.

Литературно-художественное издание

А. МАРИНИНА — КОРОЛЕВА ДЕТЕКТИВА. НОВОЕ ОФОРМЛЕНИЕ

Маринина Александра Анатольевна

СМЕРТЬ КАК ИСКУССТВО

Книга вторая

Правосудие

Ответственный редактор *Е. Соловьев*
Редактор *Т. Чичина*
Художественный редактор *А. Сауков*
Технический редактор *Н. Носова*
Компьютерная верстка *Л. Панина*
Корректор *Л. Зубченко*

ООО «Издательство «Эксмо»
127299, Москва, ул. Клары Цеткин, д. 18/5. Тел. 411-68-86, 956-39-21.
Home page: **www.eksmo.ru**   E-mail: **info@eksmo.ru**

Подписано в печать 30.08.2011. Формат 84×108 $^1/_{32}$.
Гарнитура «Гарамонд». Печать офсетная. Усл. печ. л. 18,48.
Тираж 140 000 экз. Заказ № 6472.

Отпечатано в ОАО «Можайский полиграфический комбинат».
143200, г. Можайск, ул. Мира, 93.
www.oaompk.ru, www.оаомпк.рф тел.: (495) 745-84-28, (49638) 20-685

ISBN 978-5-699-51620-9

Оптовая торговля книгами «Эксмо»:
ООО «ТД «Эксмо». 142700, Московская обл., Ленинский р-н, г. Видное,
Белокаменное ш., д. 1, многоканальный тел. 411-50-74.
E-mail: **reception@eksmo-sale.ru**

По вопросам приобретения книг «Эксмо» зарубежными оптовыми
покупателями обращаться в отдел зарубежных продаж ТД «Эксмо»
E-mail: **international@eksmo-sale.ru**

International Sales: International wholesale customers should contact
Foreign Sales Department of Trading House «Eksmo» for their orders.
international@eksmo-sale.ru

По вопросам заказа книг корпоративным клиентам,
в том числе в специальном оформлении,
обращаться по тел. 411-68-59, доб. 2115, 2117, 2118, 411-68-99, доб. 2762, 1234.
E-mail: **vipzakaz@eksmo.ru**

Оптовая торговля бумажно-беловыми
и канцелярскими товарами для школы и офиса «Канц-Эксмо»:
Компания «Канц-Эксмо»: 142702, Московская обл., Ленинский р-н, г. Видное-2,
Белокаменное ш., д. 1, а/я 5. Тел./факс +7 (495) 745-28-87 (многоканальный).
e-mail: **kanc@eksmo-sale.ru**, сайт: **www.kanc-eksmo.ru**

Полный ассортимент книг издательства «Эксмо» для оптовых покупателей:
В Санкт-Петербурге: ООО СЗКО, пр-т Обуховской Обороны, д. 84Е.
Тел. (812) 365-46-03/04.
В Нижнем Новгороде: ООО ТД «Эксмо НН», ул. Маршала Воронова, д. 3.
Тел. (8312) 72-36-70.
В Казани: Филиал ООО «РДЦ-Самара», ул. Фрезерная, д. 5.
Тел. (843) 570-40-45/46.
В Ростове-на-Дону: ООО «РДЦ-Ростов», пр. Стачки, 243А.
Тел. (863) 220-19-34.
В Самаре: ООО «РДЦ-Самара», пр-т Кирова, д. 75/1, литера «Е».
Тел. (846) 269-66-70.
В Екатеринбурге: ООО «РДЦ-Екатеринбург», ул. Прибалтийская, д. 24а.
Тел. +7 (343) 272-72-01/02/03/04/05/06/07/08.
В Новосибирске: ООО «РДЦ-Новосибирск», Комбинатский пер., д. 3.
Тел. +7 (383) 289-91-42. E-mail: **eksmo-nsk@yandex.ru**
В Киеве: ООО «РДЦ Эксмо-Украина», Московский пр-т, д. 9.
Тел./факс: (044) 495-79-80/81.
Во Львове: ТП ООО «Эксмо-Запад», ул. Бузкова, д. 2.
Тел./факс (032) 245-00-19.
В Симферополе: ООО «Эксмо-Крым», ул. Киевская, д. 153.
Тел./факс (0652) 22-90-03, 54-32-99.
В Казахстане: ТОО «РДЦ-Алматы», ул. Домбровского, д. 3а.
Тел./факс (727) 251-59-90/91. rdc-almaty@mail.ru

Полный ассортимент продукции издательства «Эксмо»
можно приобрести в магазинах «Новый книжный» и «Читай-город».
Телефон единой справочной: 8 (800) 444-8-444.
Звонок по России бесплатный.

В Санкт-Петербурге в сети магазинов «Буквоед»:
«Парк культуры и чтения», Невский пр-т, д. 46. Тел. (812) 601-0-601
www.bookvoed.ru

По вопросам размещения рекламы в книгах издательства «Эксмо»
обращаться в рекламный отдел. Тел. 411-68-74.